4학년이 꼭 알아야 할 도형

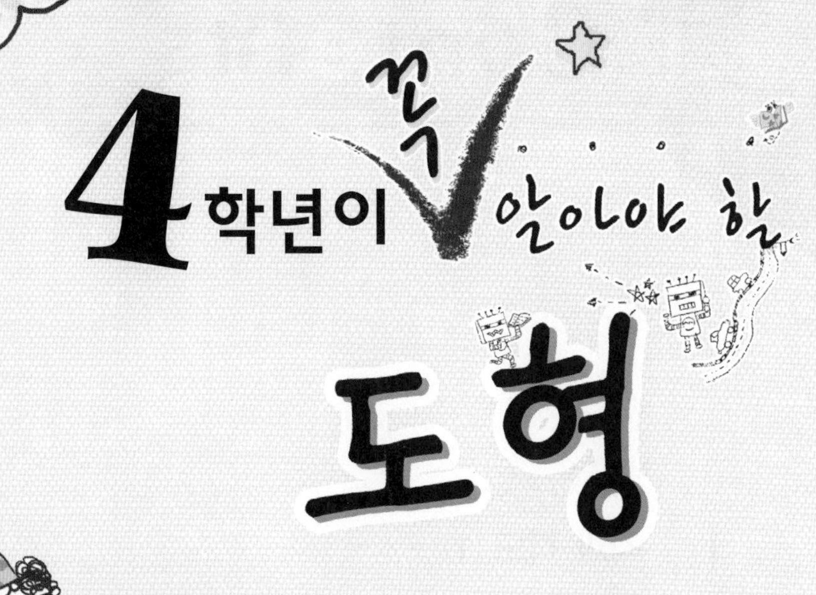

도형

특징

1. 2학년부터 6학년까지 각 학년별 한 권씩(총 5권)으로 구성되어 있습니다.
2. 도형에 대한 개념을 이해하고 다양한 문제를 통해 자신감을 얻도록 하였습니다.
3. 자학자습용으로 뿐만 아니라 학원에서 특강용으로 활용할 수 있도록 하였습니다.

구성

개념 확인	각 단원에서 꼭 알아야 할 기본적인 개념과 원리를 요약 정리하였습니다.
개념 익히기	도형의 기본 개념과 원리를 확인하고 다질 수 있도록 하였습니다.
동메달 따기	도형의 기본 원리를 적용하여 문제 해결을 함으로써, 자신감을 갖도록 하였습니다.
은메달 따기	동메달 따기에서 얻은 자신감을 바탕으로 좀 더 향상된 문제해결력을 지닐 수 있도록 하였습니다.
금메달 따기	다소 발전적인 문제로 구성되어, 도전의식을 가지고 문제를 해결해 보도록 하였습니다.

Contents

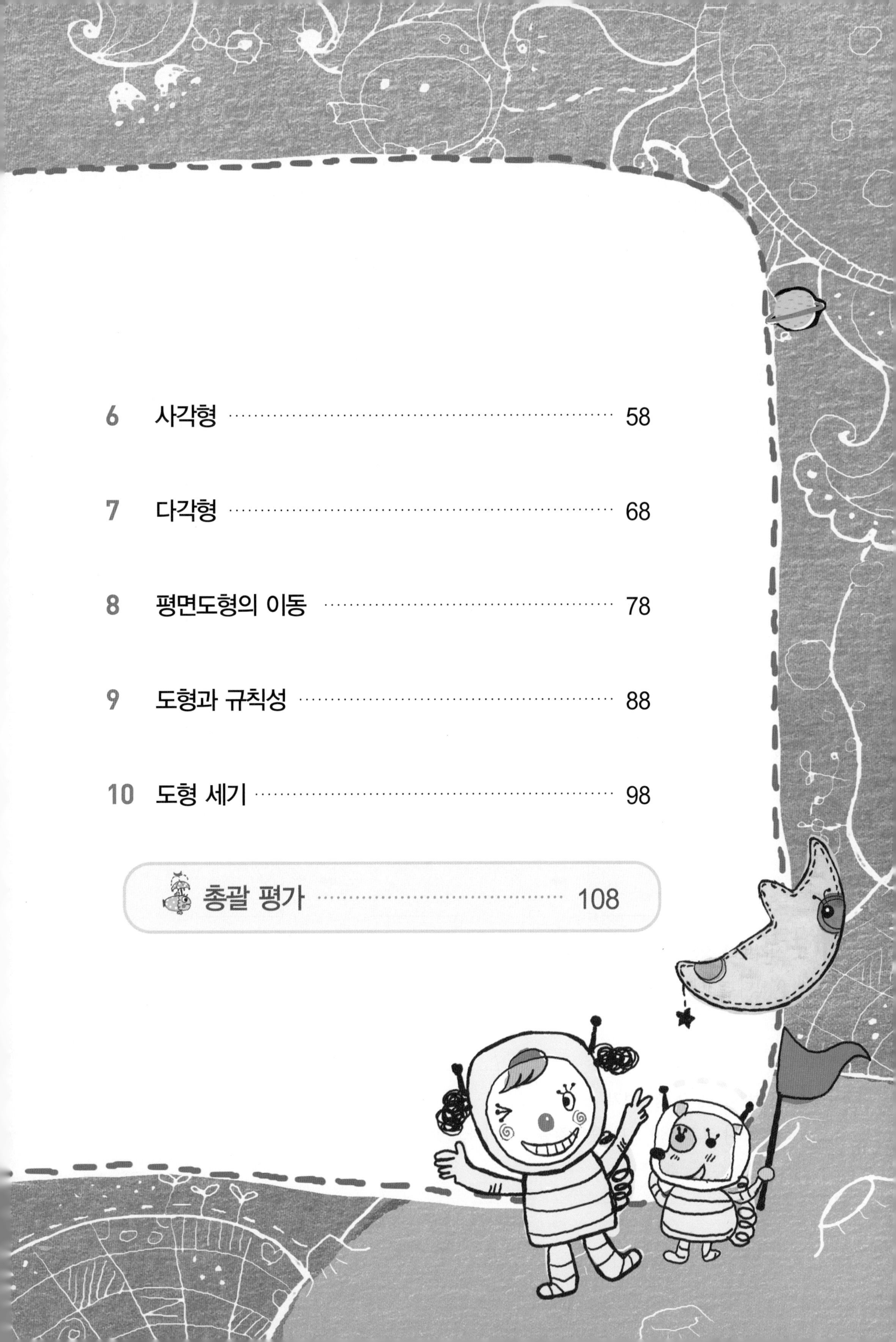

1. 각과 각도 (1)

개념 확인

1. 각의 크기 비교하기

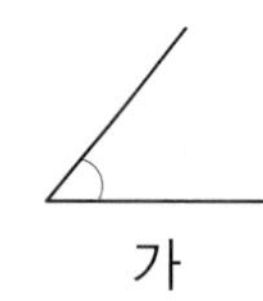
가

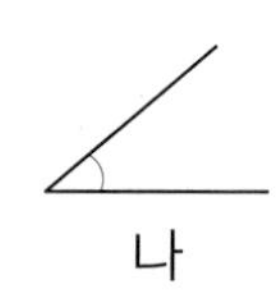
나

각의 크기는 그려진 변의 길이와 관계없이 두 변의 벌어진 정도에 따라 다릅니다.

가는 나보다 두 변의 벌어진 정도가 크므로 가는 나보다 각의 크기가 더 큽니다.

2. 각의 크기를 나타내는 단위

- 각의 크기를 각도라고 합니다.
- 직각을 똑같이 90으로 나눈 하나를 1도라 하고 1°라고 씁니다.
- 직각은 90°입니다.

3. 각도기를 이용하여 각도 재기

① 꼭짓점 ㄴ에 각도기의 중심을 맞춥니다.
② 각도기의 밑금을 변 ㄴㄷ에 맞춥니다.
③ 변 ㄴㄱ이 닿은 눈금을 읽습니다.
➡ 따라서 각도는 40°입니다.

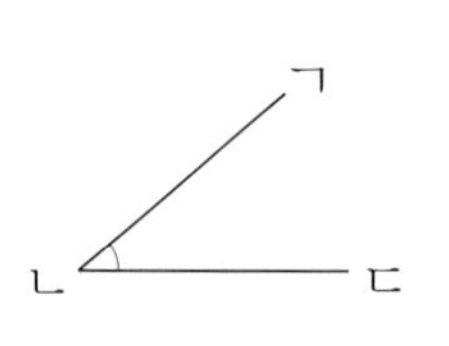

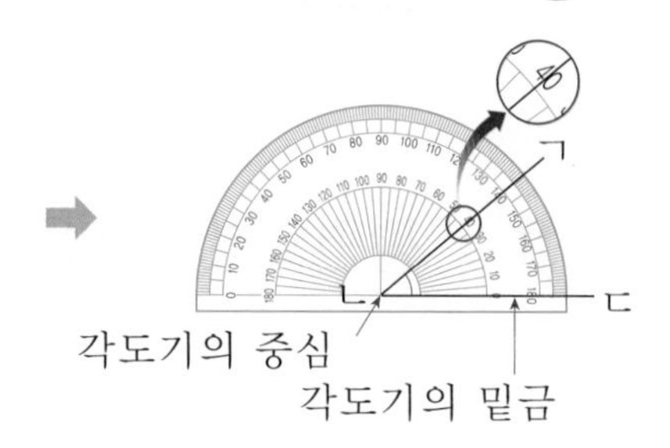

4. 각도기를 이용하여 각도가 60°인 각 그리기

① 각의 한 변인 변 ㄴㄷ을 긋습니다.
② 각도기의 중심을 꼭짓점이 될 점 ㄴ에 맞추고, 각도기의 밑금을 변 ㄴㄷ에 맞춥니다.
③ 각도기에서 60°가 되는 눈금 위에 점 ㄱ을 찍습니다.
④ 점 ㄴ과 점 ㄱ을 이어 변 ㄴㄱ을 긋습니다.

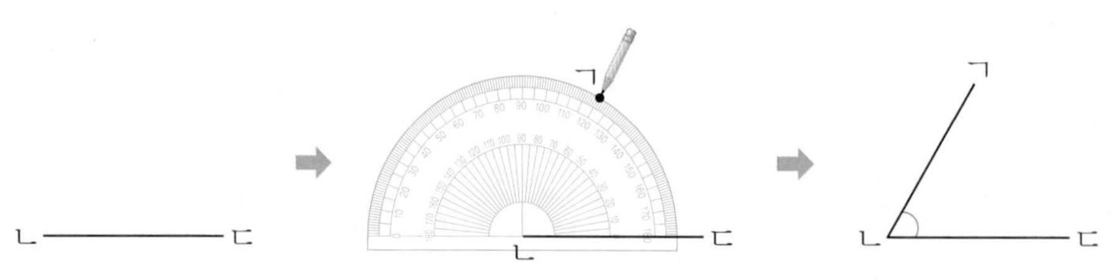

5. 직각보다 작은 각 알아보기

0°보다 크고 직각보다 작은 각을 예각이라고 합니다.

- 0° < (예각) < 90°
- 90° < (둔각) < 180°
- (예각) < (직각) < (둔각)

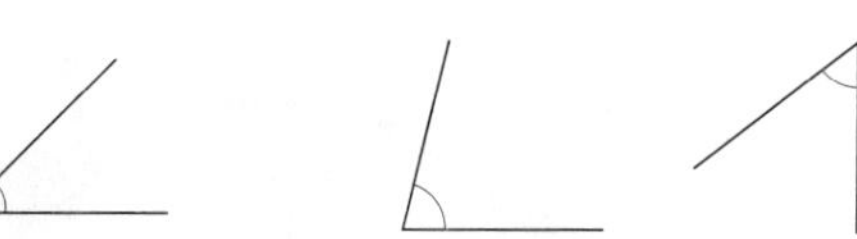

6. 직각보다 큰 각 알아보기

직각보다 크고 180°보다 작은 각을 둔각이라고 합니다.

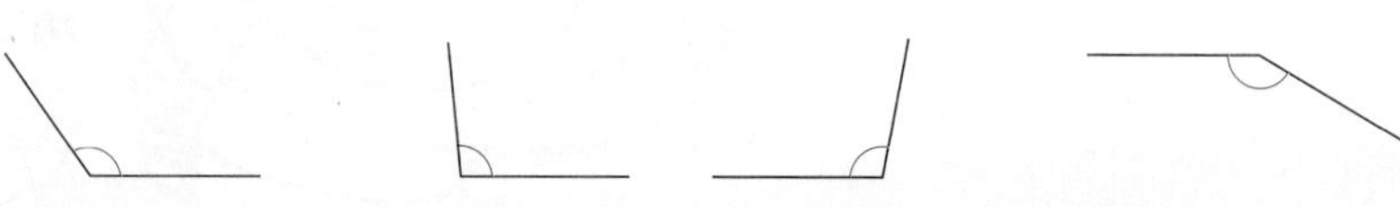

개념 익히기

1 두 각의 크기를 비교하여 더 작은 각을 찾아 기호를 쓰시오.

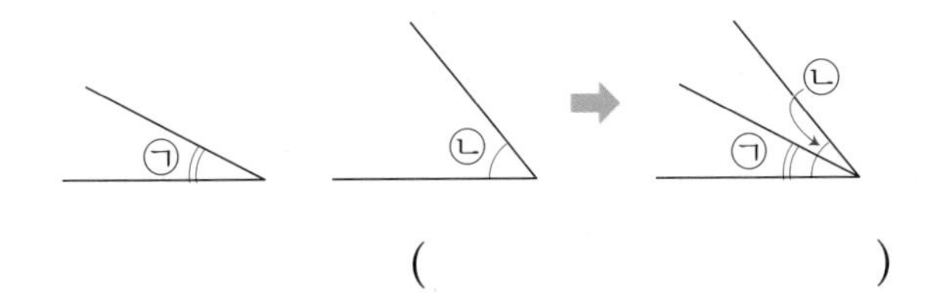

(　　　　　　　　)

2 각도를 바르게 구한 사람은 누구입니까?

(　　　　　　　　)

3 각도를 구해 보시오.

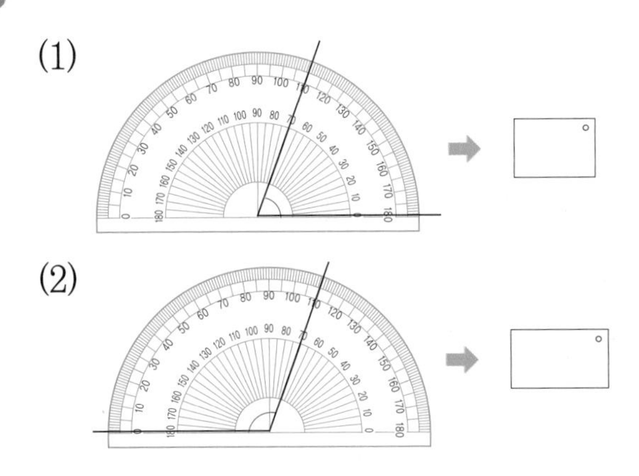

4 각도기와 자를 이용하여 주어진 각도와 크기가 같은 각을 그려 보시오.

(1)

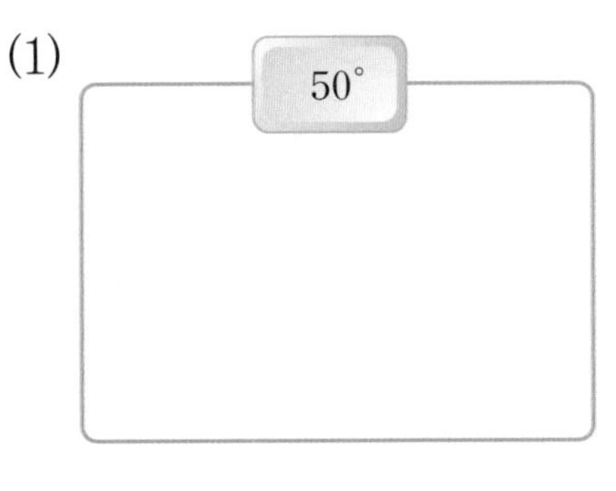

(2)

5 각을 보고 물음에 답하시오.

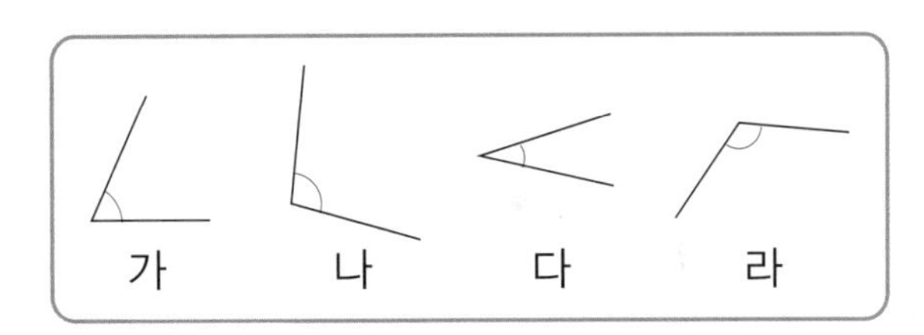

(1) 예각을 모두 찾아 기호를 쓰시오.

(　　　　　　　　)

(2) 둔각을 모두 찾아 기호를 쓰시오.

(　　　　　　　　)

6 오른쪽 그림에서 찾을 수 있는 예각에는 ○표, 둔각에는 △표, 직각에는 ×표 하시오.

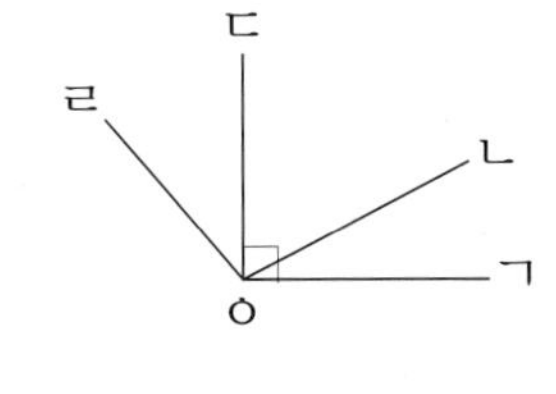

각 ㄱㅇㄴ (　　)　　각 ㄱㅇㄷ (　　)

각 ㄱㅇㄹ (　　)　　각 ㄴㅇㄷ (　　)

각 ㄴㅇㄹ (　　)　　각 ㄷㅇㄹ (　　)

1 크기가 가장 큰 각부터 차례대로 기호를 쓰시오.

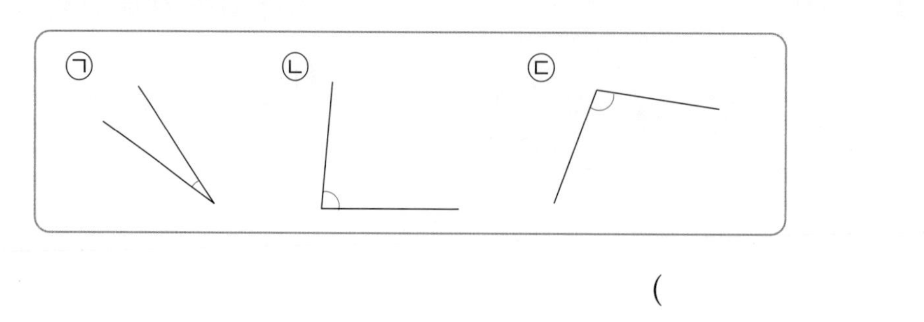

( )

2 보기 보다 크기가 큰 각을 모두 찾아 기호를 써 보시오.

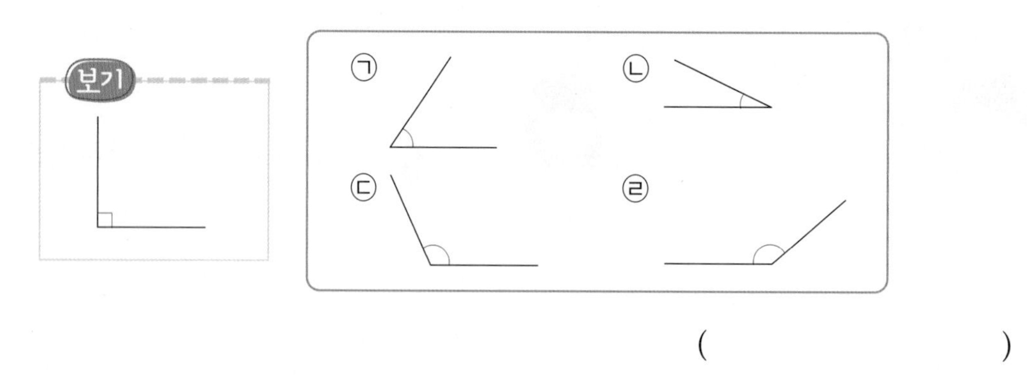

( )

3 점을 이어서 크기가 다른 각 3개를 그려 보시오.

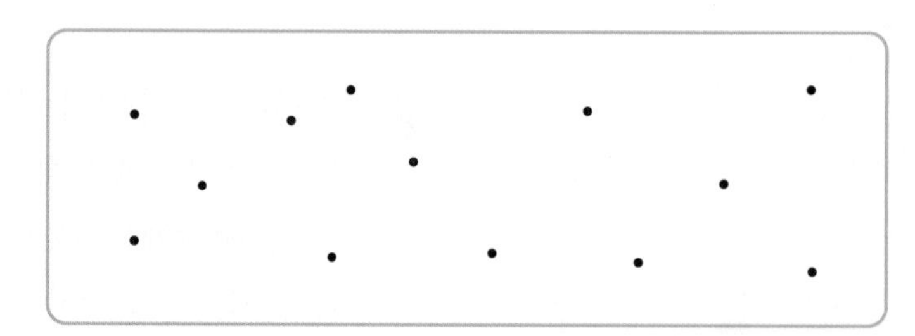

4 다음 그림에서 가장 큰 각을 찾아 써 보시오.

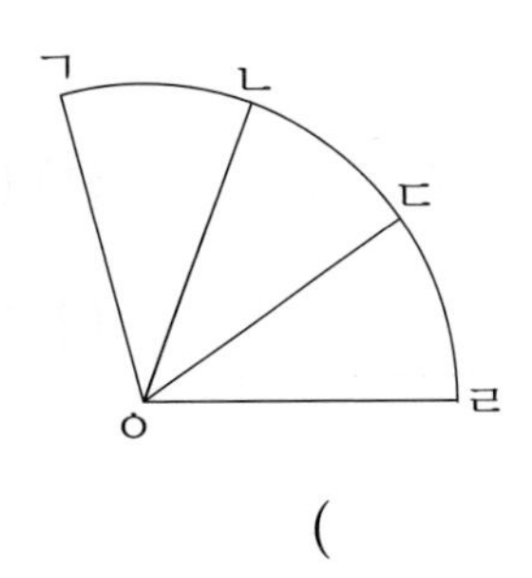

( )

5 각도를 바르게 잰 것은 어느 것입니까? ( )

① 
② 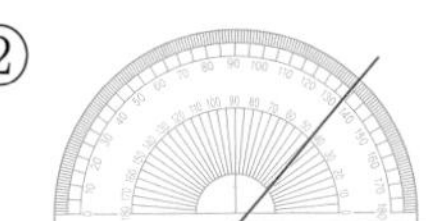
③ 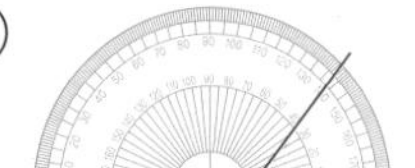
④ 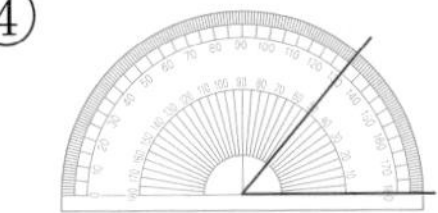
⑤ 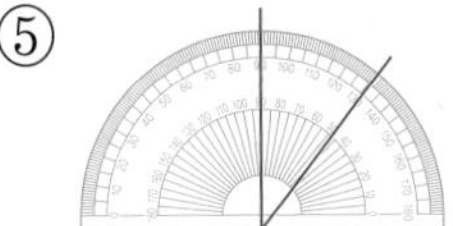

6 각도를 읽어 보시오.

(1) 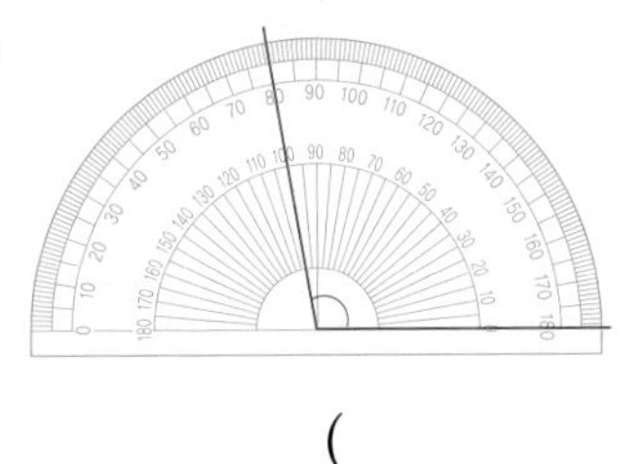

( )

(2) 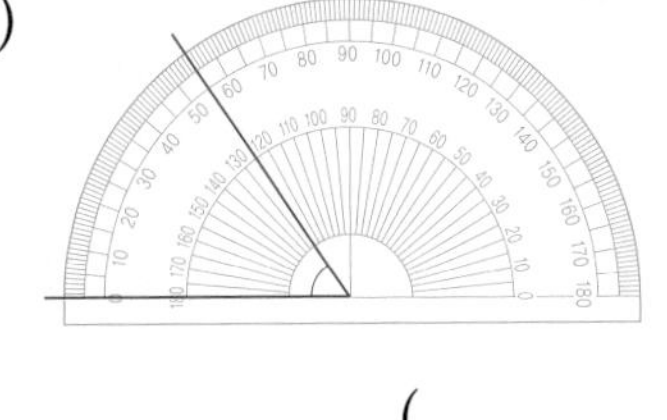

( )

동메달 따기

7 그림을 보고 □ 안에 알맞은 수를 써넣으시오.

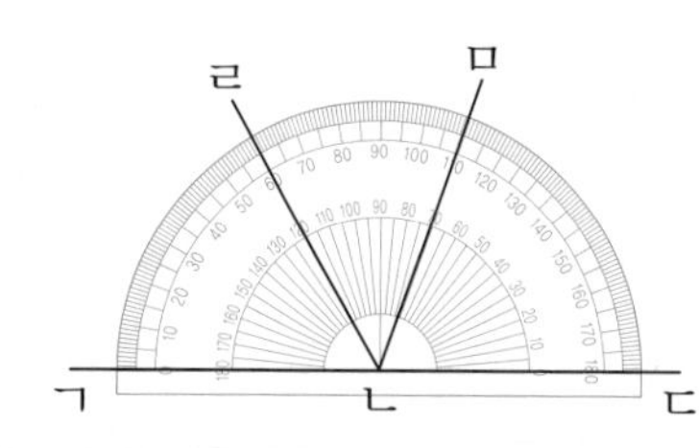

(1) (각 ㄱㄴㅁ)= □°

(2) (각 ㄹㄴㅁ)= □°

8 각도기를 이용하여 각도를 재어 보시오.

(1)

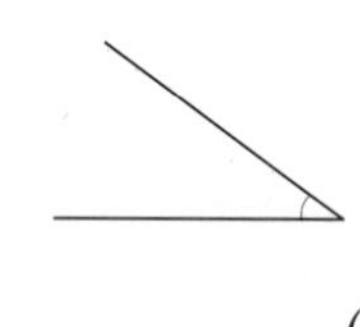

(　　　　　　　　)

(2)

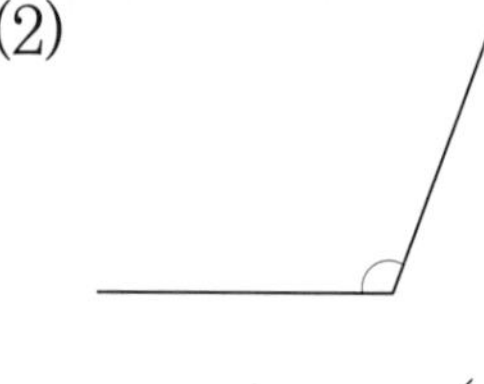

(　　　　　　　　)

9 각도기를 이용하여 보기의 각도를 재고 크기가 같은 각을 찾아 기호를 써 보시오.

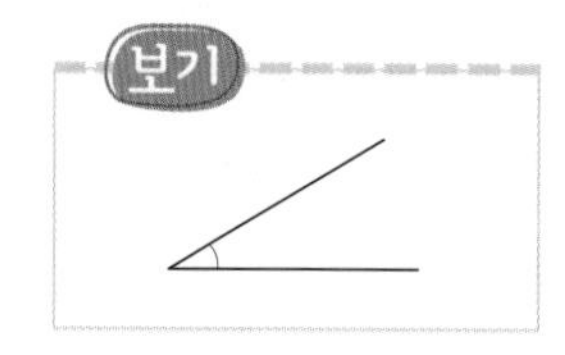

㉠ ㉡ 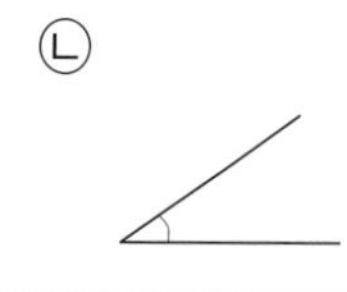 ㉢ 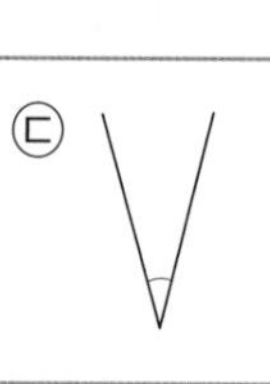

(　　　　　　　　)

10 각의 크기를 재고 주어진 선분을 각의 한 변으로 하여 크기가 같은 각을 그려 보시오.

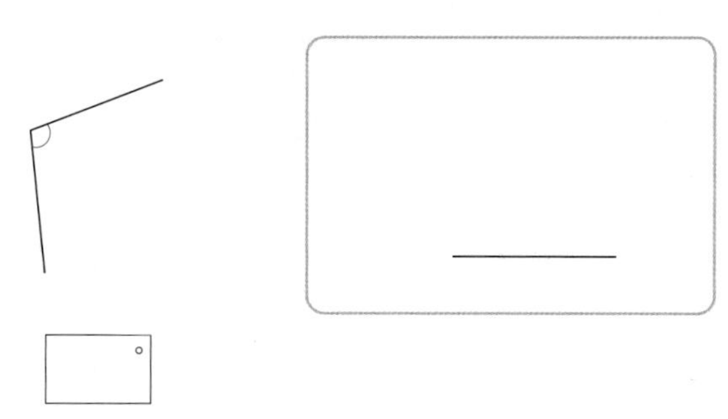

11 □ 안에 예각, 둔각을 알맞게 써넣으시오.

$0° < \square < 90° < \square < 180°$

12 각을 보고 (　　) 안에 예각, 직각, 둔각을 써넣으시오.

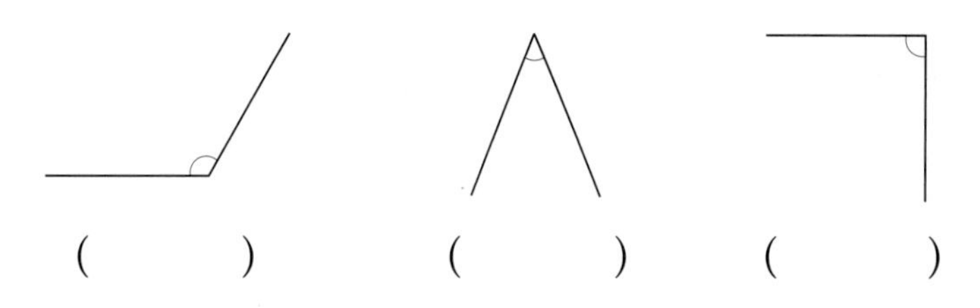

은메달 따기

1 크기가 가장 작은 각부터 차례대로 기호를 쓰시오.

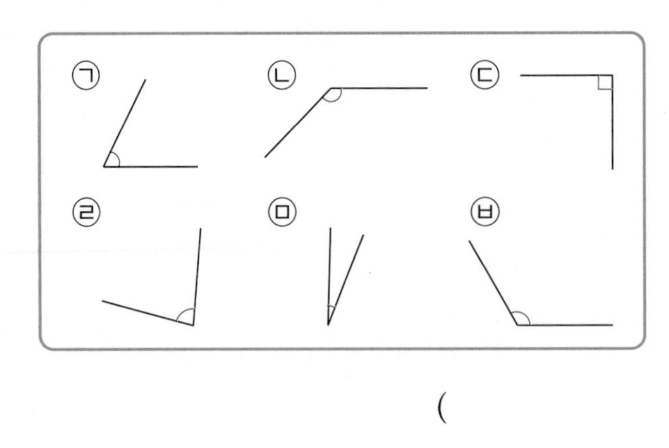

( )

2 그림을 보고 각도를 재어 각도가 가장 큰 것부터 차례대로 기호를 쓰시오.

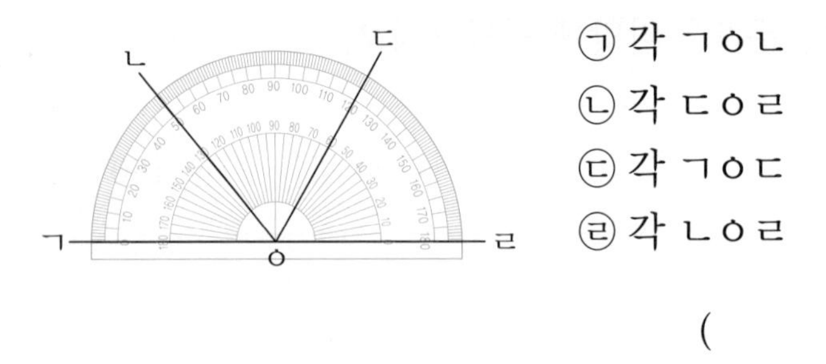

㉠ 각 ㄱㅇㄴ
㉡ 각 ㄷㅇㄹ
㉢ 각 ㄱㅇㄷ
㉣ 각 ㄴㅇㄹ

( )

3 각도기를 이용하여 보기와 크기가 같은 각을 찾아 기호를 쓰시오.

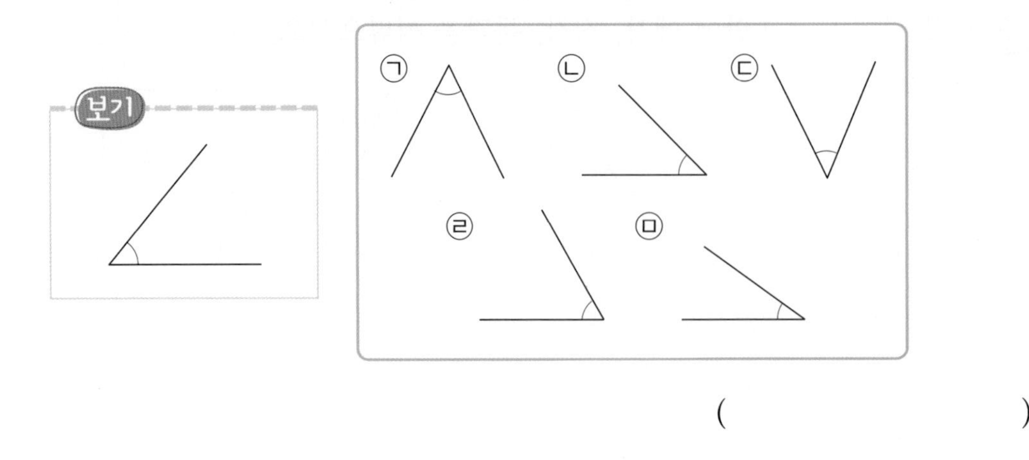

( )

4 각에 각도기를 대어 눈금을 읽었더니 한 변이 40을 가리키고 다른 한 변은 90을 가리키고 있습니다. 이 각의 크기를 구하시오.

(　　　　　　　　　　)

5 각도기를 이용하여 크기가 40°인 각 ㄱㄴㄷ을 그리는 방법입니다. 순서대로 기호를 써 보시오.

> ㉠ 점 ㄴ과 점 ㄷ을 이어 변 ㄴㄷ을 긋습니다.
> ㉡ 각도기에서 40°가 되는 곳에 점 ㄷ을 찍습니다.
> ㉢ 각의 한 변 ㄱㄴ을 긋습니다.
> ㉣ 각도기의 중심과 각의 꼭짓점 ㄴ을 맞추고, 각도기의 밑금을 각의 한 변인 ㄱㄴ과 맞춥니다.

(　　　　　　　　　　)

6 점 ㄱ을 꼭짓점으로 하여 각의 크기가 130°이고 각을 이루는 두 변의 길이가 각각 2 cm, 3 cm인 각을 그려 보시오.

7 그림에서 예각은 모두 몇 개입니까?

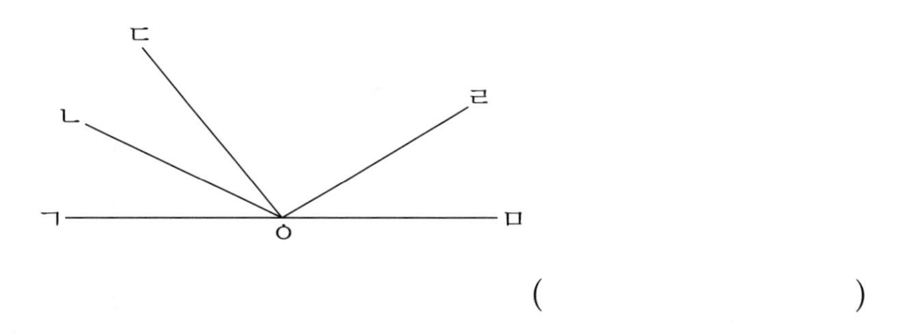

(　　　　　　　　　　)

금메달 따기

생각의 샘

1 그림은 180°를 크기가 같은 각 6개로 나눈 것입니다. 그림에서 찾을 수 있는 예각은 모두 몇 개인지 구하시오.

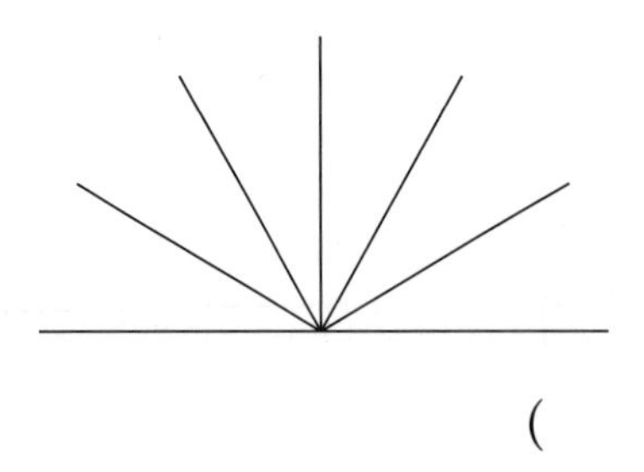

(　　　　　　　　　　)

가장 작은 각의 크기는 $180° \div 6 = 30°$입니다.

2 각 ㄱㅇㄹ과 각 ㄴㅇㄷ은 직각입니다. 그림에서 찾을 수 있는 둔각을 모두 써 보시오.

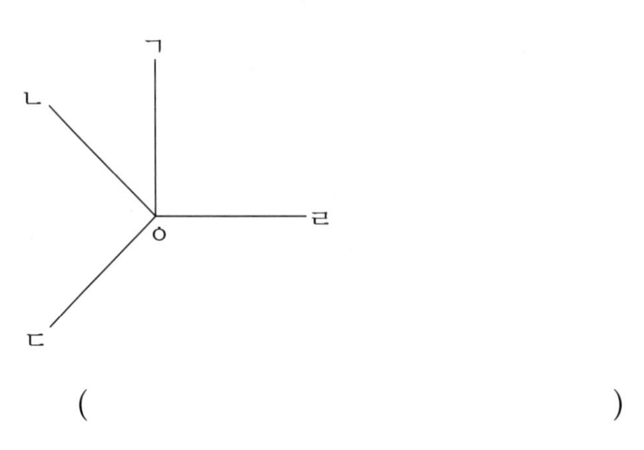

(　　　　　　　　　　)

둔각은 90°보다 크고 180°보다 작은 각입니다.

3 다음은 별자리 중 거문고자리를 보고 그린 것입니다. 예각은 '예', 둔각은 '둔'으로 (　　) 안에 써넣으시오.

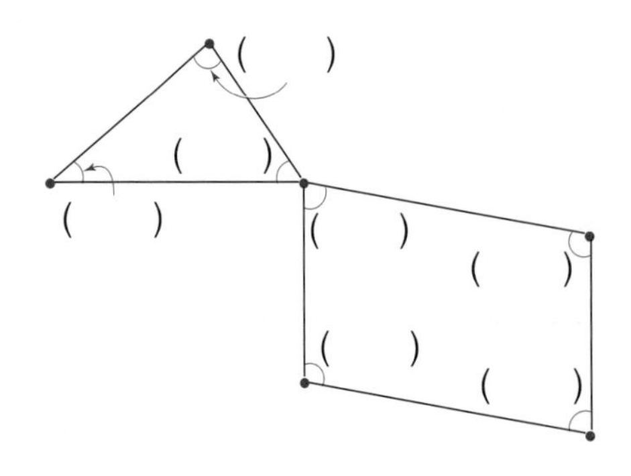

예각은 0°보다 크고 직각보다 작은 각이고, 둔각은 직각보다 크고 180°보다 작은 각입니다.

생각의 샘

4 시계의 두 바늘이 이루는 작은 쪽의 각이 둔각인 것은 어느 것입니까? (   )

① 9시 55분　　② 7시 30분　　③ 3시 45분
④ 6시 40분　　⑤ 2시

각각의 시각을 모형 시계에 나타내어 봅니다.

5 그림에서 시계의 긴바늘과 짧은바늘이 이루는 작은 쪽의 각의 크기를 구하시오.

(   )

먼저 숫자와 숫자 사이 1칸의 각도를 알아봅니다.

6 시계의 긴바늘과 짧은바늘이 이루는 작은 쪽의 각의 크기가 120°가 되는 때는 정각 몇 시인지 모두 구하시오.

(   )

120°가 되려면 긴바늘과 짧은바늘은 숫자와 숫자 사이의 큰 눈금 몇 칸만큼 벌어져 있어야 하는지 알아봅니다.

2. 각과 각도 (2)

개념 확인

1. 각도를 어림하기

주어진 각을 비교하여 어림합니다.

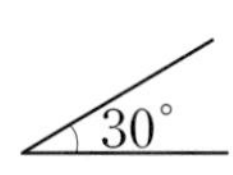

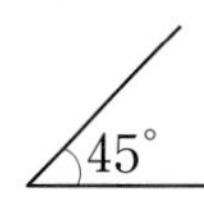

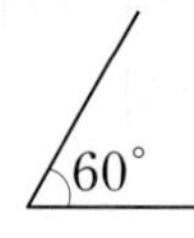

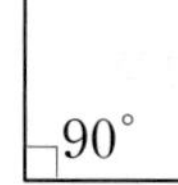

- 어림한 각은 실제 크기와 다를 수 있습니다.
- 어림한 각도와 잰 각도의 차가 작을수록 잘 어림한 것입니다.

2. 각도의 합과 차 구하기

각도의 합과 차는 자연수의 덧셈, 뺄셈과 같은 방법으로 계산한 다음 계산 결과에 도(°)를 붙입니다.

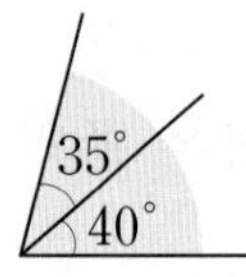

합 : $35° + 40° = 75°$

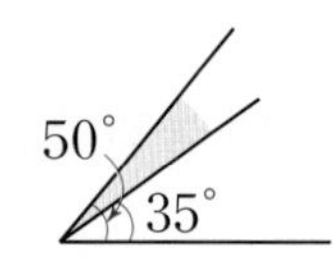

차 : $50° - 35° = 15°$

3. 삼각형의 세 각의 크기의 합 알아보기

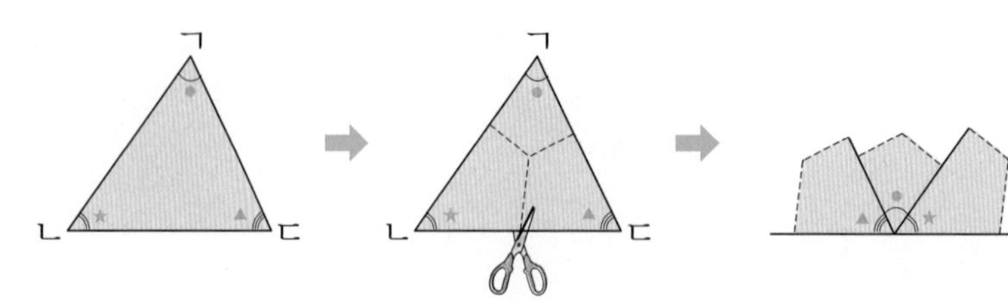

삼각형을 그림과 같이 잘라서 세 각을 직선 위에 맞추어 보면 모두 직선 위에 꼭 맞추어집니다.
따라서 삼각형의 세 각의 크기의 합은 180°입니다.

4. 사각형의 네 각의 크기의 합 알아보기

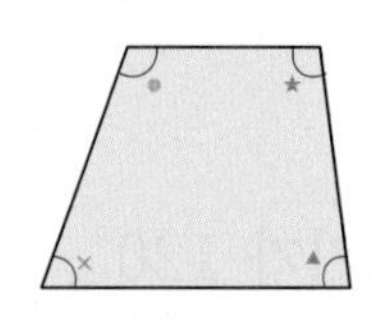

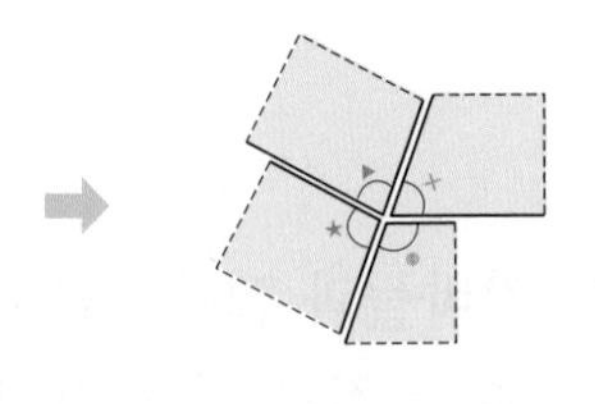

- 사각형을 그림과 같이 잘라서 네 각을 한 곳에 맞추어 보면 네 각이 모인 각의 합은 직선 2개의 각을 합한 크기와 같습니다. 따라서 사각형의 네 각의 크기의 합은 360°입니다.
- 삼각형을 이용하여 사각형의 네 각의 크기의 합 구하기

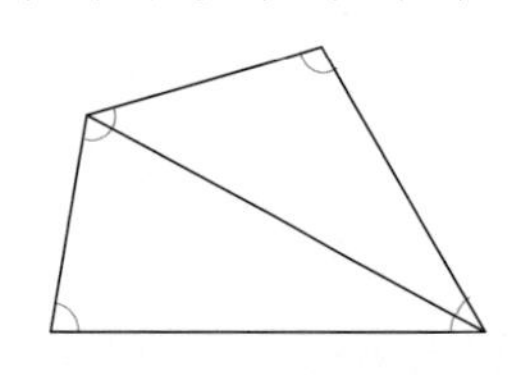

(사각형의 네 각의 크기의 합)
=(삼각형의 세 각의 크기의 합)×2
$=180° \times 2 = 360°$

개념 익히기

1 각도를 어림하고 각도기로 재어 보시오.

(1) 어림한 각도 $\square^\circ$

잰 각도 $\square^\circ$

(2) 어림한 각도 $\square^\circ$

잰 각도 $\square^\circ$

2 그림을 보고 □ 안에 알맞은 수를 써넣으시오.

(1)

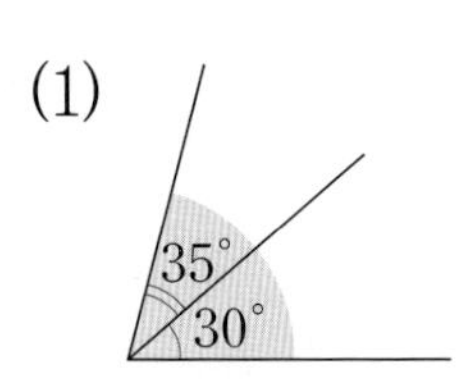

➡ $30^\circ + 35^\circ = \square^\circ$

(2)

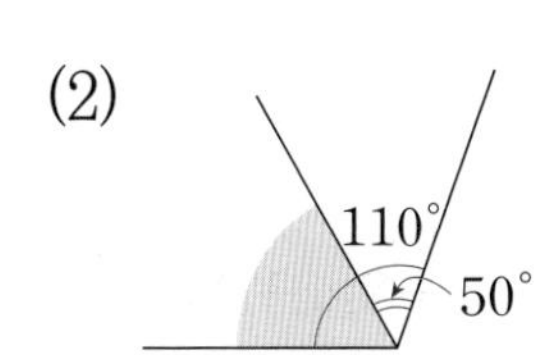

➡ $110^\circ - 50^\circ = \square^\circ$

3 각도의 합과 차를 구하시오.

(1) $50^\circ + 40^\circ = \square^\circ$

(2) $65^\circ + 70^\circ = \square^\circ$

(3) $120^\circ - 80^\circ = \square^\circ$

(4) $155^\circ - 60^\circ = \square^\circ$

4 □ 안에 알맞은 수를 써넣으시오.

(1)

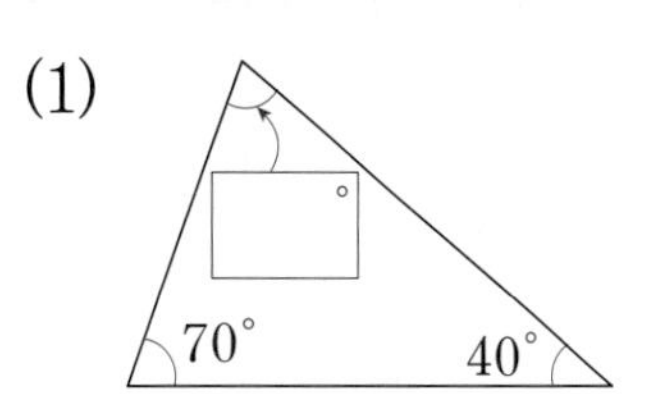

(2)

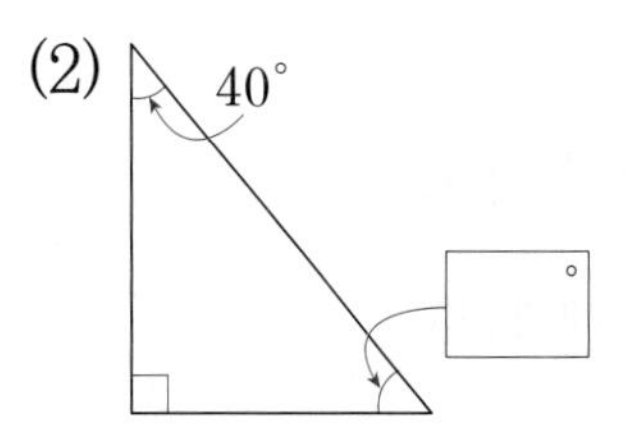

5 □ 안에 알맞은 수를 써넣으시오.

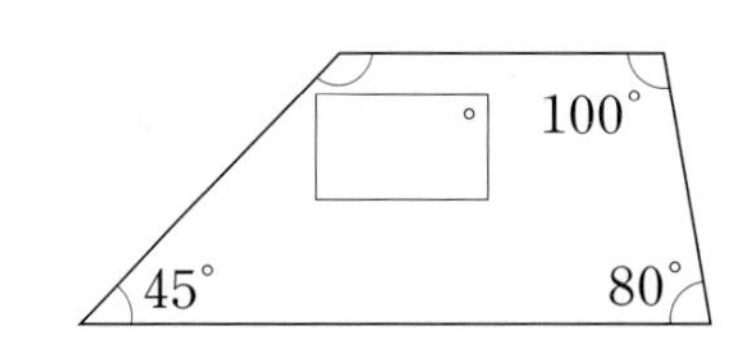

$45^\circ + 80^\circ + 100^\circ + \square^\circ = 360^\circ$

6 세 각의 크기가 다음과 같은 사각형이 있습니다. 나머지 한 각의 크기를 구하시오.

(1) 55° 100° 65°

(　　　　　　　)

(2) 75° 65° 120°

(　　　　　　　)

동메달 따기

1 각의 크기를 어림한 후 각도기로 재어 보시오.

(1)

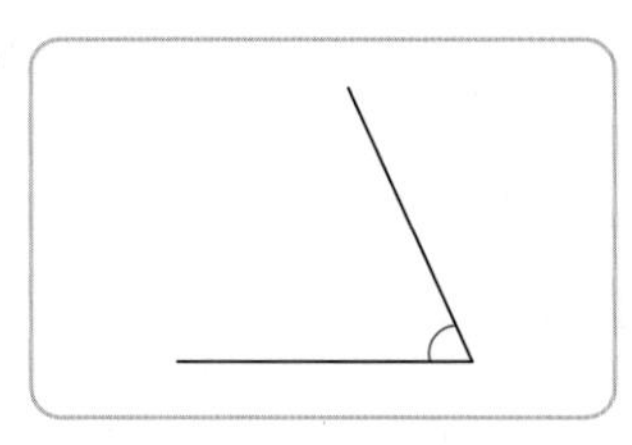

어림한 각도 $\square^\circ$

잰 각도 $\square^\circ$

(2)

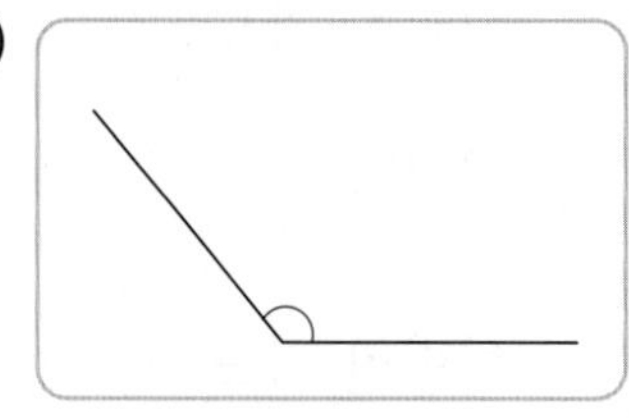

어림한 각도 $\square^\circ$

잰 각도 $\square^\circ$

2 □ 안에 알맞은 수를 써넣으시오.

(1)

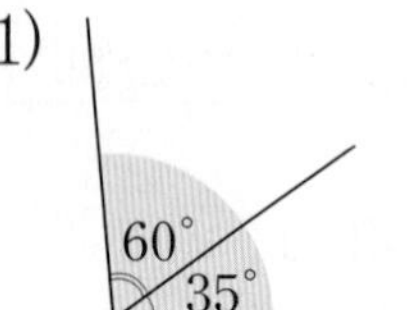

$60^\circ + 35^\circ = \square^\circ$

(2)

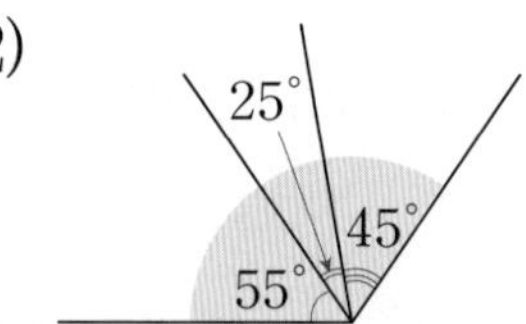

$55^\circ + 25^\circ + 45^\circ = \square^\circ$

3 각도의 합을 구하시오.

(1) $110^\circ + 20^\circ$

(2) $35^\circ + 80^\circ$

(3) $90^\circ + 45^\circ$

(4) $70^\circ + 50^\circ$

4 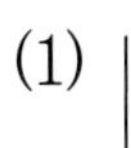 안에 알맞은 수를 써넣으시오.

(1)

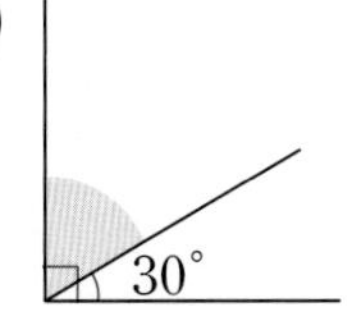

$90° - 30° = \square°$

(2)

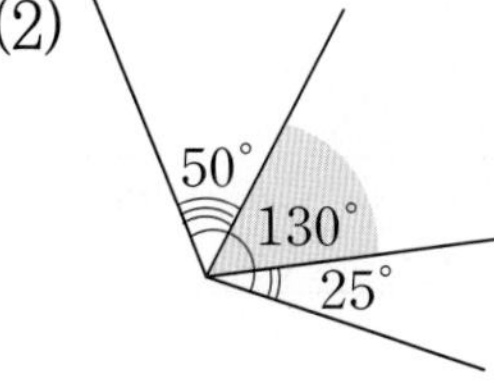

$130° - 50° - 25° = \square°$

5 각도의 차를 구하시오.

(1) $125° - 80°$

(2) $95° - 30°$

(3) $180° - 95°$

(4) $100° - 55°$

6 두 각도의 합과 차를 각각 구하시오.

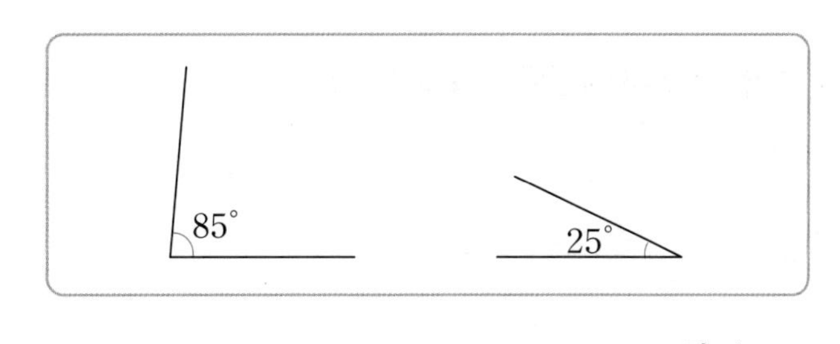

합 (　　　　　　　　　　)

차 (　　　　　　　　　　)

7 삼각형을 그림과 같이 점선을 따라 접었습니다. □ 안에 알맞은 수를 써넣으시오.

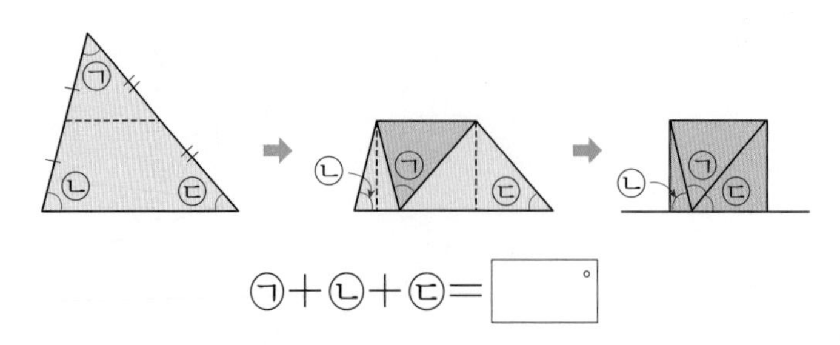

㉠+㉡+㉢=□°

8 □ 안에 알맞은 수를 써넣으시오.

(1)

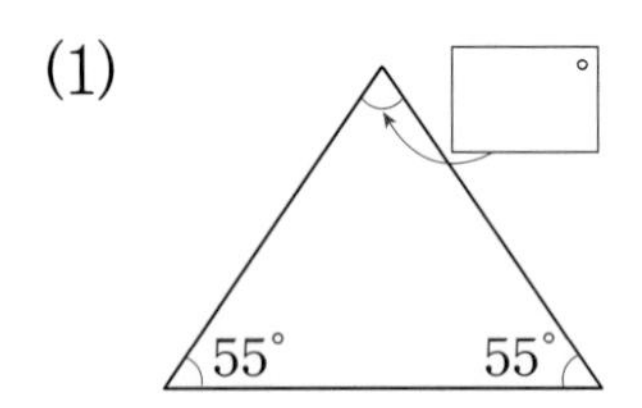

(2)

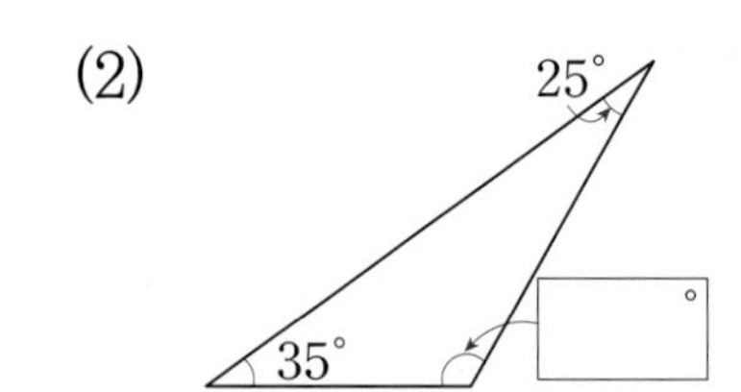

9 □ 안에 알맞은 수를 써넣으시오.

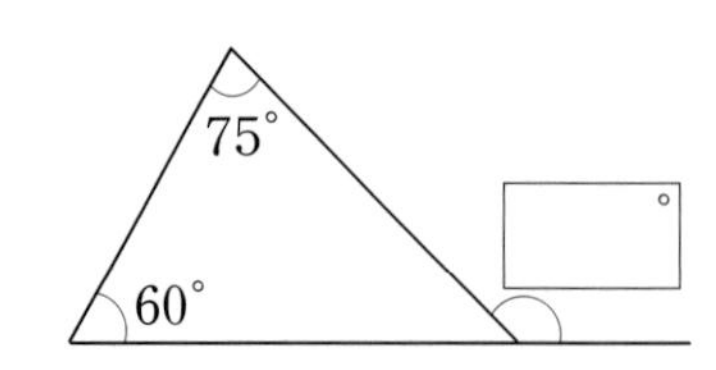

10 사각형의 네 각의 크기를 각도기로 재고 합을 구하려고 합니다. □ 안에 알맞은 수를 써넣으시오.

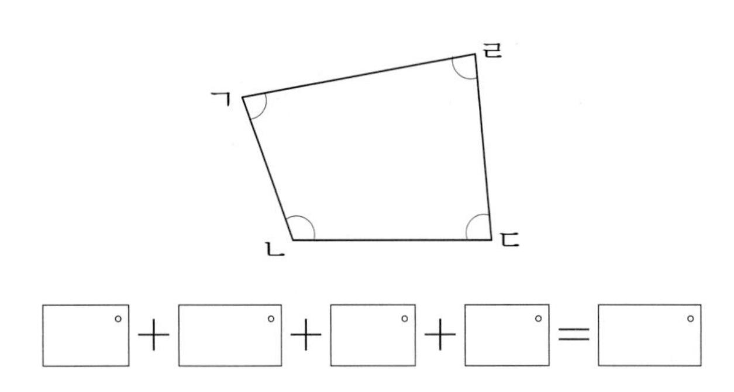

□° + □° + □° + □° = □°

11 □ 안에 알맞은 수를 써넣으시오.

(1)

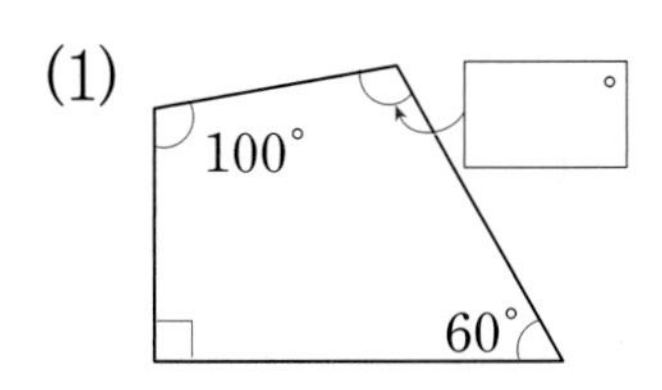

(2)

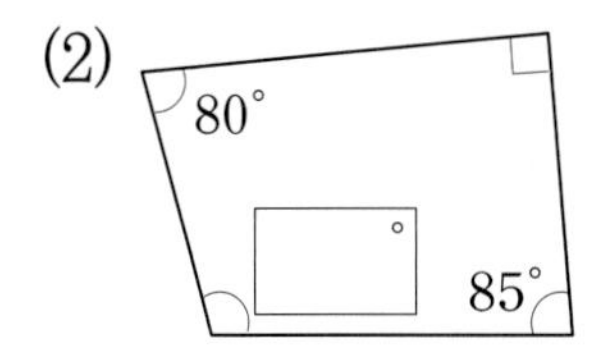

12 □ 안에 알맞은 수를 써넣으시오.

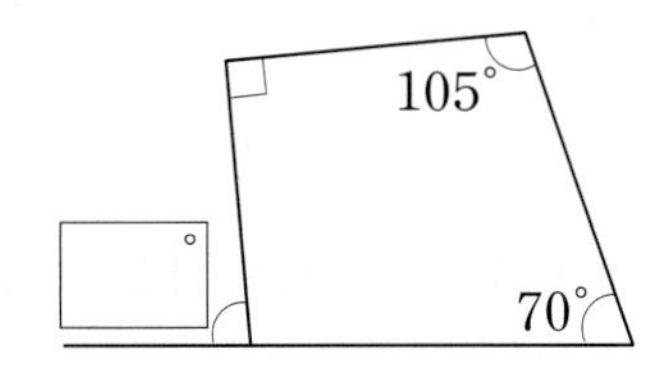

은메달 따기

1 □ 안에 알맞은 수를 써넣으시오.

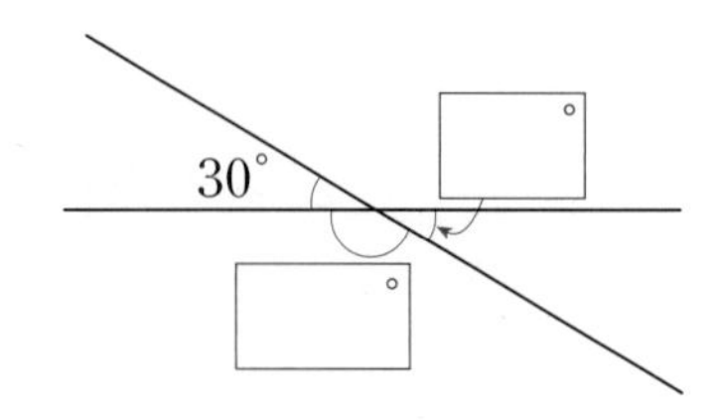

2 각 ㄴㄷㄹ의 크기를 구하시오.

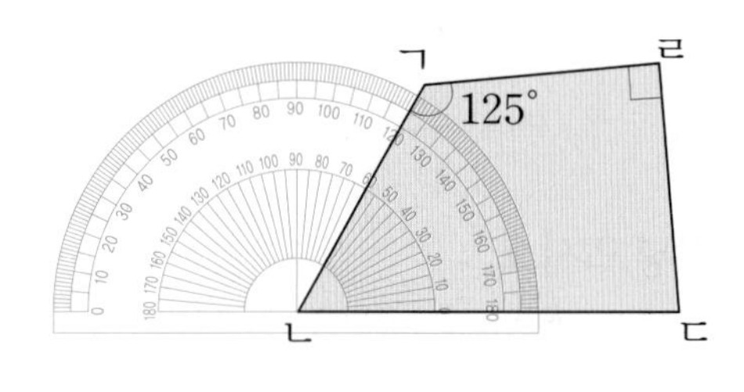

( )

3 직각삼각자 2개를 사용하여 만들 수 있는 각도를 알아보려고 합니다. 물음에 답하시오.

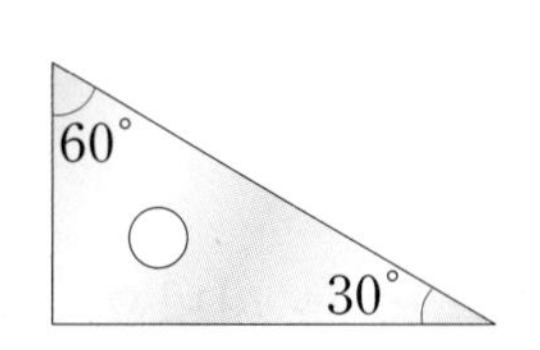

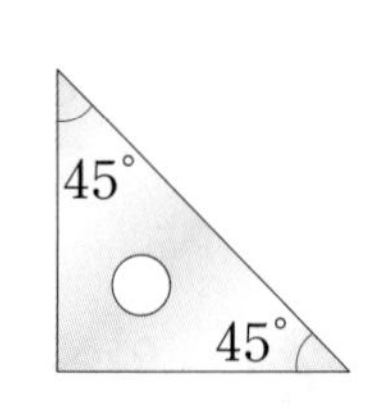

(1) 직각삼각자 2개를 이어 붙여 만들 수 있는 각도는 모두 몇 개입니까?

( )

(2) 직각삼각자 2개를 겹쳐서 만들 수 있는 각도는 모두 몇 개입니까?

( )

4 □ 안에 알맞은 수를 써넣으시오.

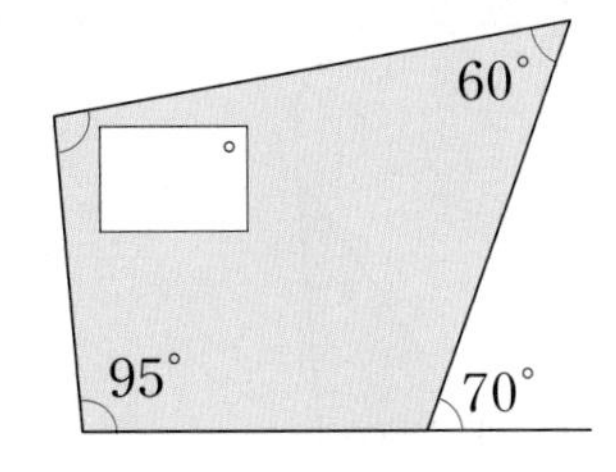

5 □ 안에 알맞은 수를 써넣으시오.

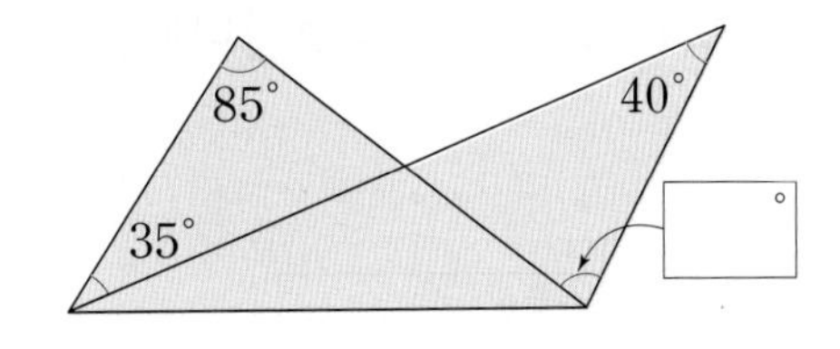

6 다음 그림에서 가와 나의 각도의 합은 몇 도입니까?

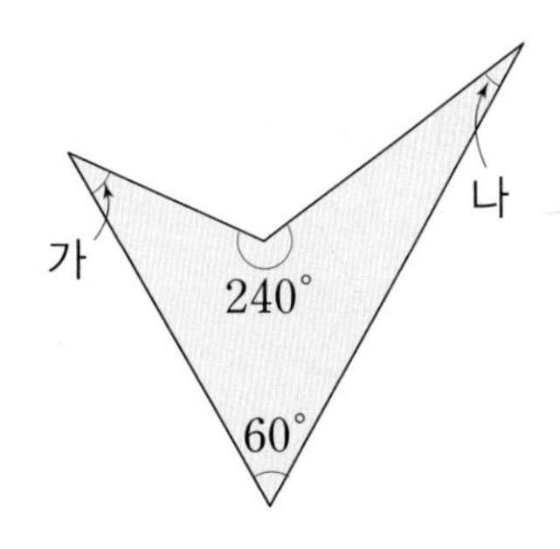

(　　　　　　　　)

금메달 따기

1 다음 삼각형 ㄱㄴㄷ에서 각 ㄱㄷㄴ의 크기가 둔각인 삼각형이 되려면, 각 ㄴㄱㄷ의 크기는 몇 도보다 작아야 합니까?

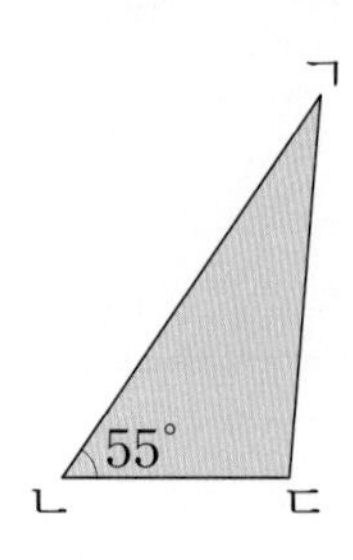

( )

2 다음 도형에서 사각형 ㄱㄴㄷㄹ은 직사각형입니다. □ 안에 알맞은 수를 써넣으시오.

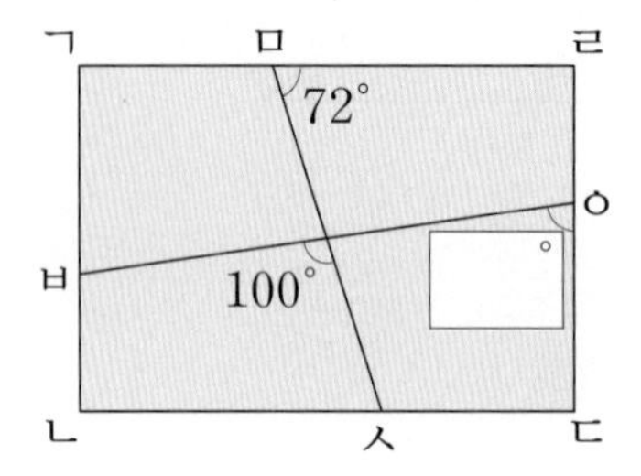

3 다음 그림에서 각 ㉠, 각 ㉡, 각 ㉢의 크기의 합을 구하시오.

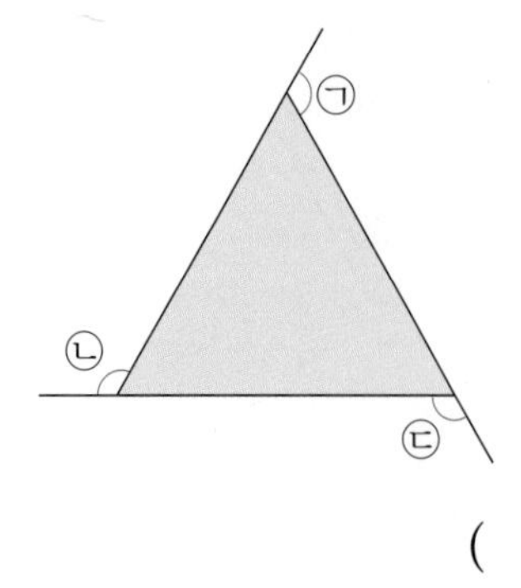

( )

생각의 샘

한 각이 둔각인 삼각형이 되려면 나머지 두 각의 크기의 합은 90°보다 작아야합니다.

삼각형에서 네 각의 합은 360°입니다.

직선으로 나타낸 각은 180°이고 삼각형의 세 각의 크기의 합도 180°임을 이용합니다.

생각의 샘

4 도형에서 다섯 각의 크기의 합을 구하시오.

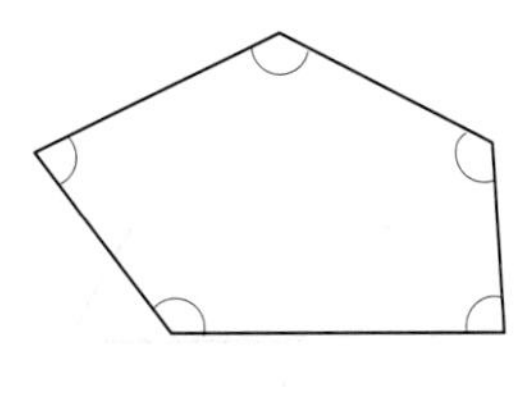

(　　　　　　　　　　)

5 다음 그림에서 각 ㉮의 크기는 몇 도입니까? (단, 같은 문자는 같은 각을 나타냅니다.)

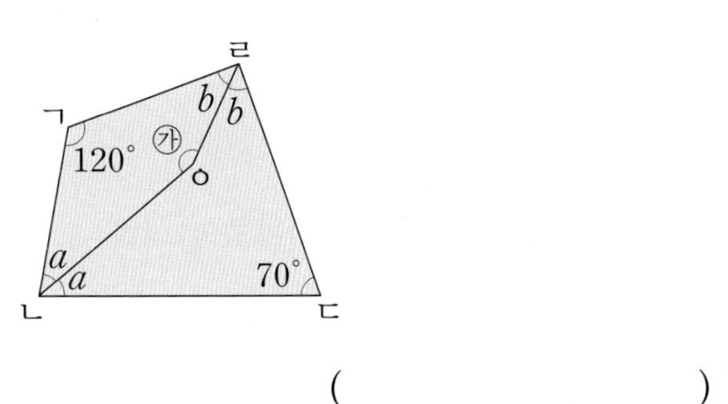

(　　　　　　　　　　)

각 a+각 a+각 b+각 b
=360°−(120°+70°)

6 다음 그림은 삼각형 2개를 겹친 것입니다. 각 ㉠의 크기는 몇 도입니까?

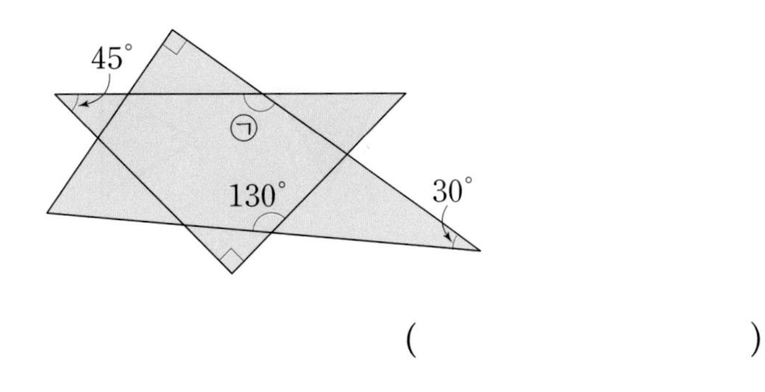

(　　　　　　　　　　)

거꾸로 놓여있는 삼각형의 나머지 한 각의 크기는 45°입니다.

개념 확인

3. 삼각형을 변의 길이에 따라 분류하기

1. 삼각형을 변의 길이에 따라 분류하기

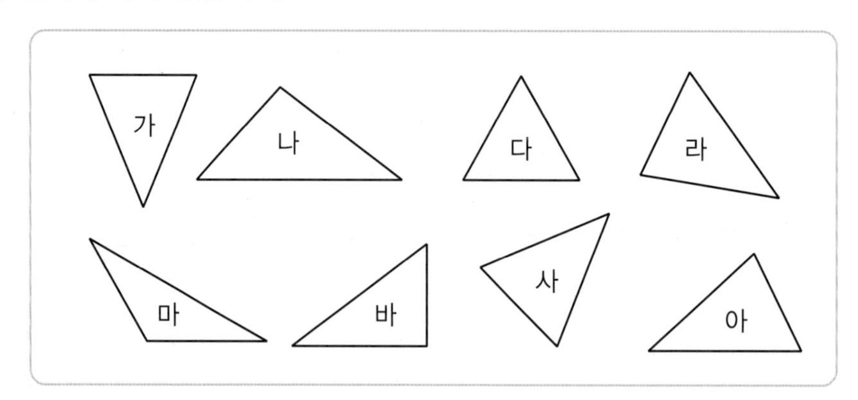

<table>
<tr><td rowspan="3">삼각형</td><td colspan="2">변의 길이가 모두 다른 삼각형 ➡ 나, 라, 바, 아</td></tr>
<tr><td rowspan="2">변의 길이가 같은 삼각형
(이등변삼각형)</td><td>두 변의 길이가 같은 삼각형(이등변삼각형) ➡ 가, 다, 마, 사</td></tr>
<tr><td>세 변의 길이가 같은 삼각형(정삼각형) ➡ 다</td></tr>
</table>

2. 이등변삼각형

두 변의 길이가 같은 삼각형을 이등변삼각형이라고 합니다.

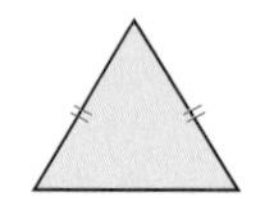
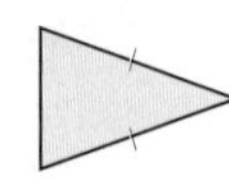
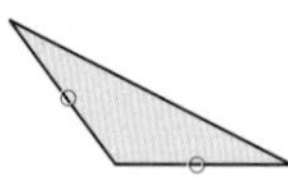

3. 이등변삼각형의 성질

변 ㄱㄴ과 변 ㄱㄷ의 길이가 같은 이등변삼각형은 각 ㄱㄴㄷ과 각 ㄱㄷㄴ의 크기가 같습니다.

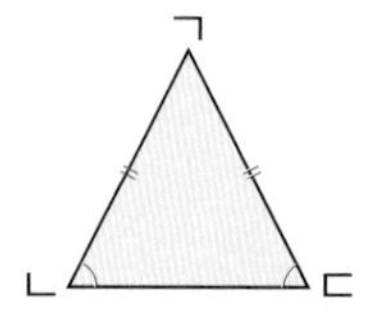

4. 정삼각형

세 변의 길이가 같은 삼각형을 정삼각형이라고 합니다.

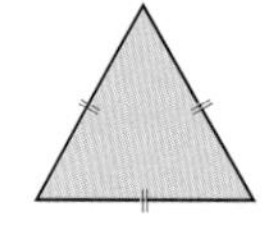
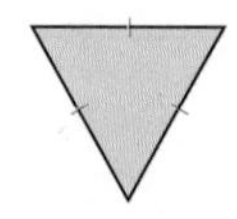
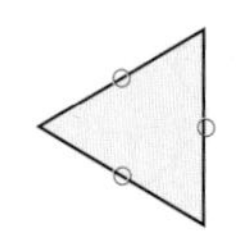

5. 정삼각형의 성질

- 정삼각형은 세 각의 크기가 같습니다.
- 정삼각형은 두 변의 길이가 같으므로 이등변삼각형이라고 할 수 있습니다.

개념 익히기

1 삼각형의 세 변의 길이입니다. 이등변삼각형을 찾아 기호를 쓰시오.

㉠ 6 cm, 7 cm, 9 cm
㉡ 8 cm, 14 cm, 8 cm
㉢ 6 cm, 14 cm, 16 cm

(　　　　　　　　)

2 삼각형의 세 변의 길이입니다. 정삼각형을 찾아 기호를 쓰시오.

㉠ 7 cm, 8 cm, 7 cm
㉡ 9 cm, 12 cm, 13 cm
㉢ 6 cm, 6 cm, 6 cm

(　　　　　　　　)

3 삼각형 ㄱㄴㄷ은 이등변삼각형입니다. 각 ㄴㄱㄷ과 크기가 같은 각을 찾아 쓰시오.

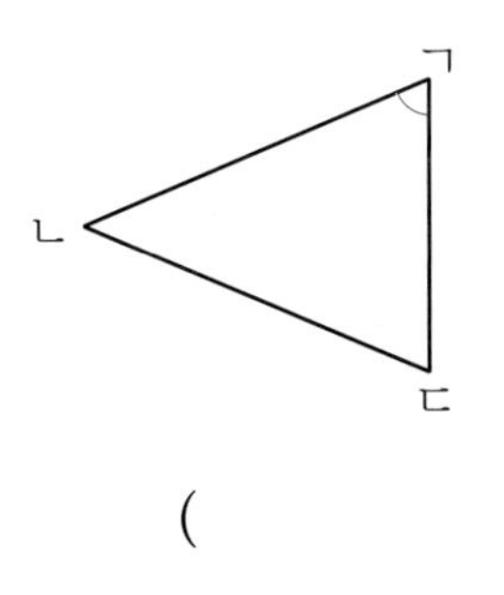

(　　　　　　　　)

□ 안에 알맞은 수를 써넣으시오. [4~5]

4

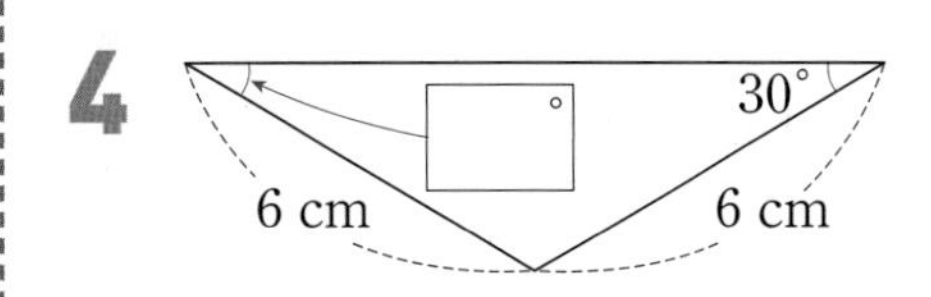

5

6 □ 안에 알맞은 수를 써넣으시오.

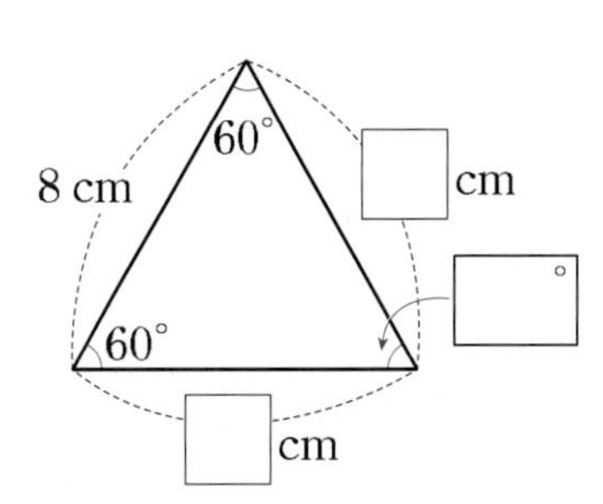

7 자를 사용하여 이등변삼각형을 그려 보시오.

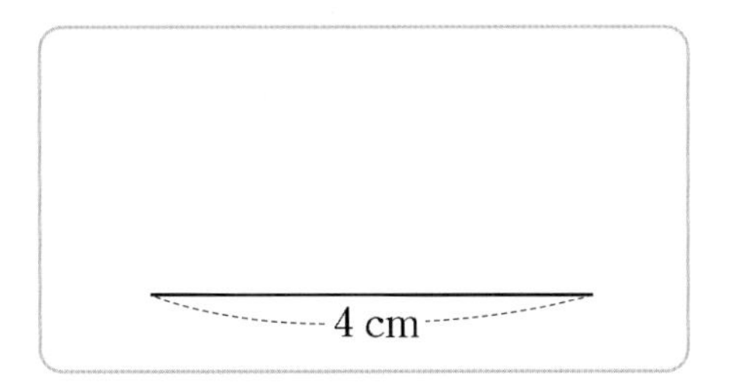

동메달 따기

1 이등변삼각형을 모두 찾아 기호를 쓰시오.

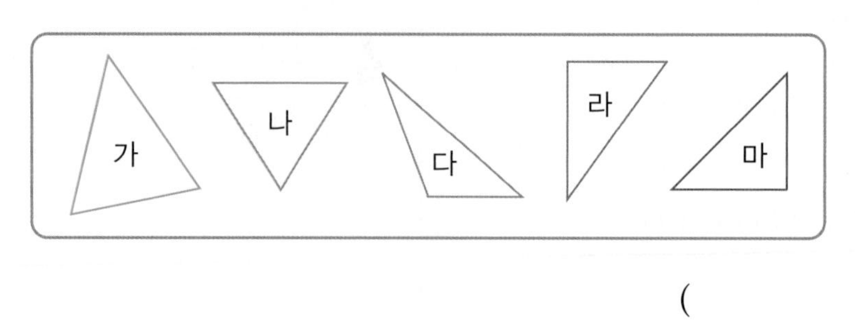

(　　　　　　　　　　)

2 주어진 선분을 한 변으로 하는 이등변삼각형을 그려 보시오.

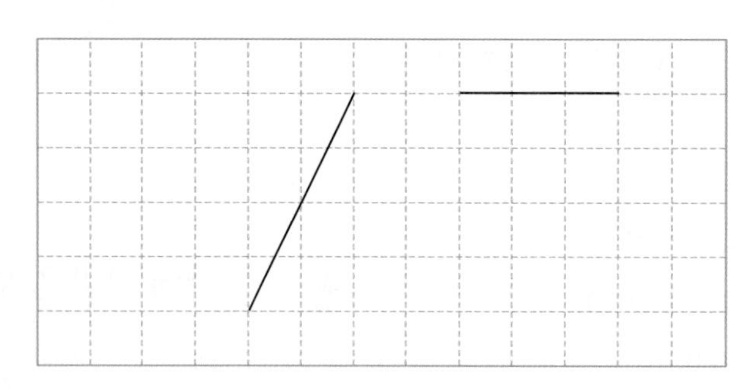

3 이등변삼각형입니다. □ 안에 알맞은 수를 써넣으시오.

(1)

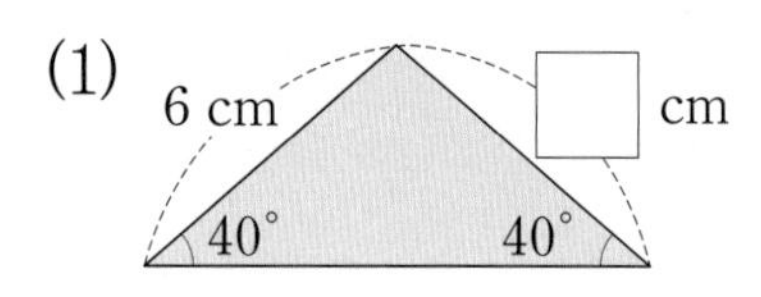

(2)

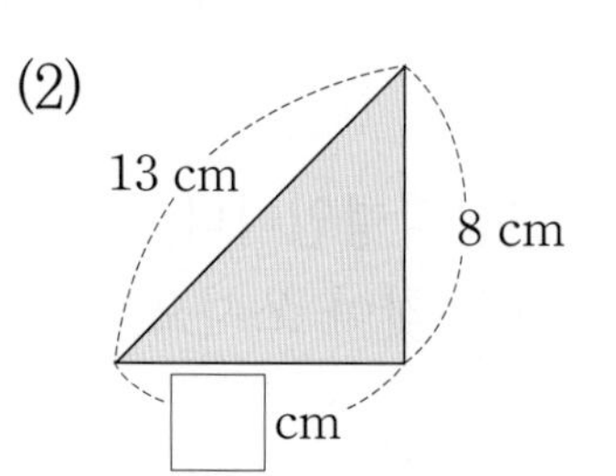

(3)

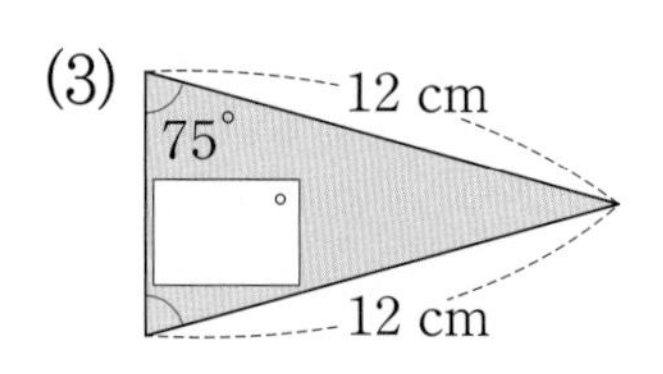

(4)

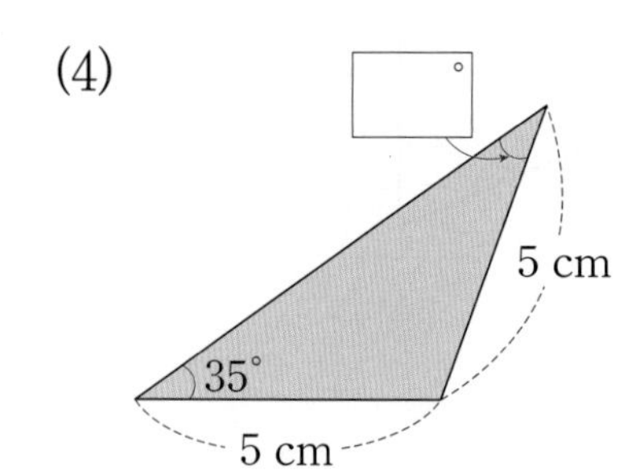

4 이등변삼각형입니다. □ 안에 알맞은 수를 써넣으시오.

(1)

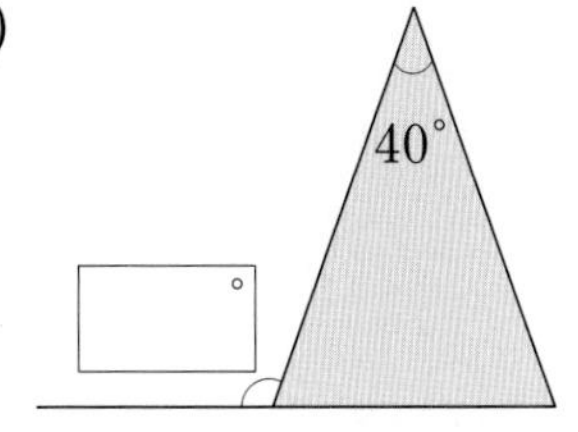

(2)

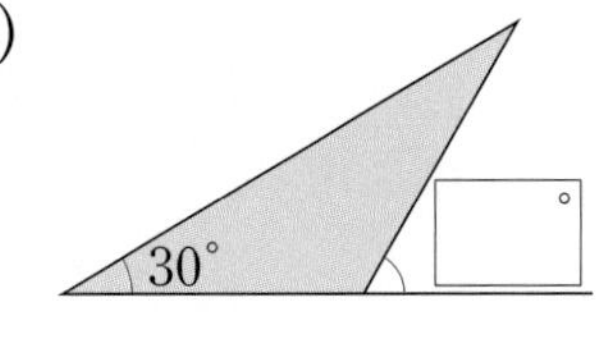

5 정삼각형을 모두 찾아 기호를 쓰시오.

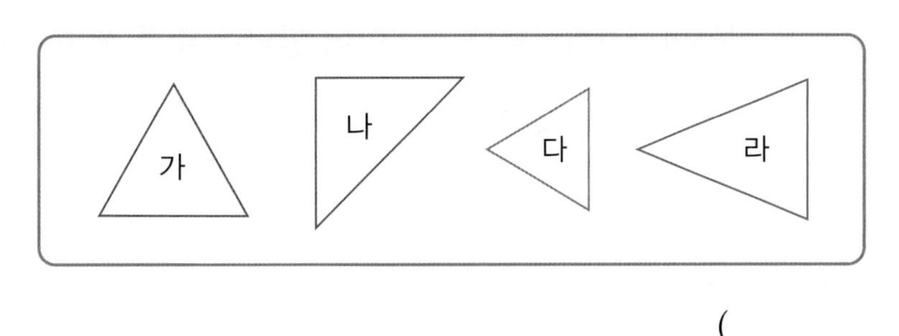

(　　　　　　　　　)

6 정삼각형입니다. □ 안에 알맞은 수를 써넣으시오.

(1)

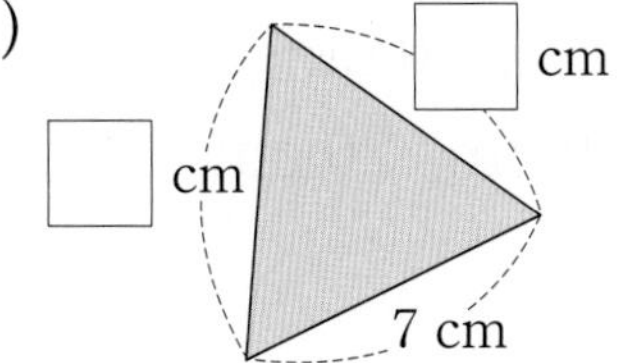

(2)

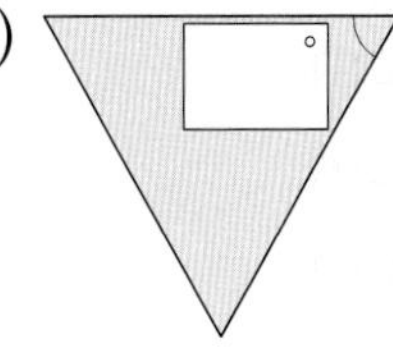

7 이등변삼각형입니다. 세 변의 길이의 합은 몇 cm입니까?

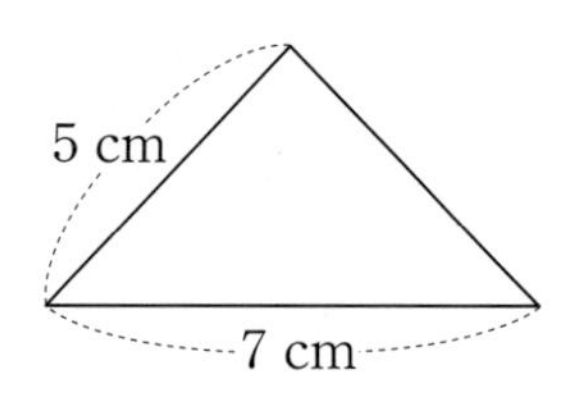

(   )

8 삼각형 ㄱㄴㄷ은 이등변삼각형입니다. □ 안에 알맞은 수를 써넣으시오.

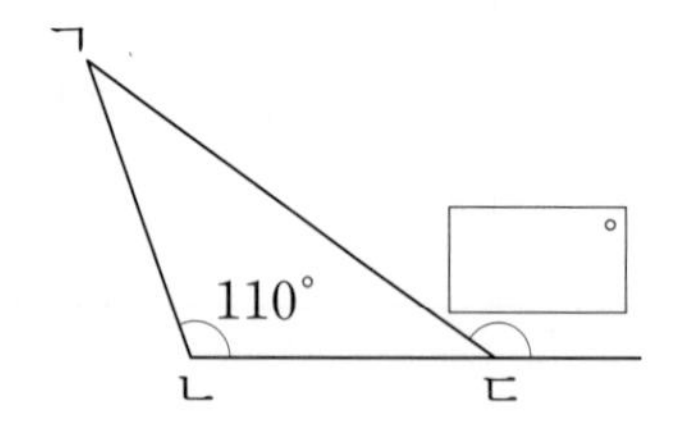

9 삼각형의 세 변의 길이를 나타낸 것입니다. 정삼각형은 어느 것입니까? (   )

① 4 cm, 6 cm, 7 cm
② 6 cm, 8 cm, 10 cm
③ 7 cm, 7 cm, 7 cm
④ 15 cm, 30 cm, 20 cm
⑤ 6 cm, 6 cm, 9 cm

10 정삼각형입니다. □ 안에 알맞은 수를 써넣으시오.

(1)

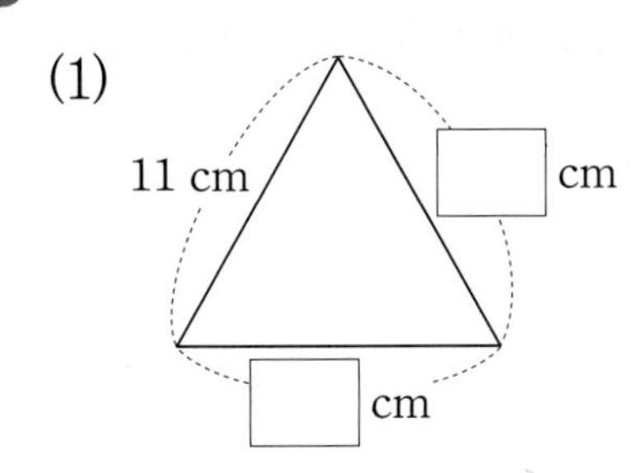

(2)

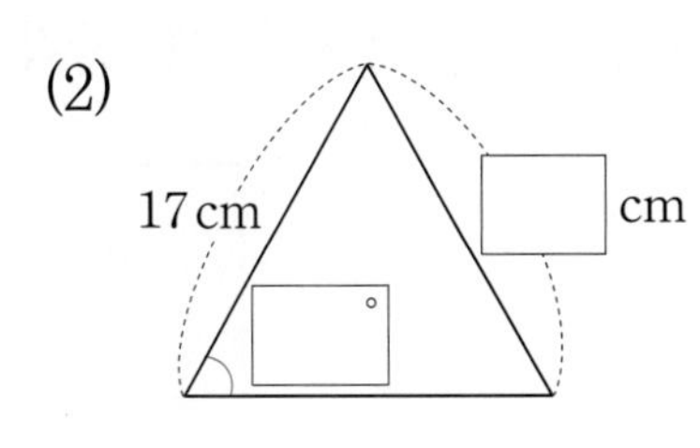

11 그림과 같은 삼각형의 세 변의 길이의 합을 구하시오.

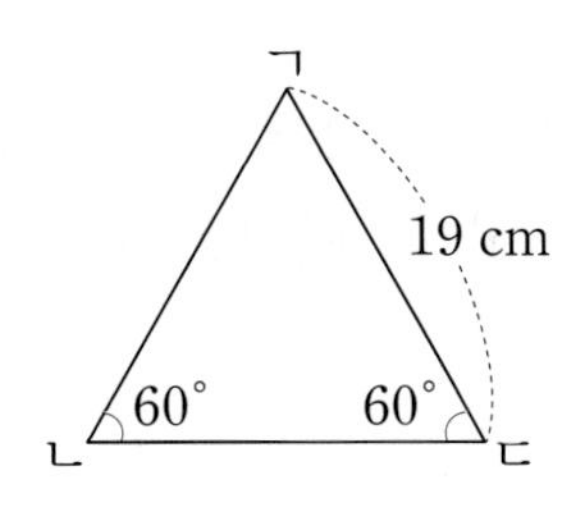

(　　　　　　　　)

12 삼각형 ㄱㄴㄷ은 정삼각형입니다. □ 안에 알맞은 수를 써넣으시오.

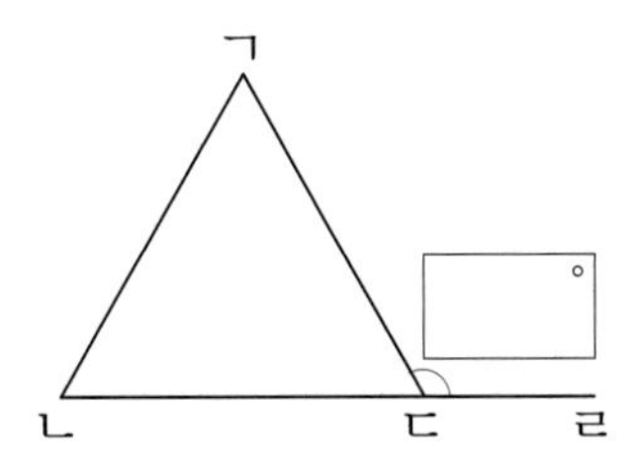

1 직사각형 모양의 색종이를 반으로 접고 그림과 같이 선을 그은 후 선을 따라 잘랐습니다. 잘라진 삼각형을 펼쳤을 때, 삼각형의 세 변의 길이의 합을 구하시오.

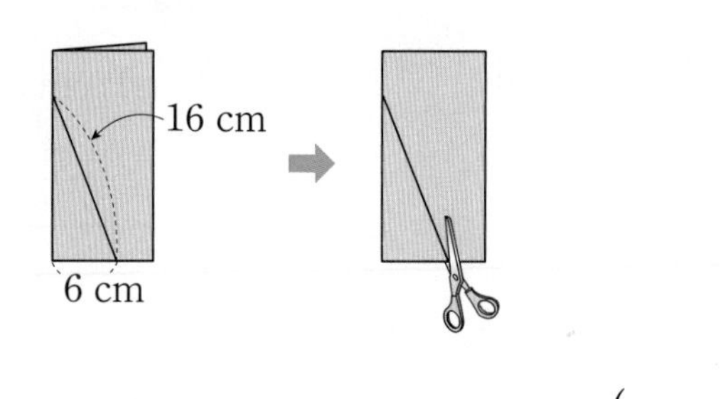

( )

2 길이가 39 cm인 철사를 남김없이 모두 사용하여 한 변의 길이가 15 cm인 이등변삼각형을 만들었습니다. 나머지 두 변의 길이가 같을 때, 두 변 중 한 변의 길이를 구하시오.

( )

3 삼각형 ㄱㄴㄷ과 삼각형 ㄹㄴㄷ은 이등변삼각형입니다. 각 ㄴㄹㄷ의 크기를 구하시오.

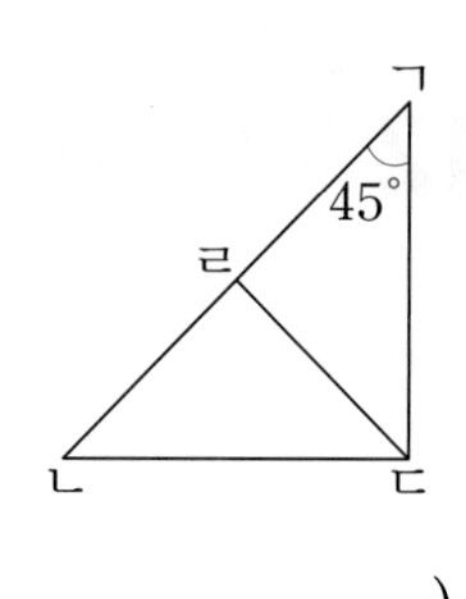

( )

4 오른쪽 삼각형 ㄱㄴㄷ에서 □ 안에 알맞은 수를 써넣으시오.

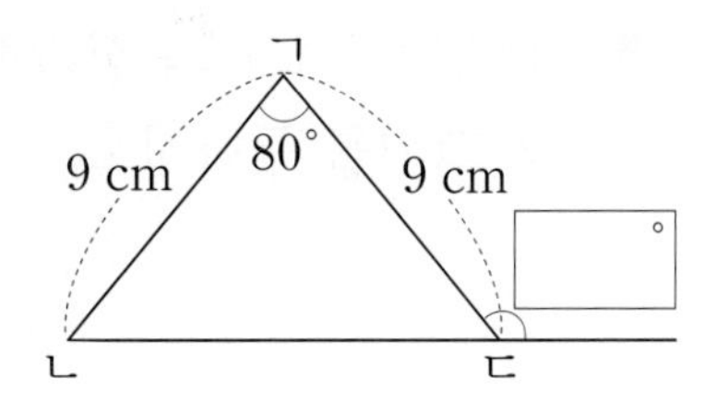

5 이등변삼각형과 정삼각형을 오른쪽 그림과 같이 붙여서 사각형을 만들었습니다. □ 안에 알맞은 수를 써넣으시오.

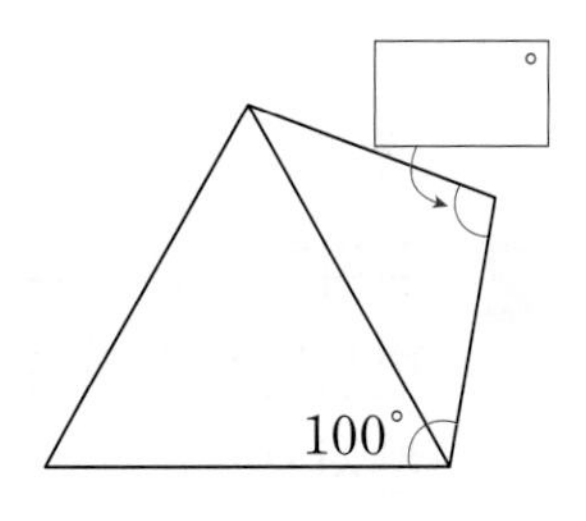

6 오른쪽 이등변삼각형과 세 변의 길이의 합이 같은 정삼각형의 한 변의 길이는 몇 cm입니까?

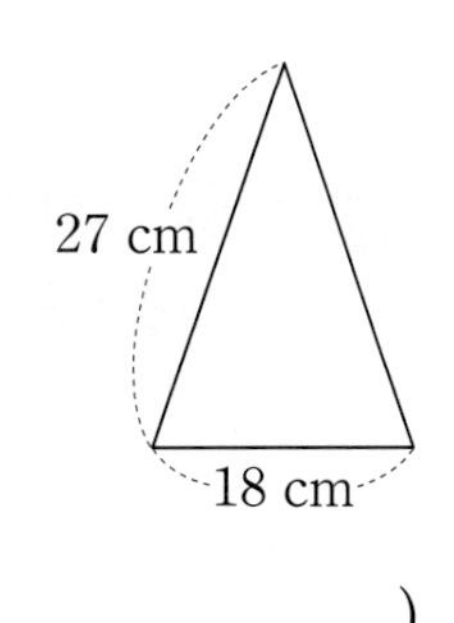

(　　　　　　　　)

금메달 따기

생각의 샘

1 삼각형 ㄱㄴㄷ과 삼각형 ㄷㄴㄹ은 이등변삼각형입니다. 각 ㄱㄴㄹ의 크기를 구하시오.

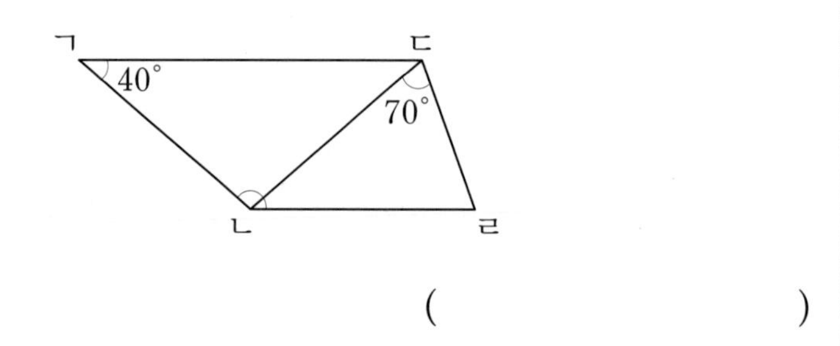

(　　　　　　　　　)

이등변삼각형은 두 각의 크기가 같음을 이용합니다.

2 삼각형 ㄱㄴㄷ과 삼각형 ㄷㄴㄹ은 이등변삼각형입니다. 각 ㄱㄴㄷ의 크기를 구하시오.

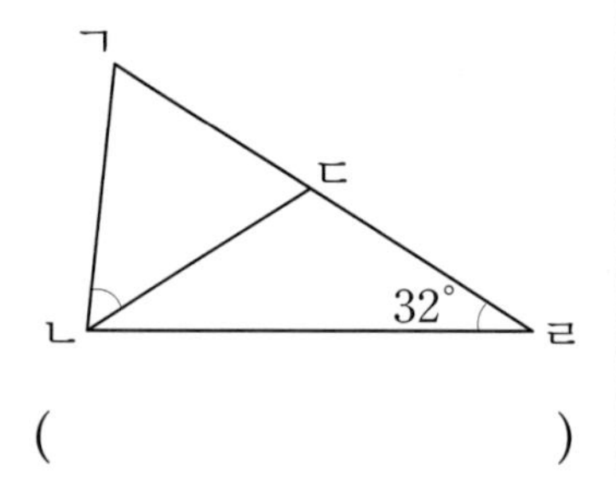

(　　　　　　　　　)

3 다음 그림에서 삼각형 ㅁㄷㄹ은 이등변삼각형입니다. 각 ㅁㄷㄹ의 크기를 구하시오.

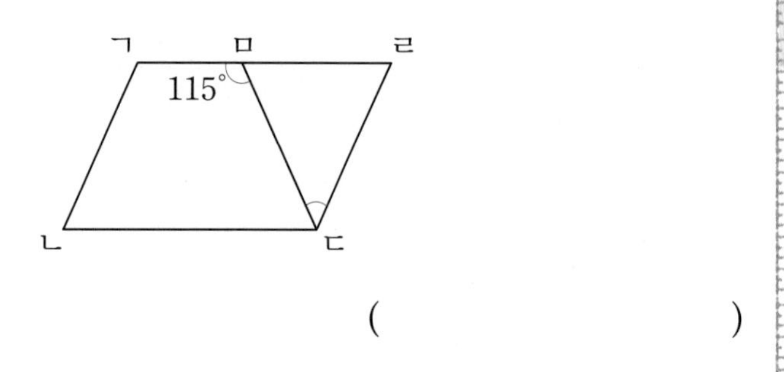

(　　　　　　　　　)

일직선이 이루는 각의 크기는 180°입니다.

생각의 샘

4 다음 그림과 같이 둘레가 같은 정삼각형과 이등변삼각형이 있습니다. 이등변삼각형의 나머지 두 변의 길이는 각각 몇 cm입니까?

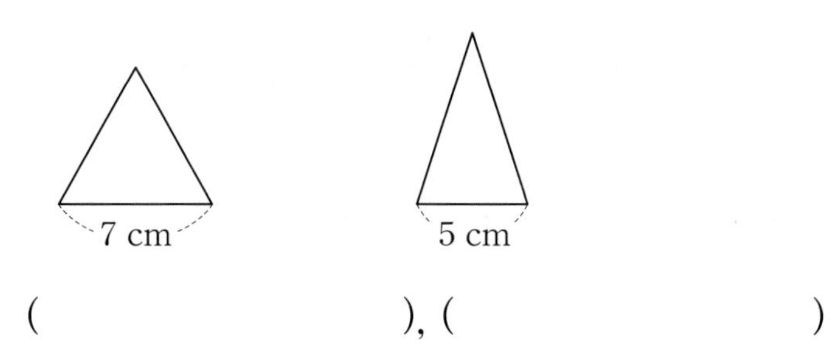

( ), ( )

먼저 정삼각형의 둘레를 구해 봅니다.

5 성냥개비로 다음과 같은 모양을 만들었습니다. 만든 모양에서 찾을 수 있는 크고 작은 정삼각형은 모두 몇 개입니까?

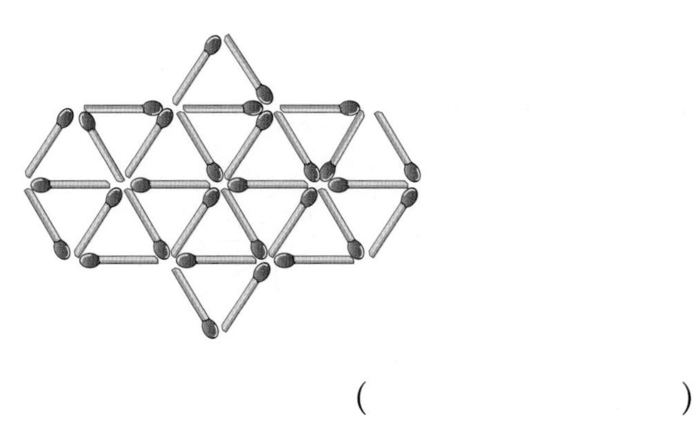

( )

정삼각형 1개짜리, 정삼각형 4개짜리, 정삼각형 9개짜리로 나누어서 찾아봅니다.

6 오른쪽 그림은 한 변이 5 cm인 정삼각형과 정사각형 모양의 색종이를 붙여 놓은 것입니다. 각 ㅁㅂㄷ의 크기를 구하시오.

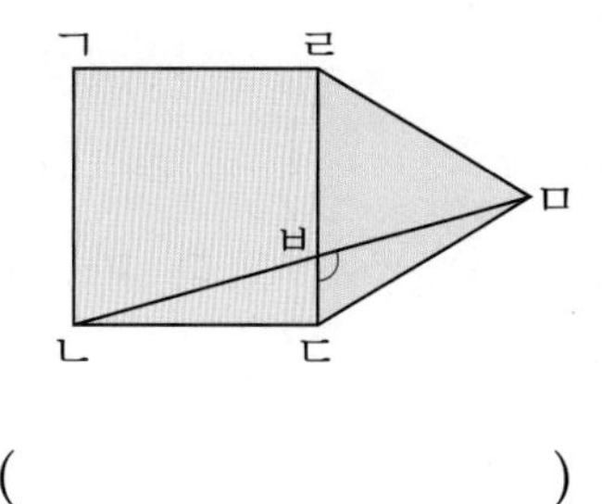

( )

삼각형 ㄴㄷㅁ은 이등변삼각형입니다.

4. 삼각형을 각의 크기에 따라 분류하기

개념 확인

1. 예각삼각형

세 각이 모두 예각인 삼각형을 예각삼각형이라고 합니다.

- $0^\circ <$ 예각 $< 90^\circ$
- 직각 $= 90^\circ$
- $90^\circ <$ 둔각 $< 180^\circ$

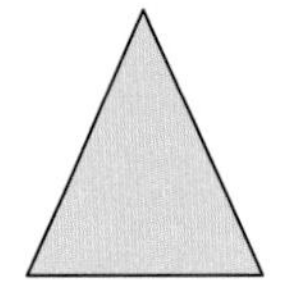 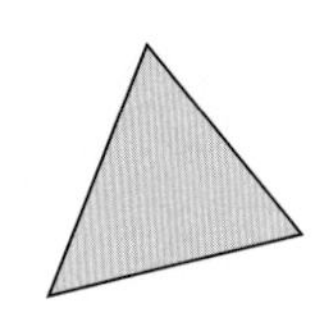 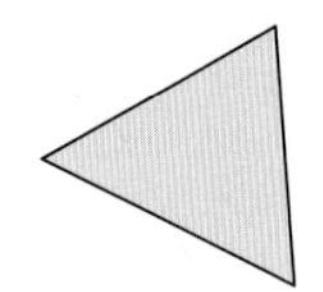

2. 둔각삼각형

한 각이 둔각인 삼각형을 둔각삼각형이라고 합니다.

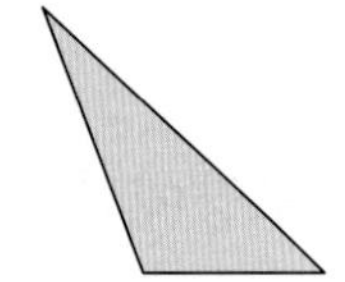 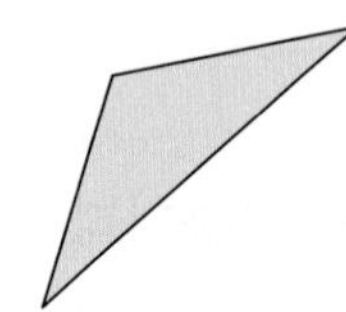 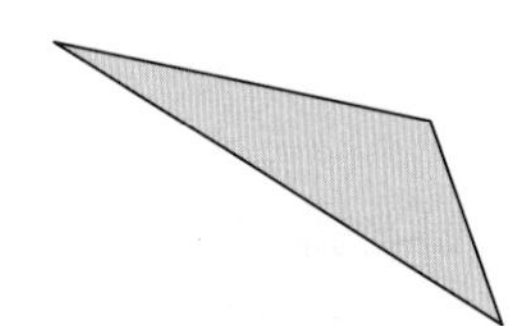

3. 삼각형을 두 가지 기준으로 분류하기

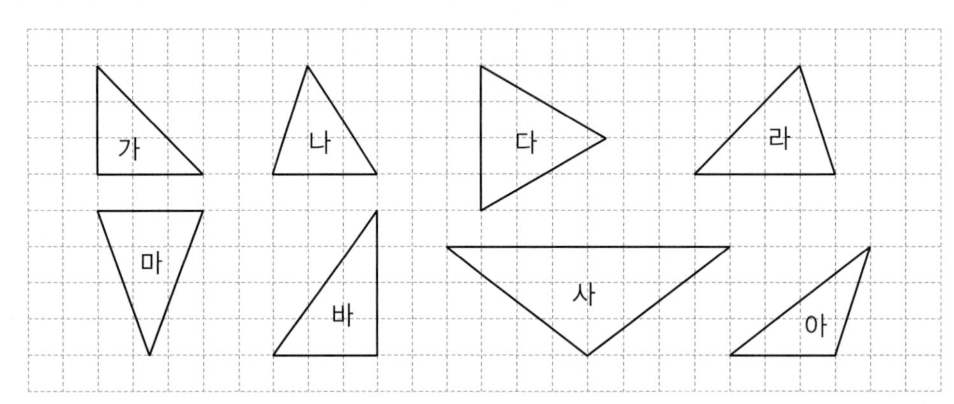

각의 크기 / 변의 길이	예각삼각형	둔각삼각형	직각삼각형
정삼각형	다		
이등변삼각형	다, 마	사	가
세 변의 길이가 모두 다른 삼각형	나, 라	아	바

➡ 정삼각형은 항상 예각삼각형입니다.

➡ 이등변삼각형은 각의 크기에 따라 예각삼각형, 둔각삼각형, 직각삼각형이 될 수 있습니다.

개념 익히기

1 삼각형을 예각삼각형, 둔각삼각형, 직각삼각형으로 분류하여 기호를 쓰시오.

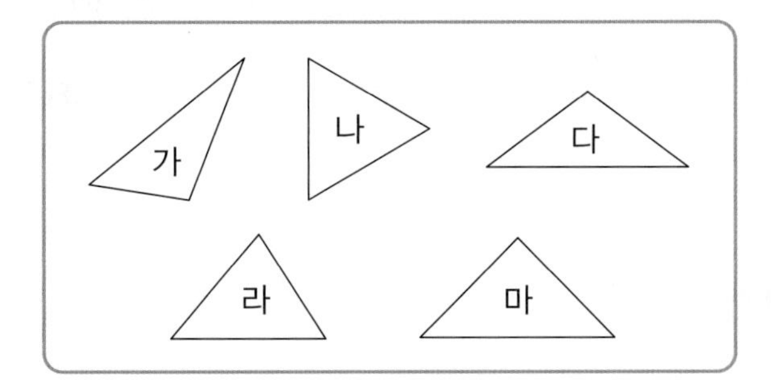

예각삼각형	둔각삼각형	직각삼각형

2 각도기를 이용하여 각을 재어 보고 예각삼각형에 ○표 하시오.

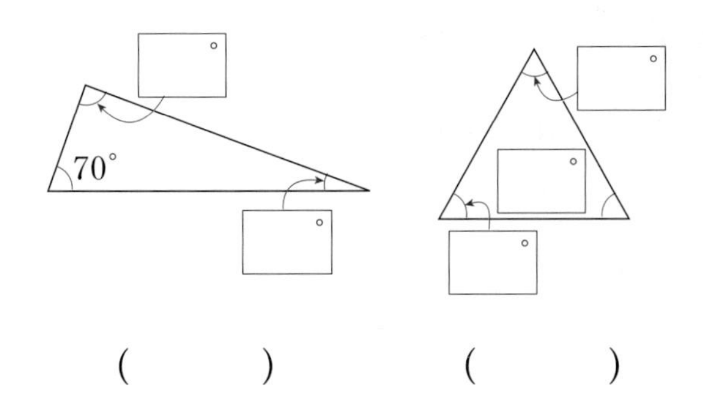

(　　　)　　(　　　)

3 한 각이 90°인 삼각형은 둔각삼각형이 아닌 이유를 설명한 것입니다. □ 안에 알맞게 써넣으시오.

한 각이 90°인 삼각형은 나머지 두 각의 크기의 합이 □°이므로 어느 한 각도 둔각이 아닙니다. 따라서 □삼각형이 아닙니다.

삼각형을 분류하여 기호를 써 보시오. [4~6]

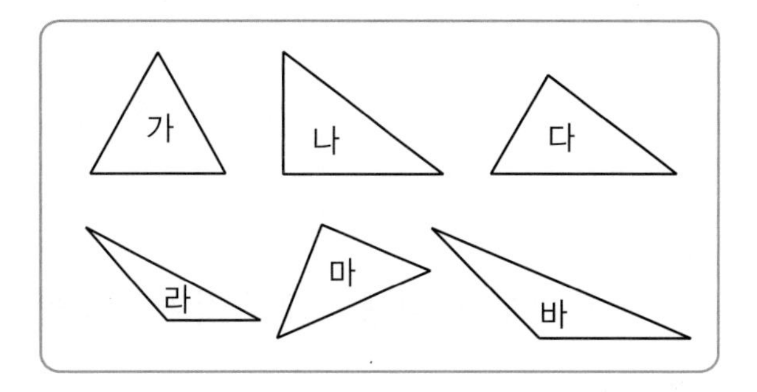

4 변의 길이에 따라 삼각형을 분류해 보시오.

이등변삼각형	
세 변의 길이가 모두 다른 삼각형	

5 각의 크기에 따라 삼각형을 분류해 보시오.

예각삼각형	둔각삼각형	직각삼각형

6 변의 길이와 각의 크기에 따라 삼각형을 분류해 보시오.

	예각삼각형	둔각삼각형	직각삼각형
이등변 삼각형			
세 변의 길이가 모두 다른 삼각형			

동메달 따기

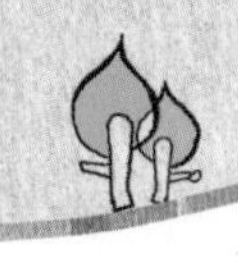

1 삼각형을 보고 물음에 답하시오.

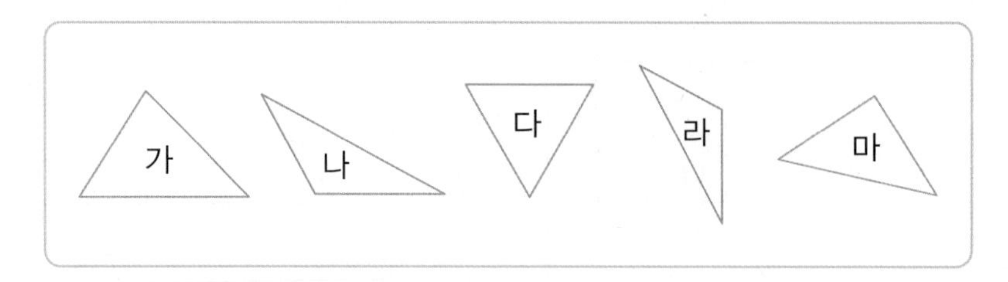

(1) 예각삼각형을 모두 찾아 기호를 써 보시오.

( )

(2) 둔각삼각형을 모두 찾아 기호를 써 보시오.

( )

2 세 각의 크기가 다음과 같은 삼각형을 무슨 삼각형이라고 합니까? ( )

35° 70° 75°

① 이등변삼각형 ② 직각삼각형 ③ 정삼각형
④ 예각삼각형 ⑤ 둔각삼각형

3 정삼각형은 예각삼각형이라고 할 수 있습니까? 할 수 있다면 그 이유를 써 보시오.

( )

4 직사각형 모양의 종이를 점선을 따라 오려서 여러 개의 삼각형을 만들었습니다. 물음에 답하시오.

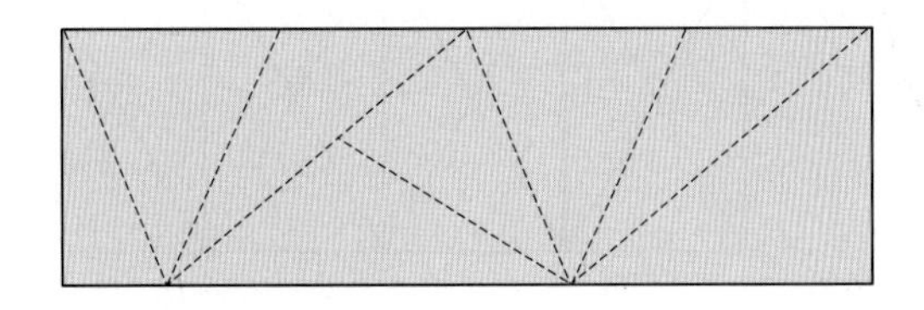

(1) 예각삼각형은 모두 몇 개입니까?

(　　　　　　　　)

(2) 둔각삼각형은 모두 몇 개입니까?

(　　　　　　　　)

5 선분 ㄱㄴ과 한 점을 이어서 둔각삼각형을 그리려고 합니다. 어느 점을 이어야 하는지 기호를 써 보시오.

㉠ ㉡ ㉢ ㉣ ㉤

ㄱ ㄴ

(　　　　　　　　)

6 삼각형의 세 각 중 두 각만 나타낸 것입니다. 예각삼각형을 모두 찾아 기호를 쓰시오.

㉠ 55°, 75°　　㉡ 35°, 40°　　㉢ 50°, 60°

(　　　　　　　　)

7 그림에서 찾을 수 있는 크고 작은 예각삼각형은 모두 몇 개입니까?

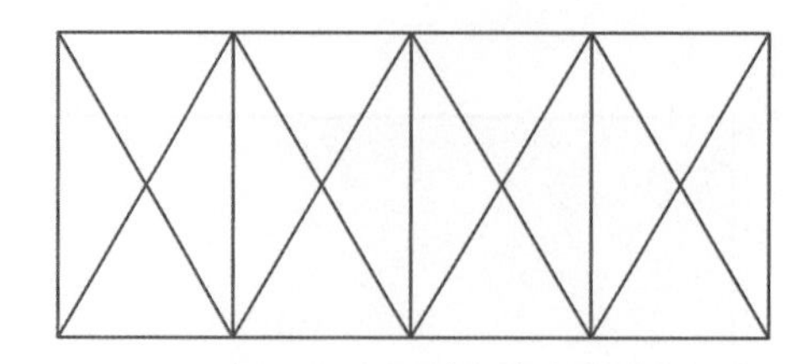

( )

8 다음 순서대로 삼각형을 그릴 때, 그려지는 삼각형의 이름을 쓰시오.

① 길이가 5 cm인 선분 ㄱㄴ을 긋습니다.
② 점 ㄱ을 꼭짓점으로 하여 35°인 각을 그립니다.
③ 점 ㄴ을 꼭짓점으로 하여 40°인 각을 그립니다.
④ 두 각의 변이 만나는 점을 이어 삼각형을 그립니다.

( )

9 그림에서 찾을 수 있는 크고 작은 둔각삼각형은 모두 몇 개입니까?

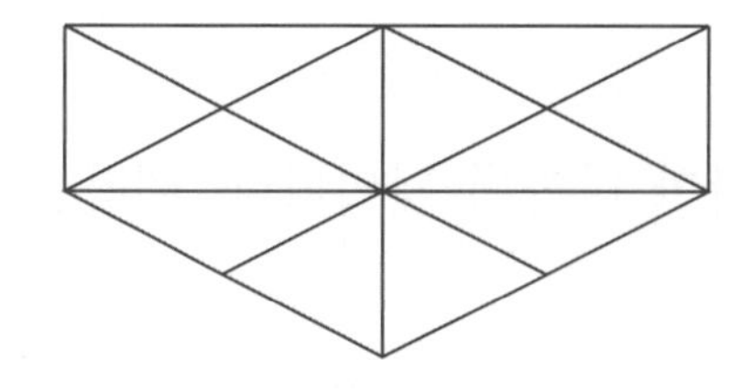

( )

10 직사각형 모양의 종이를 점선을 따라 오려서 여러 가지 삼각형을 만들었습니다. 빈칸에 알맞은 기호를 써넣으시오.

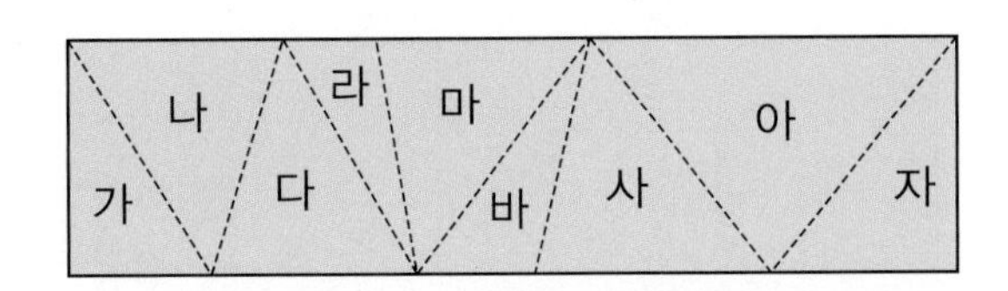

예각삼각형	둔각삼각형

11 삼각형의 세 각 중 두 각만 나타낸 것입니다. 둔각삼각형을 모두 찾아 기호를 쓰시오.

㉠ 45°, 45° ㉡ 50°, 55°
㉢ 30°, 20° ㉣ 35°, 45°

( )

12 삼각형 ㄱㄴㄷ의 이름이 될 수 있는 것을 모두 고르시오.

( )

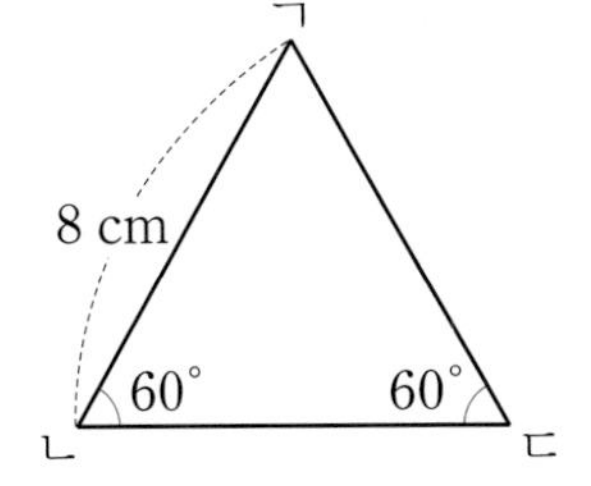

① 예각삼각형 ② 둔각삼각형
③ 직각삼각형 ④ 이등변삼각형
⑤ 정삼각형

은메달 따기

1 직사각형 모양의 종이를 점선을 따라 오려서 여러 개의 삼각형을 만들었습니다. 예각삼각형, 직각삼각형, 둔각삼각형은 각각 몇 개인지 구하시오.

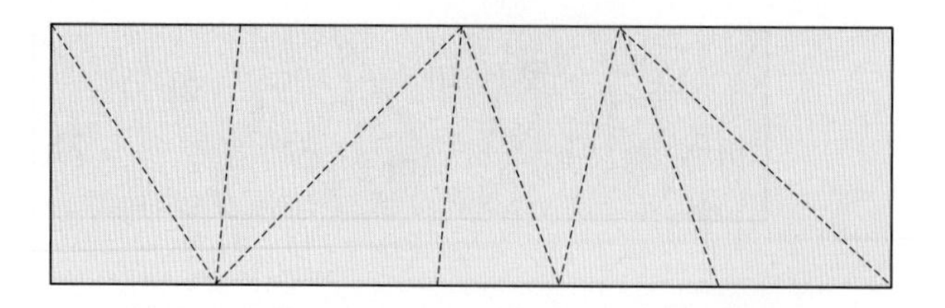

예각삼각형 (　　　　　　　)
직각삼각형 (　　　　　　　)
둔각삼각형 (　　　　　　　)

2 선분 ㄱㄴ과 한 점을 이어서 둔각삼각형을 그리려고 합니다. 어느 점을 이어야 하는지 기호를 써 보시오.

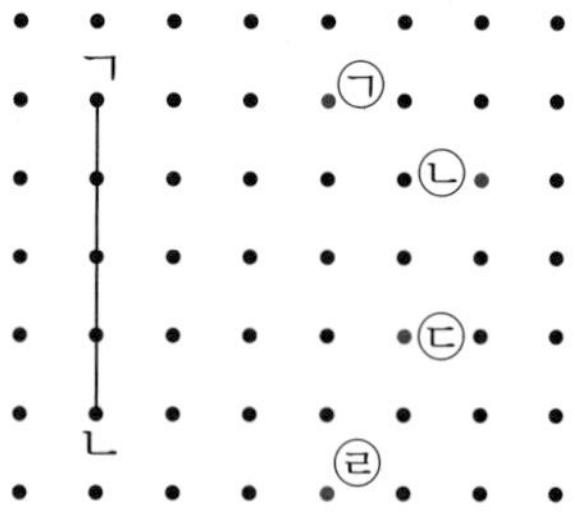

(　　　　　　　)

3 삼각형의 세 각 중 두 각만 나타낸 것입니다. 예각삼각형을 모두 찾아 기호를 써 보시오.

㉠ 35°, 45°	㉡ 50°, 40°	㉢ 60°, 70°
㉣ 90°, 20°	㉤ 65°, 30°	㉥ 25°, 37°

(　　　　　　　)

4 변 ㄱㄹ과 변 ㄹㄷ의 길이가 같습니다. 삼각형 ㄱㄴㄷ은 예각 삼각형, 직각삼각형, 둔각삼각형 중 어느 것입니까?

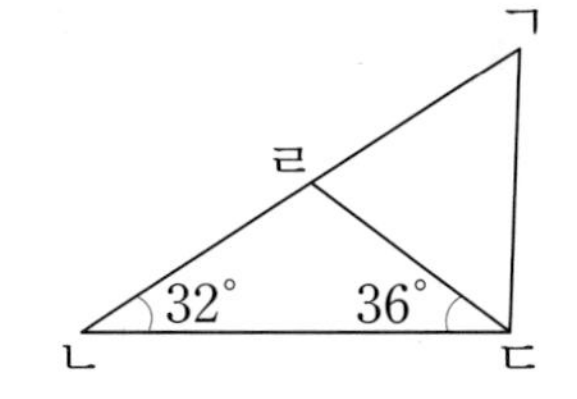

( )

5 직사각형 모양의 종이를 다음과 같이 선분을 따라 잘랐을 때, 예각삼각형과 둔각삼각형은 각각 몇 개입니까?

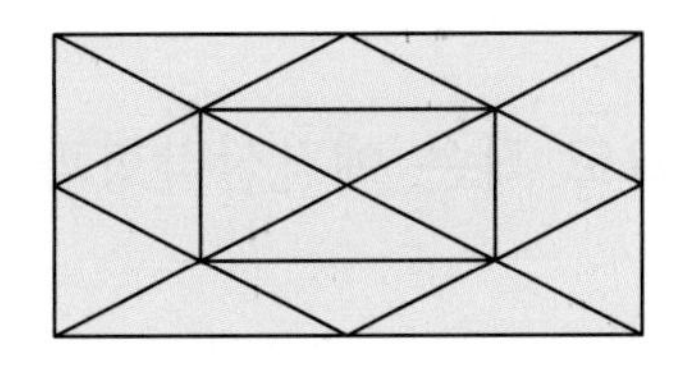

예각삼각형 ( )

둔각삼각형 ( )

6 삼각형의 세 각 중에서 두 각의 크기가 다음과 같을 때, 종류가 다른 삼각형을 찾아 기호를 쓰시오.

㉠ 45°, 80°	㉡ 39°, 46°
㉢ 72°, 50°	㉣ 65°, 55°

( )

금메달 따기

생각의 샘

1 그림에서 삼각형 ㅅㅁㄷ은 예각삼각형입니까, 둔각삼각형입니까?

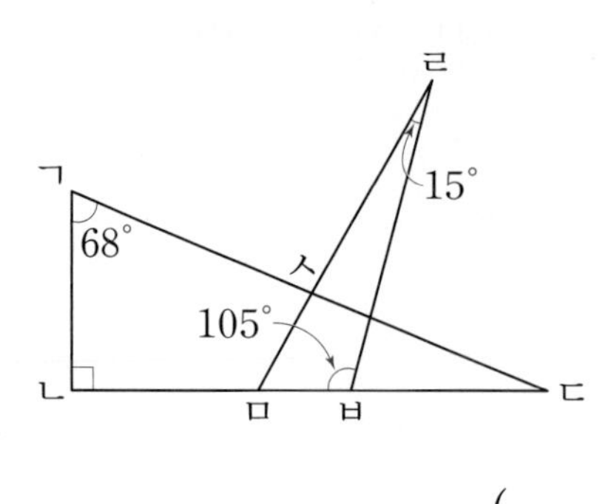

( )

삼각형의 세 각 중에서 한 개의 각이 둔각이면 둔각삼각형입니다.

2 그림에서 찾을 수 있는 크고 작은 예각삼각형과 둔각삼각형은 각각 몇 개입니까?

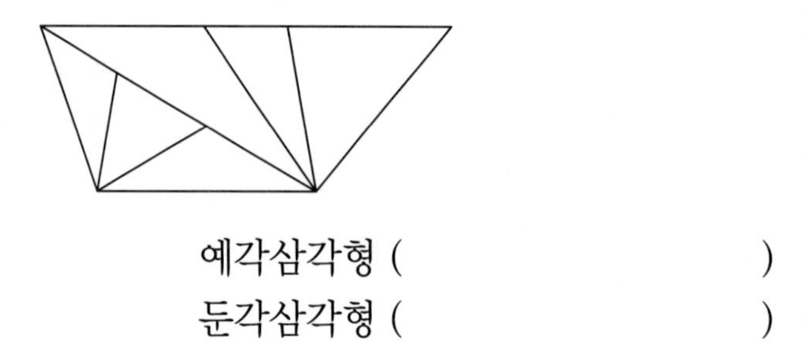

예각삼각형 ( )
둔각삼각형 ( )

작은 삼각형이 1개인 삼각형, 2개인 삼각형, 3개인 삼각형 등으로 구분하여 알아봅니다.

3 오른쪽 그림에서 선분 ㅁㄴ과 선분 ㅁㄷ의 길이는 같습니다. 삼각형 ㄱㄴㅁ은 예각삼각형, 직각삼각형, 둔각삼각형 중에서 어떤 삼각형인지 구하시오.

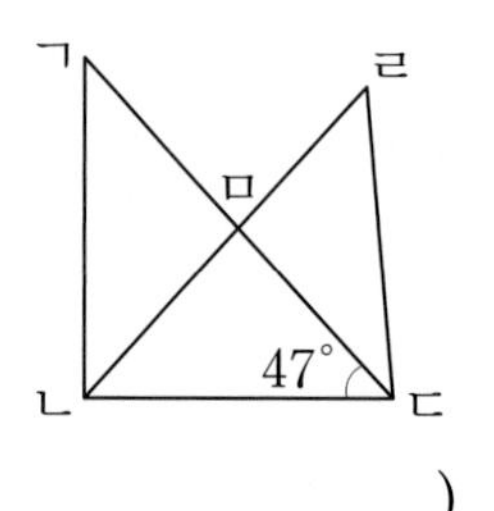

( )

삼각형 ㅁㄴㄷ은 이등변삼각형입니다.

4 그림에서 찾을 수 있는 크고 작은 둔각삼각형은 모두 몇 개입니까?

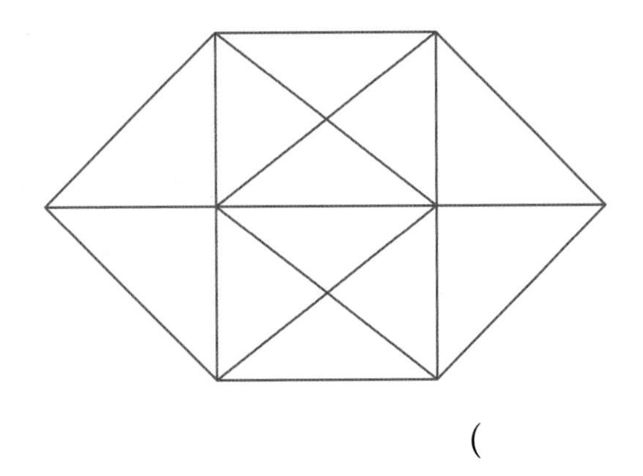

( )

한 각이 둔각인 삼각형을 둔각삼각형이라고 합니다.

5 오른쪽 그림에서 찾을 수 있는 크고 작은 둔각삼각형은 모두 몇 개입니까?

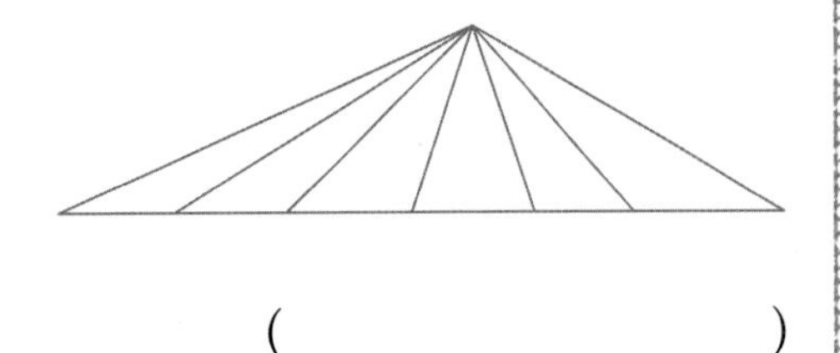

( )

6 오른쪽 도형에서 변 ㄱㄹ과 변 ㄴㄹ의 길이는 같습니다. 삼각형 ㄱㄴㄷ은 예각삼각형, 직각삼각형, 둔각삼각형 중 어느 것인지 설명하시오.

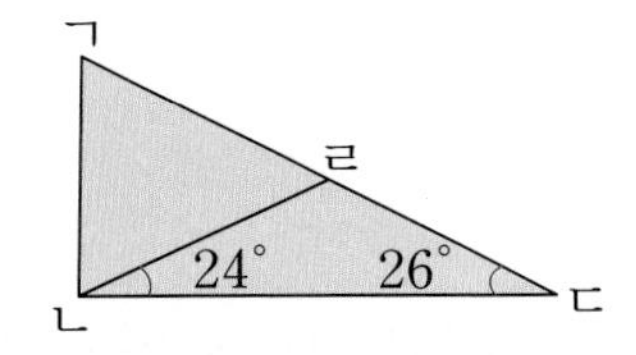

삼각형 ㄱㄴㄷ의 세 각의 크기를 각각 구한 후 어느 삼각형인지 알아봅니다.

개념 확인

1. 수직과 수선

① 두 직선이 만나서 이루는 각이 직각일 때, 두 직선은 서로 수직이라고 합니다.
② 두 직선이 서로 수직으로 만나면 한 직선을 다른 직선에 대한 수선이라고 합니다.

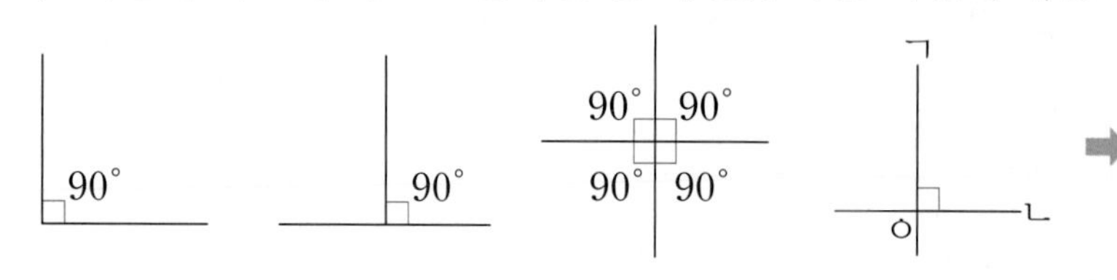

➡ 직선 ㄱㅇ에 대한 수선은 직선 ㅇㄴ이고, 직선 ㅇㄴ에 대한 수선은 직선 ㄱㅇ입니다.

2. 평행과 평행선

① 한 직선에 수직인 두 직선을 그으면 두 직선은 서로 만나지 않습니다.
② 아무리 늘여도 만나지 않는 두 직선을 서로 평행하다고 합니다.
③ 평행한 두 직선을 평행선이라고 합니다.

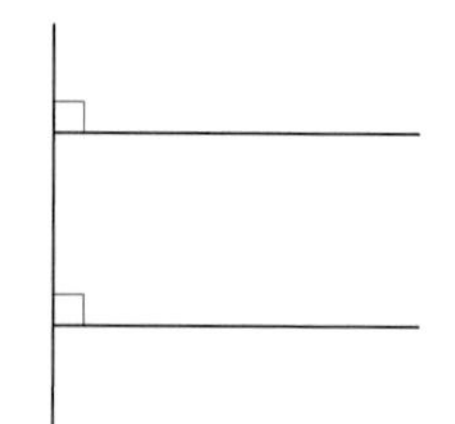

3. 평행선 사이의 거리

① 평행선 사이의 수직인 선분의 길이를 평행선 사이의 거리라고 합니다.
② 평행선 사이의 선분 중에서 수직인 선분의 길이가 가장 짧고, 그 수직인 선분의 길이는 모두 같습니다.

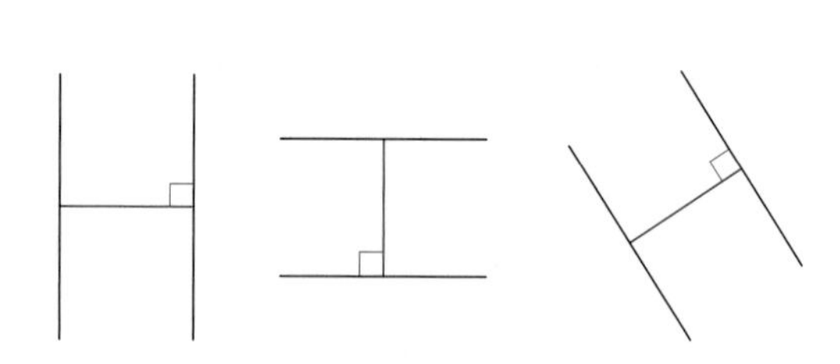

4. 동위각, 엇각, 맞꼭지각

① 평행선과 한 직선이 만날 때 생기는 같은 쪽의 각의 크기는 같습니다. (=동위각)

예
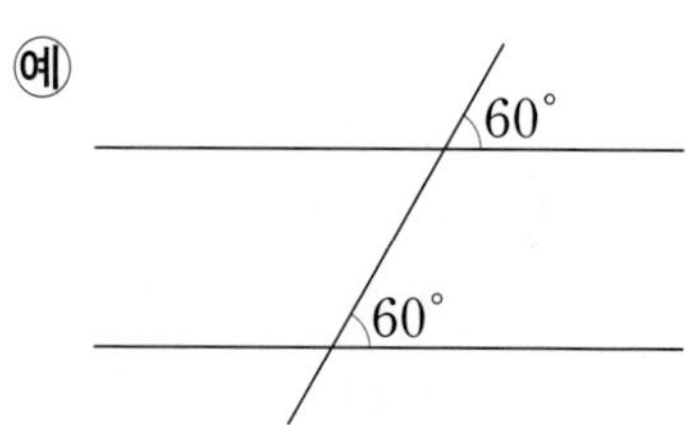

② 평행선과 한 직선이 만날 때 생기는 반대쪽의 각의 크기는 같습니다. (=엇각)

예
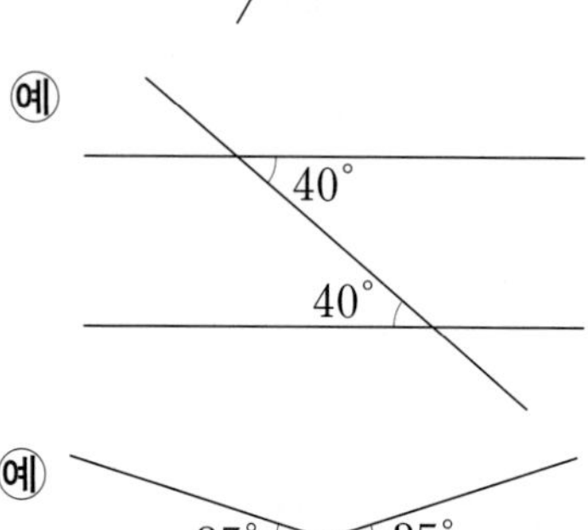

③ 두 직선이 교차할 때 서로 마주 보는 각의 크기는 같습니다. (=맞꼭지각)

예
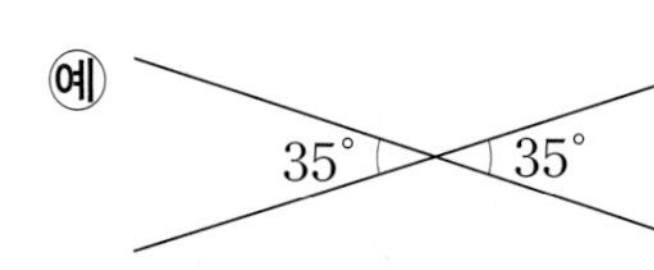

개념 익히기

1 서로 수직인 변이 있는 도형을 모두 찾아 기호를 쓰시오.

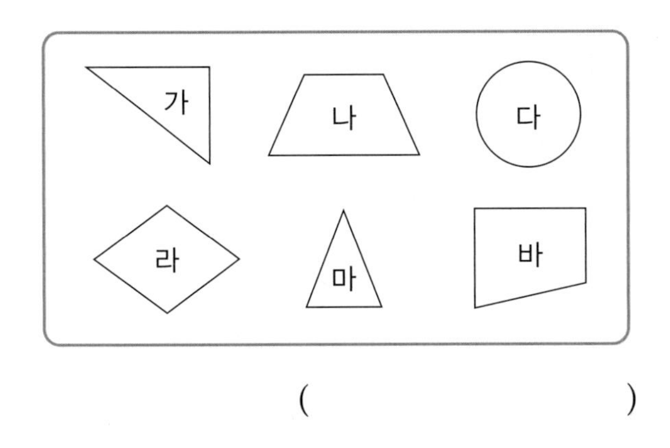

( )

2 그림을 보고 □ 안에 알맞게 써넣으시오.

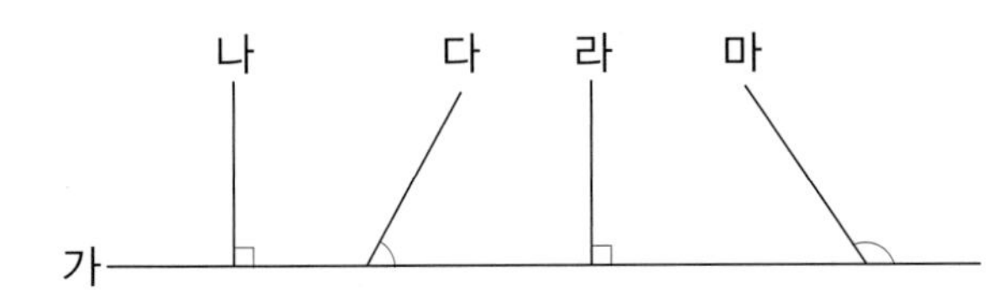

(1) 직선 가에 수직인 직선은 직선 □와 직선 □입니다.

(2) 두 직선 나와 라는 아무리 늘여도 서로 만나지 않으므로 □합니다.

(3) 평행한 두 직선 나와 라를 □이라고 합니다.

3 평행선을 모두 찾아 쓰시오.

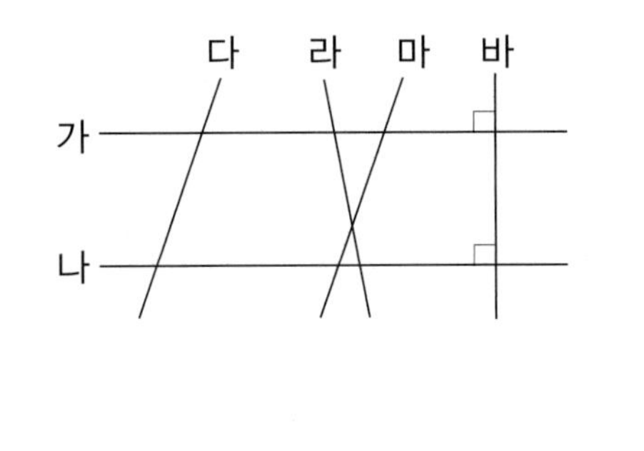

( )

도형을 보고 물음에 답하시오. [4~6]

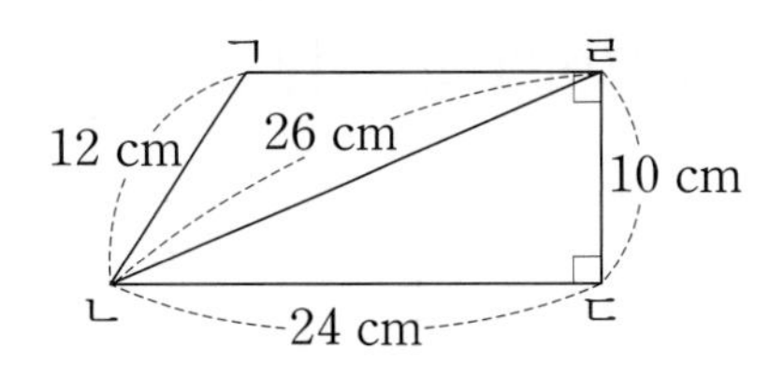

4 도형에서 서로 평행한 선분을 찾아 쓰시오.

( )

5 평행선 사이의 거리를 나타내는 선분을 찾아 쓰시오.

( )

6 평행선 사이의 거리는 몇 cm입니까?

( )

7 가와 나 두 직선이 평행할 때 ㉠, ㉡, ㉢, ㉣의 각의 크기를 구하시오.

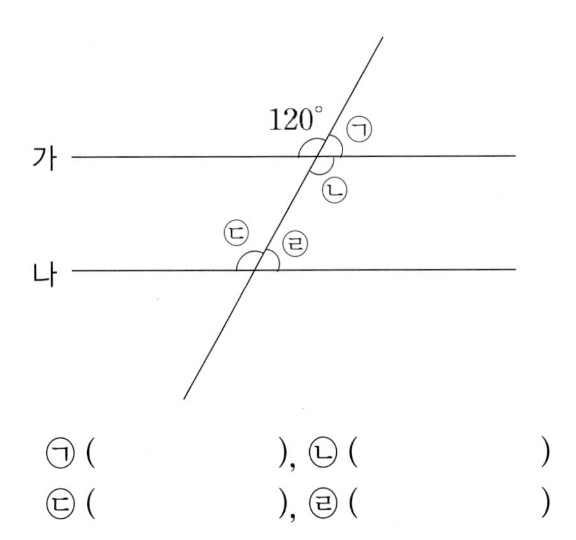

㉠ ( ), ㉡ ( )
㉢ ( ), ㉣ ( )

1 점 ㄱ을 지나고 직선 가에 대한 수선을 그으려고 합니다. 어느 곳에 점을 찍은 후 선을 그어야 합니까?

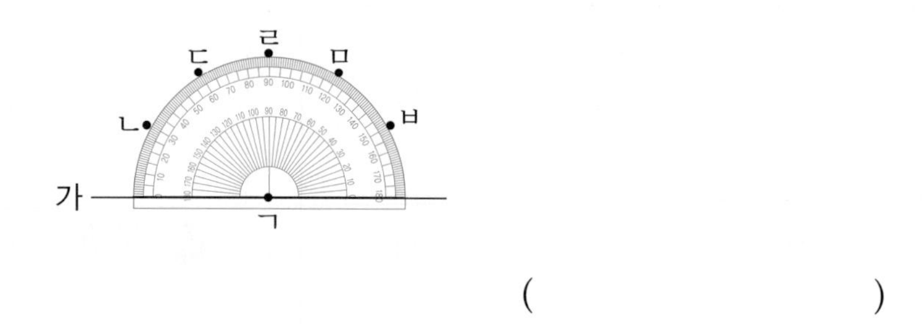

( )

2 직사각형 ㄱㄴㄷㄹ에서 변 ㄴㄷ에 대한 수선을 모두 찾아 쓰시오.

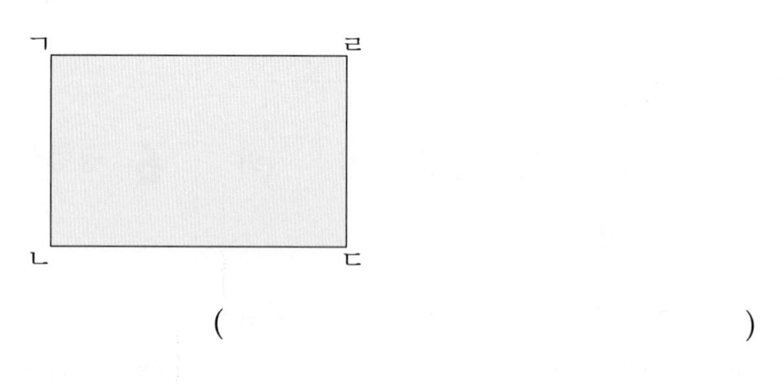

( )

3 오른쪽 도형에서 변 ㅁㄹ에 수직인 변은 모두 몇 개입니까?

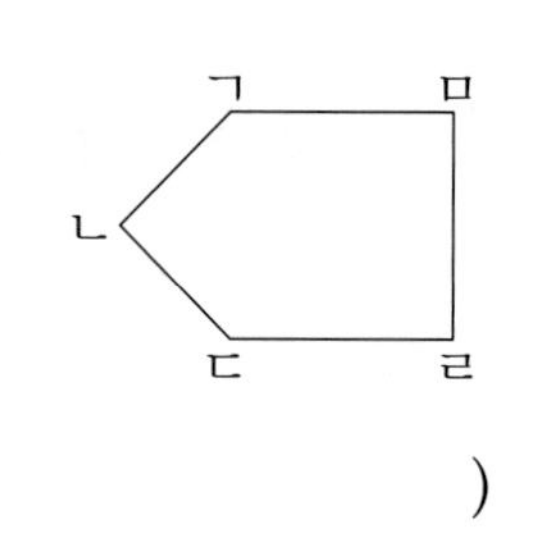

( )

4 도형에서 서로 평행한 변을 모두 찾아 쓰시오.

(1)

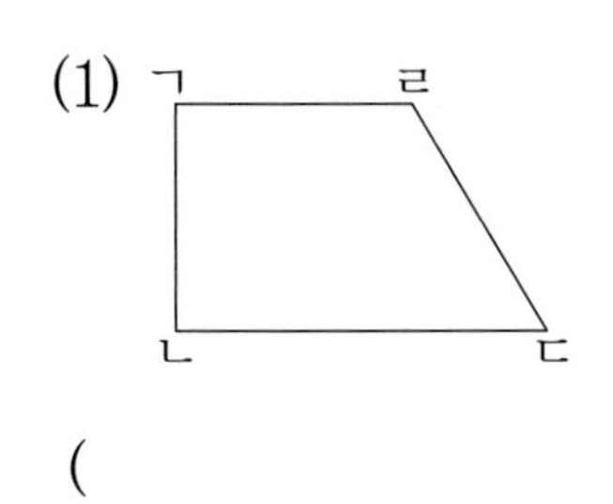

(   )

(2)

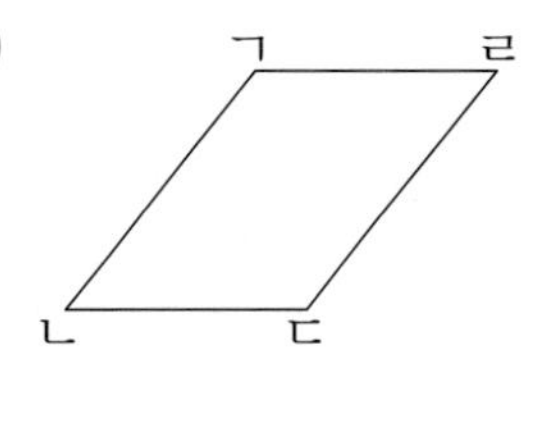

(   )

5 평행선은 모두 몇 쌍입니까?

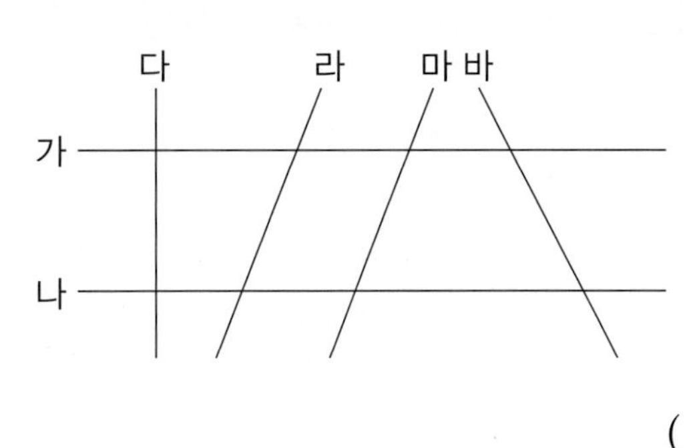

(   )

6 평행선 사이의 거리를 바르게 나타낸 것은 어느 것인지 기호를 쓰시오.

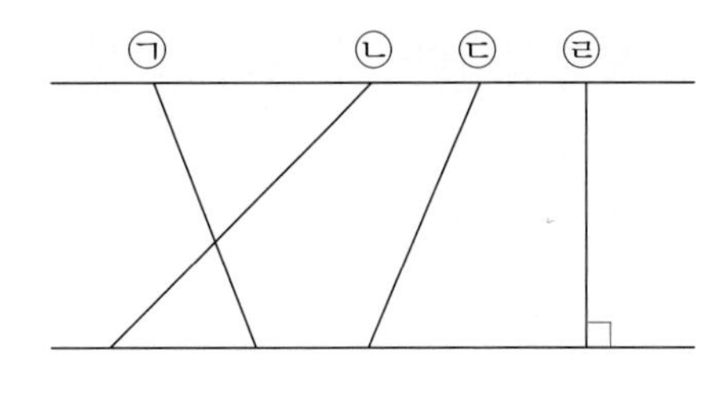

(   )

7 다음 그림에서 직선 가와 나는 평행합니다. 각 ㉠의 크기는 몇 도입니까?

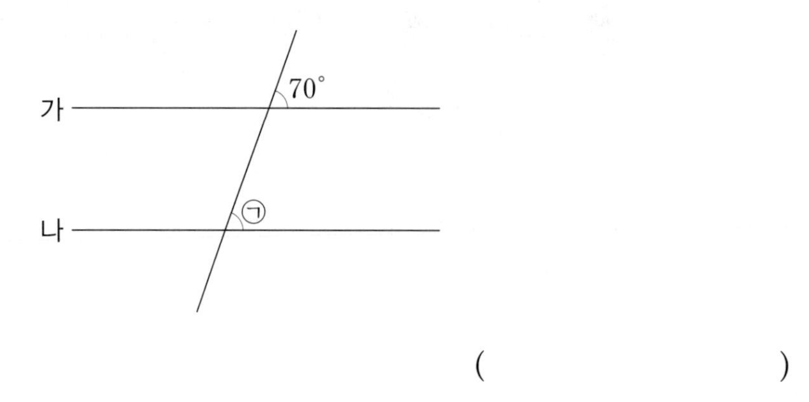

( )

8 다음과 같이 평행선을 지나는 하나의 선분을 그었을 때, 각 ㄴㅇㅅ의 크기는 몇 도입니까?

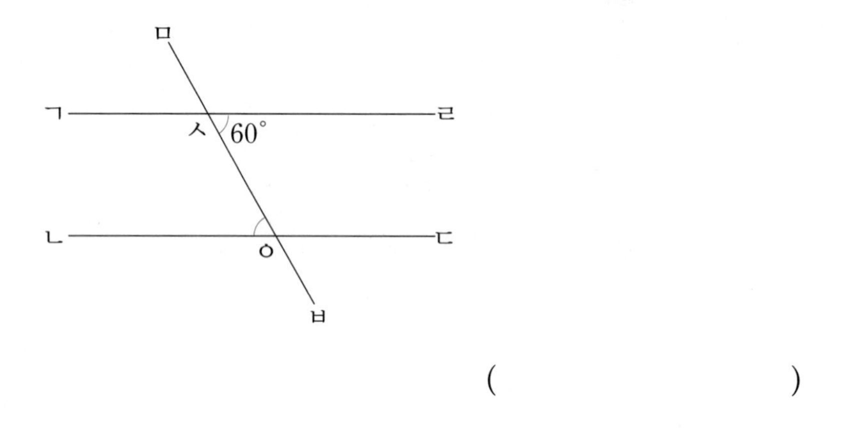

( )

9 다음은 두 직선이 교차한 모양입니다. 각 ㉠의 크기는 몇 도입니까?

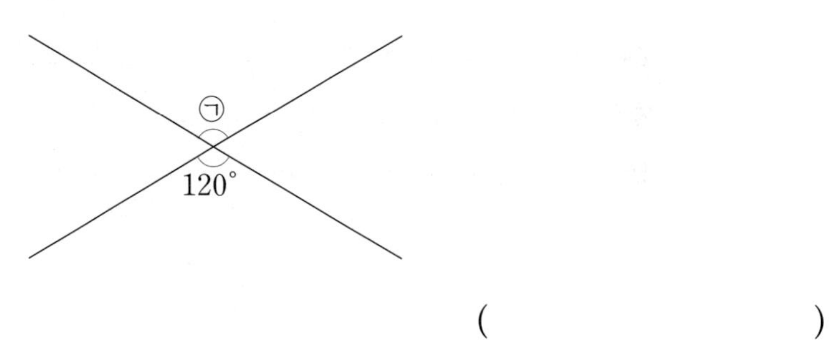

( )

10 다음 그림에서 직선 가와 나는 평행합니다. 각 ㉠의 크기는 몇 도입니까?

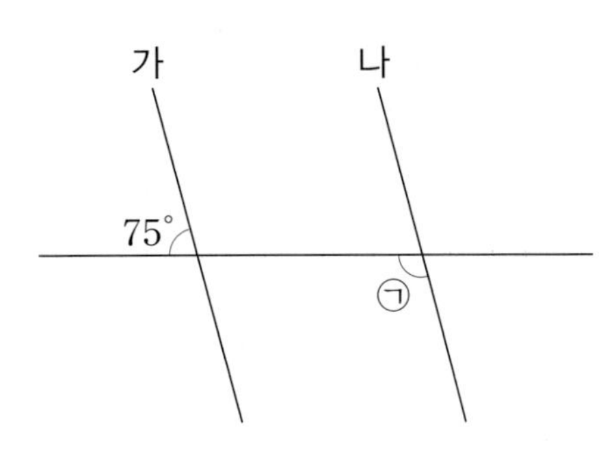

( )

11 다음 도형에서 서로 평행한 변은 모두 몇 쌍입니까?

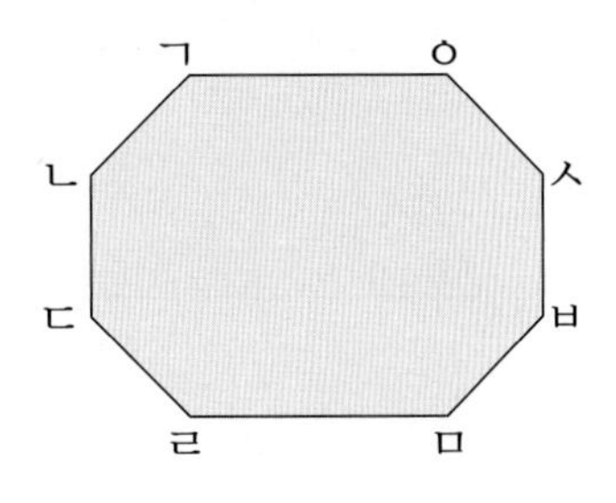

( )

12 직선 가, 나, 다는 서로 평행합니다. 각 ㉠의 크기와 같은 각은 몇 개 더 있습니까?

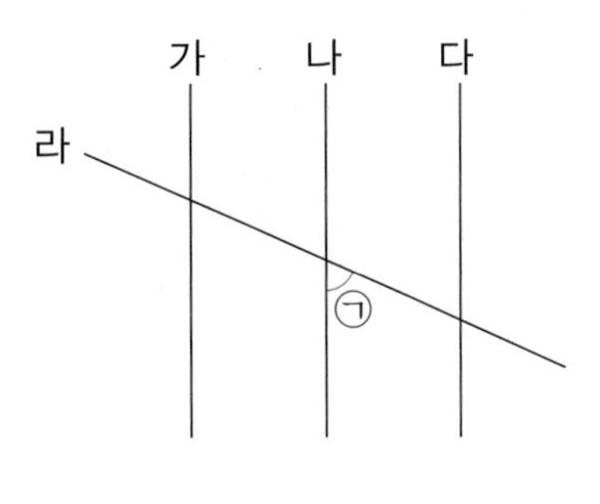

( )

은메달 따기

1 직선 **가**와 **나**는 서로 평행합니다. □ 안에 알맞은 각도를 구하시오.

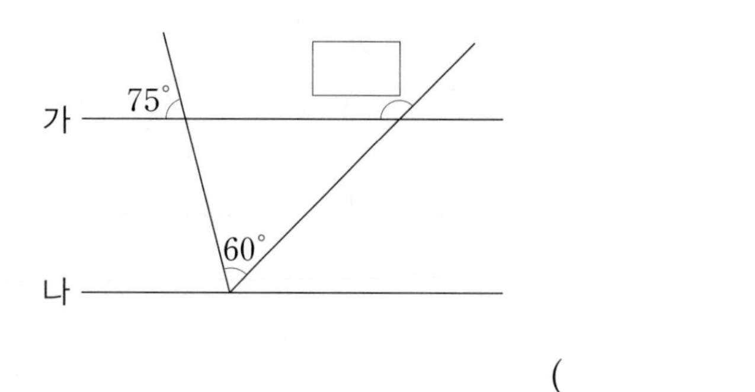

( )

2 다음 그림에서 각 ㄷㅁㄹ의 크기는 몇 도입니까?

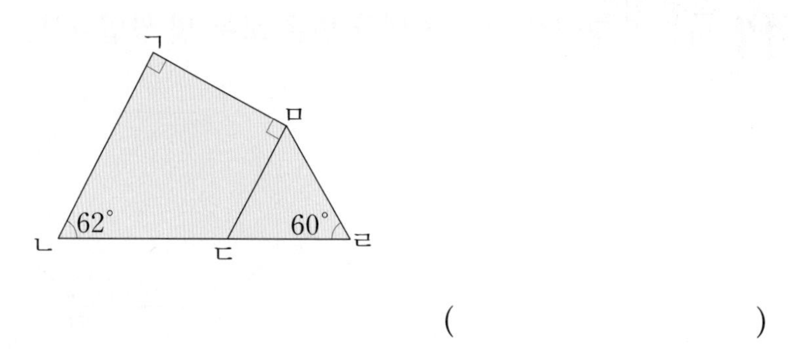

( )

3 다음 그림에서 선분 ㄱㄹ과 선분 ㄴㄷ은 선분 ㄱㄴ에 대한 수선입니다. 각 ㄷㅇㄹ의 크기는 몇 도입니까?

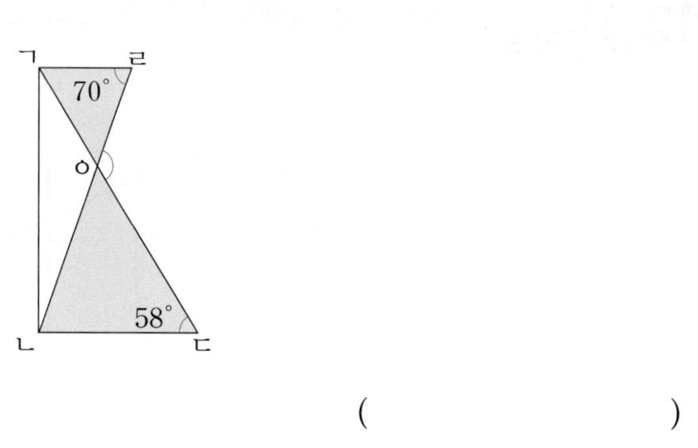

( )

4 다음 그림에서 각 ㉠의 크기를 구하시오. (단, 직선 가, 나, 다는 서로 평행합니다.)

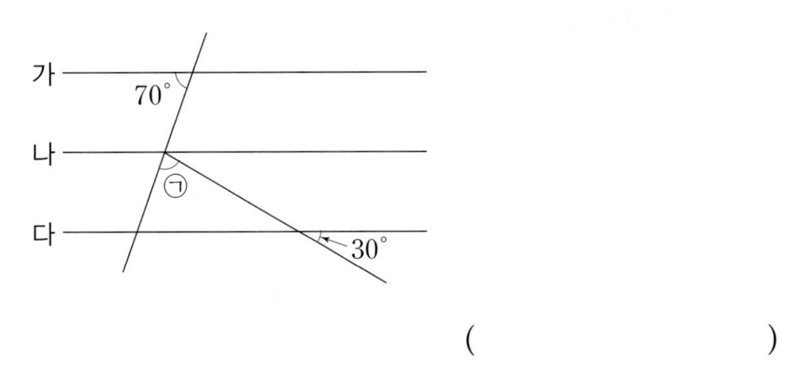

( )

5 직선 가와 나는 서로 평행합니다. 각 ㉠의 크기를 구하시오.

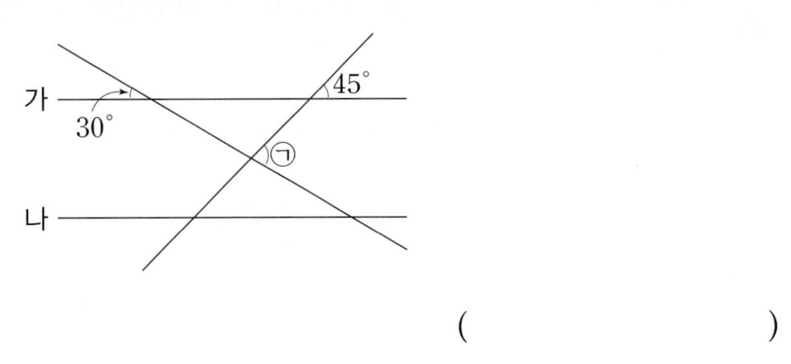

( )

6 다음 그림과 같이 직사각형 ㄱㄴㄷㄹ에 선분 ㄱㄷ, 선분 ㅁㅂ을 그었을 때, 각 ㉠과 각 ㉡의 크기를 각각 구하시오.

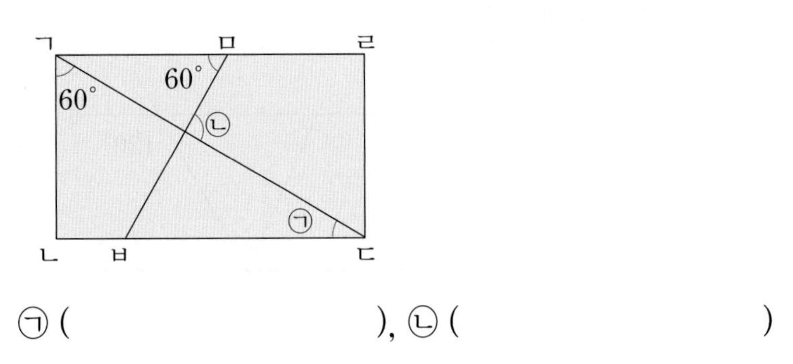

㉠ ( ), ㉡ ( )

금메달 따기

1 다음 그림에서 직선 가와 나는 서로 평행합니다. 각 ㉠의 크기를 구하시오.

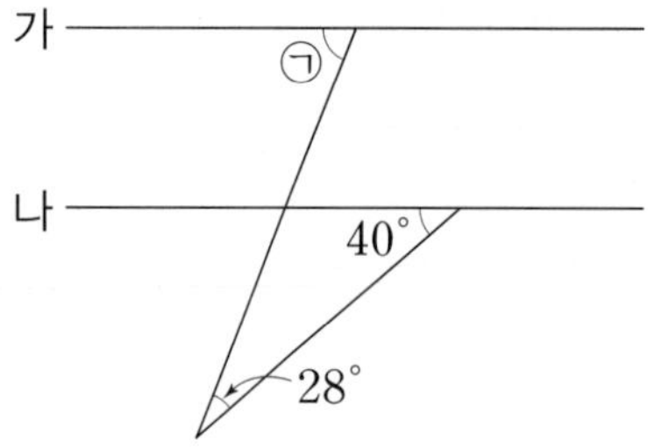

( )

2 다음 그림에서 직선 가와 나는 서로 평행합니다. 각 ㉠의 크기를 구하시오.

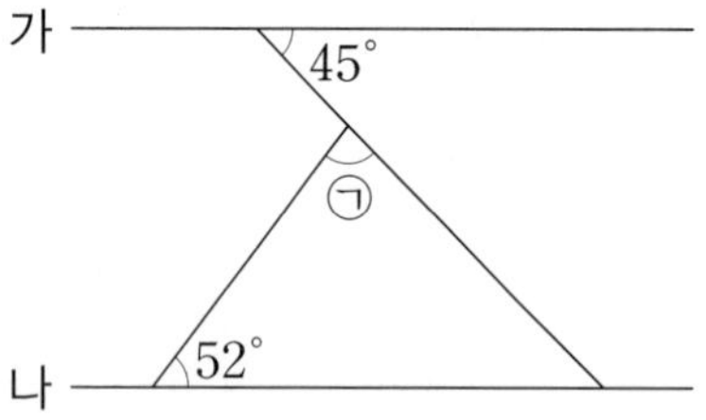

( )

3 다음 그림에서 직선 가와 나는 서로 평행합니다. 각 ㉠과 각 ㉡의 크기를 각각 구하시오.

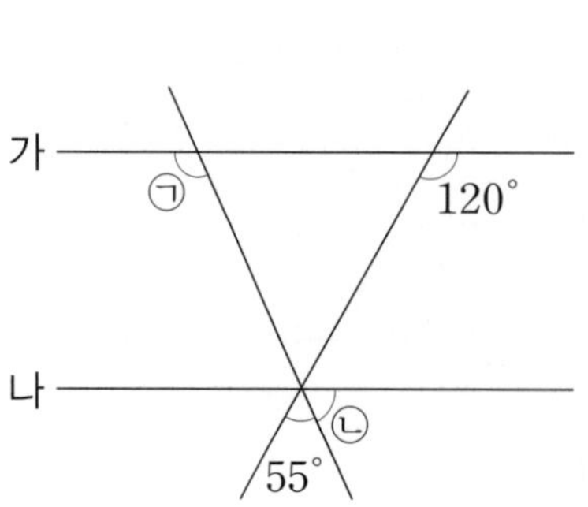

㉠ ( ), ㉡ ( )

생각의 샘

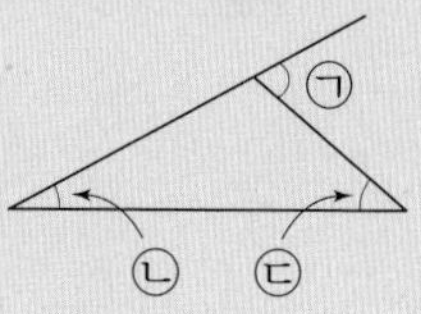

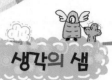

(각㉠)
=(각㉡)+(각㉢)

평행선과 한 직선이 만날 때 생기는 반대쪽의 각(엇각)의 크기는 같습니다.

생각의 샘

4 다음 그림에서 세 선분 ㄱㄴ, ㄷㄹ, ㅁㅂ이 서로 평행할 때, 각 ㅌㅋㅍ의 크기는 몇 도인지 구하시오.

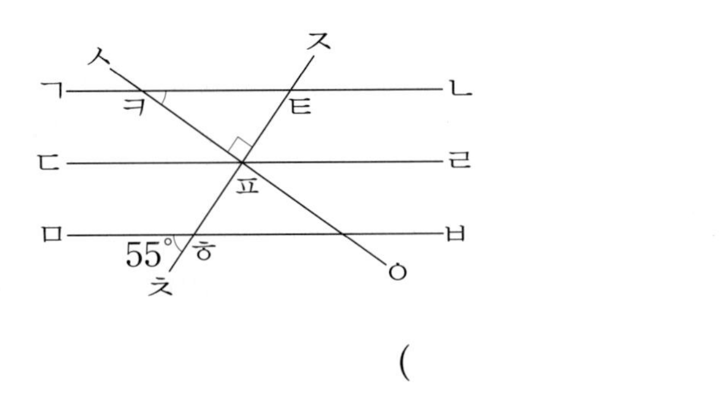

( )

55°와 동위각인 위치를 찾아봅니다.

5 다음 그림에서 직선 가와 나는 서로 평행합니다. 각 ㄱㄴㄷ의 크기는 몇 도인지 구하시오.

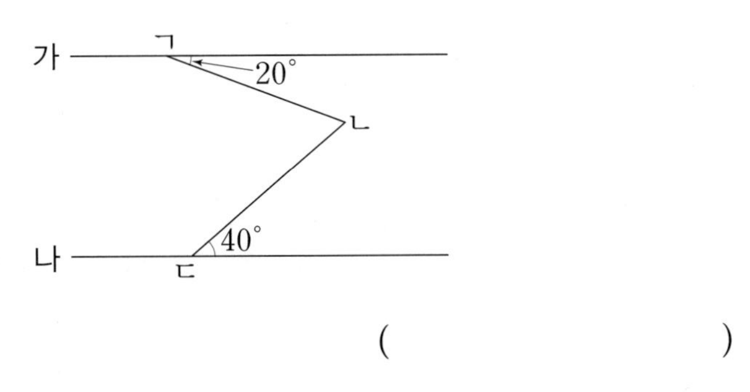

( )

점ㄴ을 지나면서 직선 가, 나에 평행한 직선을 그어봅니다.

6 다음 그림과 같이 직사각형을 접었을 때, 각 ㄱㅂㄷ의 크기는 몇 도인지 구하시오.

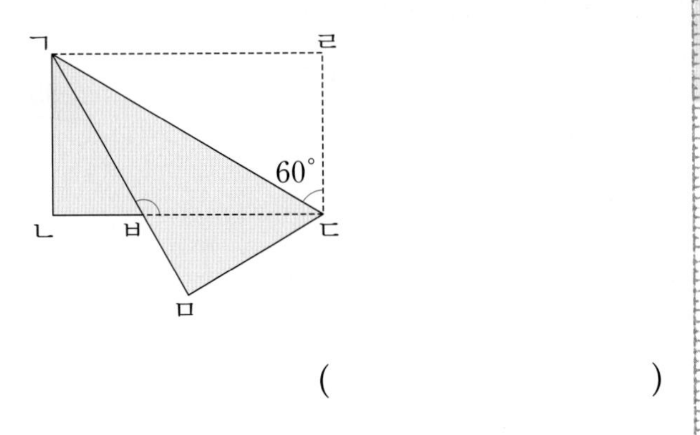

( )

접은 것을 다시 펼쳐보면 접힌 부분은 서로 포개지므로 각도가 같습니다.

중간 평가

맞은 개수	20~18	17~16	15~14	13~
평 가	최우수	우수	보통	노력요함

1 사각형의 네 각 중 가장 큰 각과 가장 작은 각은 어느 것입니까?

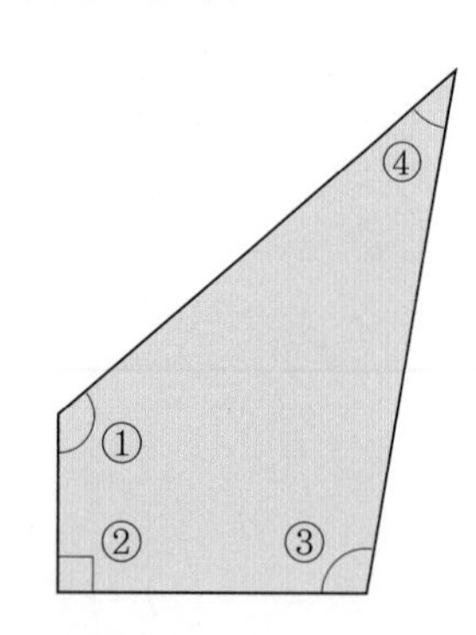

가장 큰 각 (　　　　　　　　　)
가장 작은 각 (　　　　　　　　　)

2 각도를 읽어 보시오.

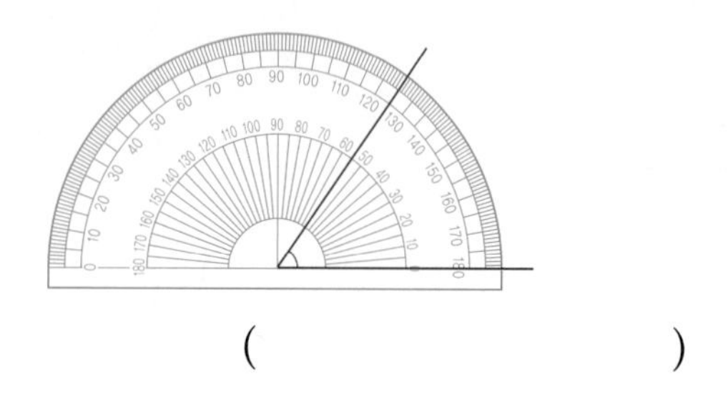

(　　　　　　　　　)

3 다음 중 시계의 긴바늘과 짧은바늘이 이루는 작은 쪽의 각이 둔각인 것을 모두 고르시오. (　　　　)

① 2시　　② 3시　　③ 7시
④ 8시　　⑤ 11시

4 각 ㄱㄴㄷ의 크기를 구하시오.

(1)
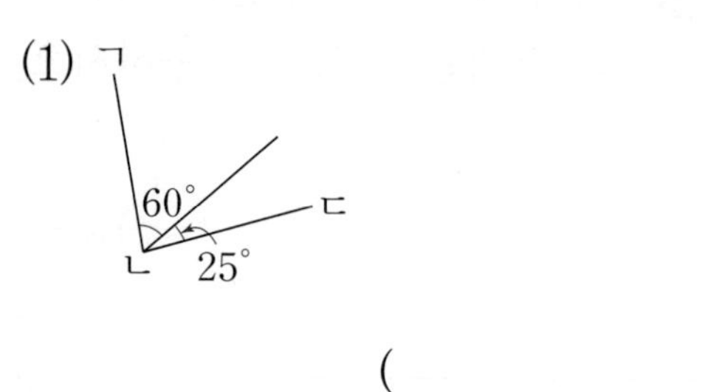

(　　　　　　　　　)

(2)
ㄱ
165°
ㄹ
ㄷ
ㄴ

(　　　　　　　　　)

5 □ 안에 알맞은 수를 써넣으시오.

(1)
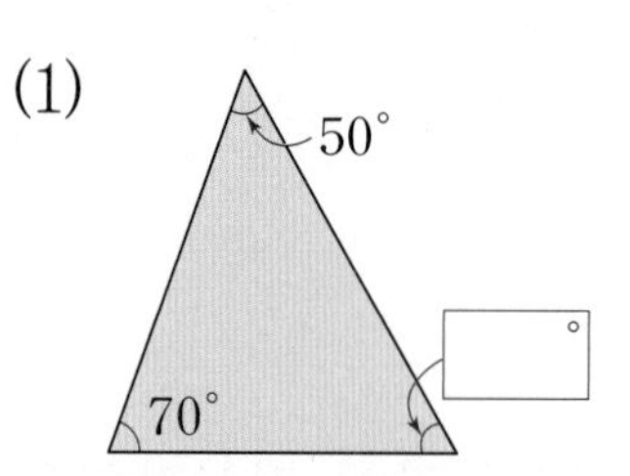

(2)
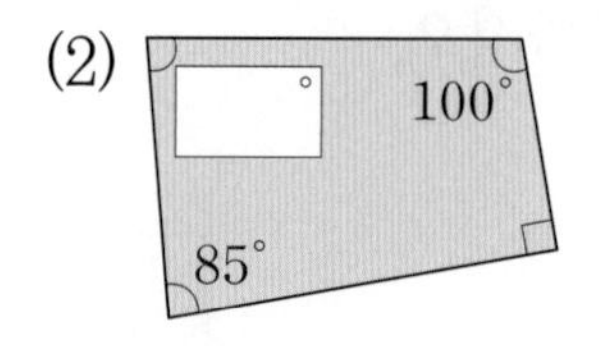

6 각 ㄱㄷㄴ의 크기를 구하시오.

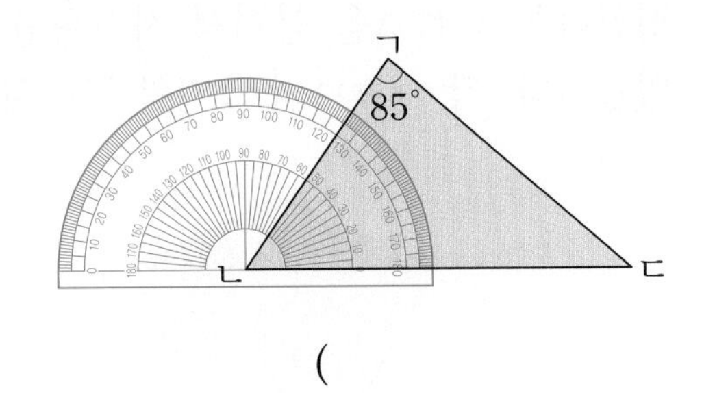

(　　　　　　　　　　)

7 오른쪽 사각형의 네 각의 크기의 합은 몇 도인지 구하는 방법을 설명하시오.

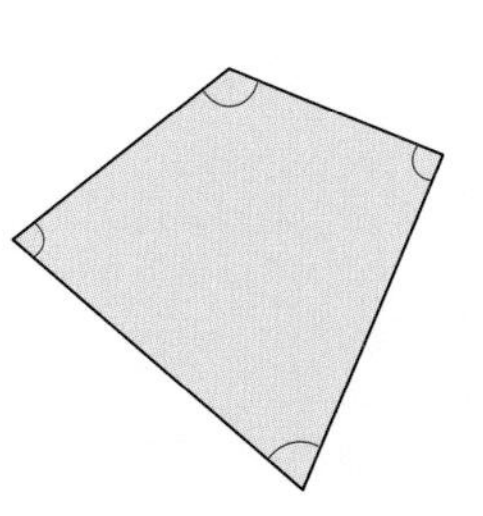

8 다음 도형에서 ㉠과 ㉡의 합을 구하시오.

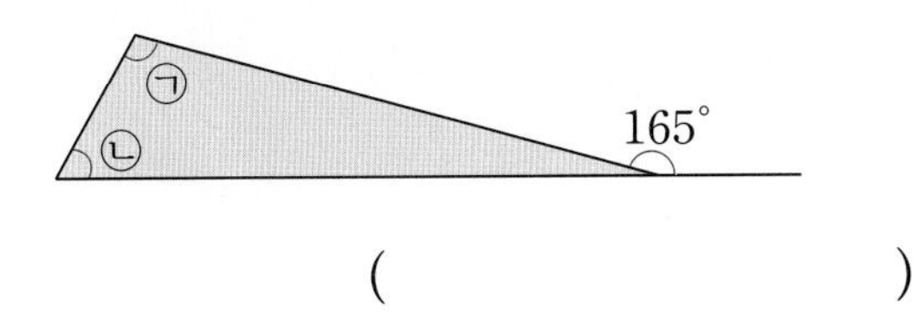

(　　　　　　　　　　)

9 다음 도형은 이등변삼각형입니다. □ 안에 알맞은 수를 써넣으시오.

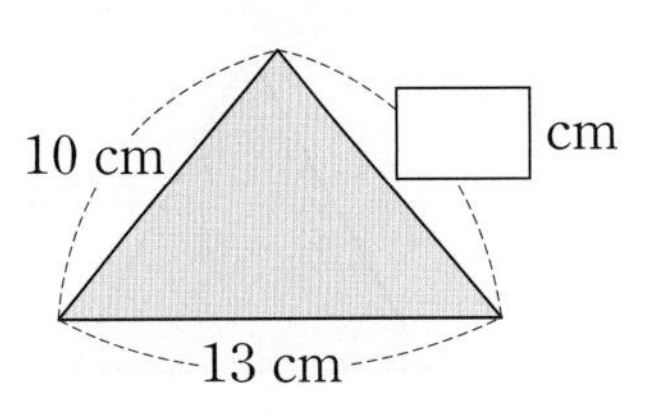

10 도형을 보고 물음에 답하시오.

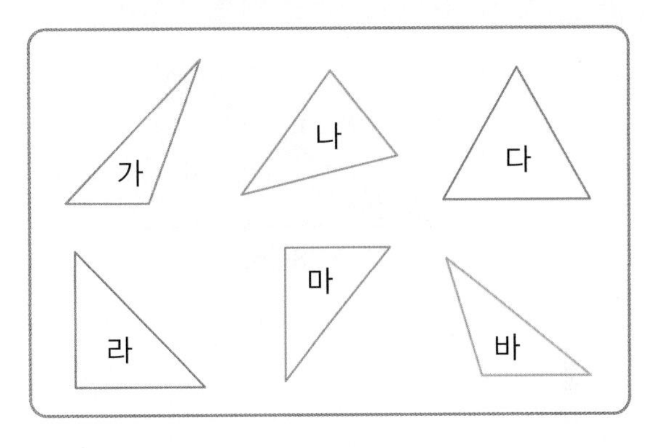

(1) 예각삼각형과 둔각삼각형을 모두 찾아 기호를 쓰시오.

예각삼각형 (　　　　　　　　)
둔각삼각형 (　　　　　　　　)

(2) 이등변삼각형과 정삼각형을 모두 찾아 기호를 쓰시오.

이등변삼각형 (　　　　　　　　)
정삼각형 (　　　　　　　　)

11 정삼각형의 세 변의 길이의 합을 구하시오.

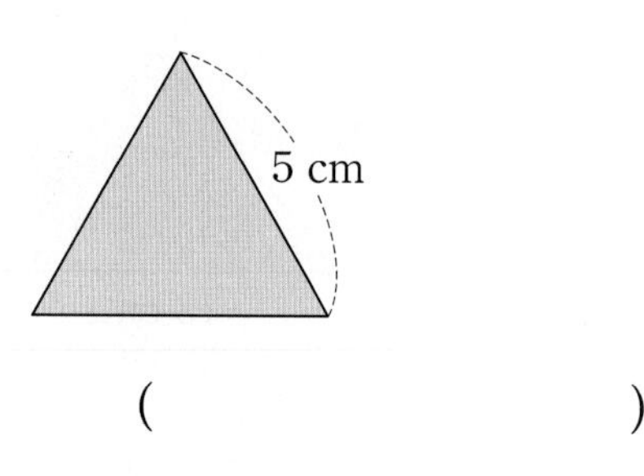

(　　　　　　　　)

12 □ 안에 알맞은 수를 써넣으시오.

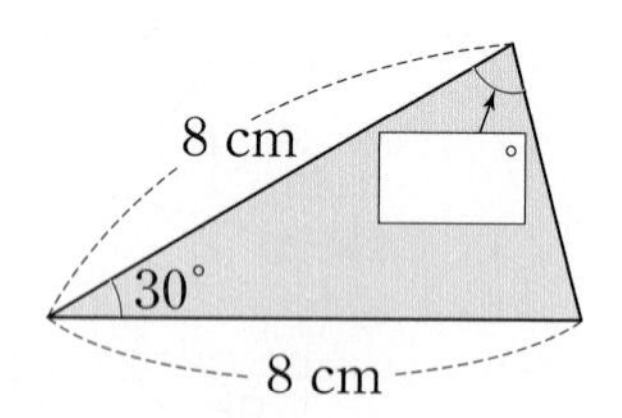

13 다음 그림과 같이 정삼각형 12개를 붙여서 사각형을 만들었을 때, 사각형의 네 변의 길이의 합은 몇 cm입니까?

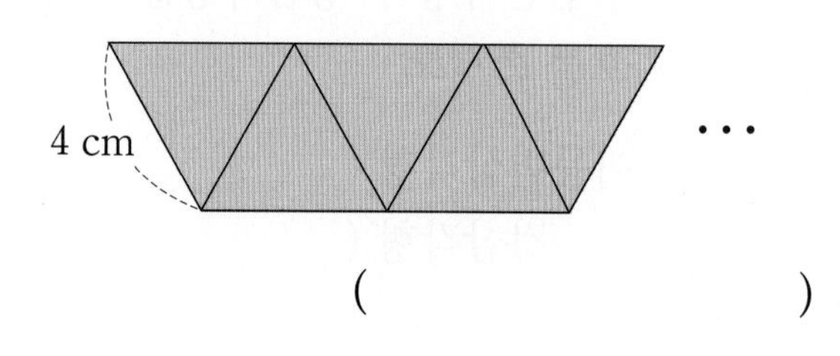

(　　　　　　　　)

14 다음 그림과 같이 이등변삼각형 ㄱㄴㄹ과 정삼각형 ㄴㄷㄹ을 붙여서 사각형을 만들었습니다. 각 ㄱㄹㄷ의 크기를 구하시오.

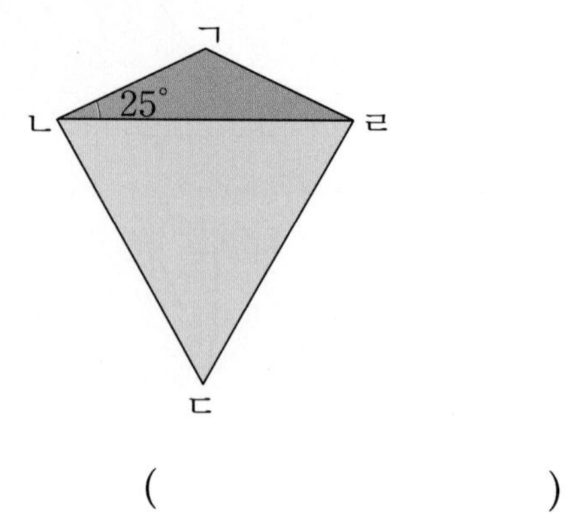

(　　　　　　　　)

15 그림에서 찾을 수 있는 크고 작은 예각삼각형은 모두 몇 개입니까?

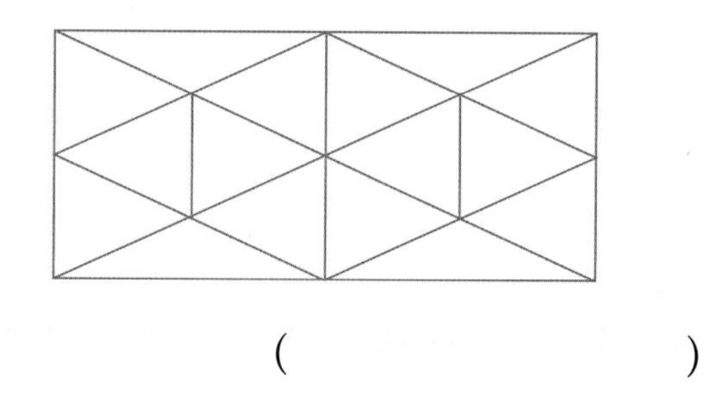

(　　　　　　　　)

16 다음 설명 중 옳지 않은 것은 어느 것입니까? (　　　　)

① 한 직선에 수직인 두 직선을 그으면 두 직선은 서로 만나지 않습니다.
② 평행한 두 직선을 평행선이라고 합니다.
③ 한 직선에 평행한 직선은 한 개 뿐입니다.
④ 평행선 사이의 수선의 길이를 평행선 사이의 거리라고 합니다.

17 직선 가와 나는 서로 평행합니다. 평행선 사이의 거리를 재려면 어느 선분의 길이를 재면 됩니까?

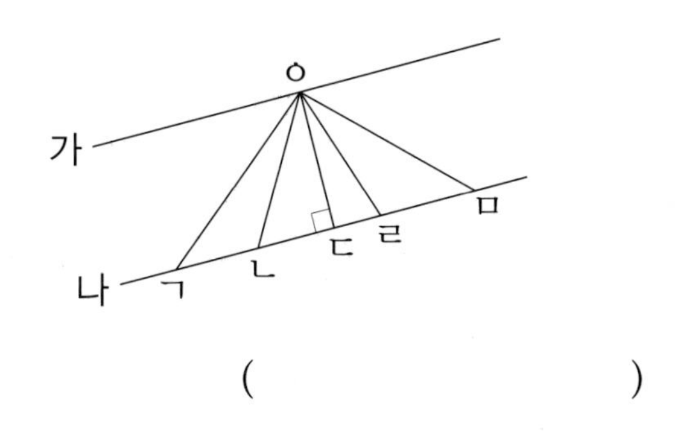

(　　　　　　　　)

18 세 직선 가, 나, 다가 서로 평행할 때 직선 가와 다 사이의 거리는 몇 cm입니까?

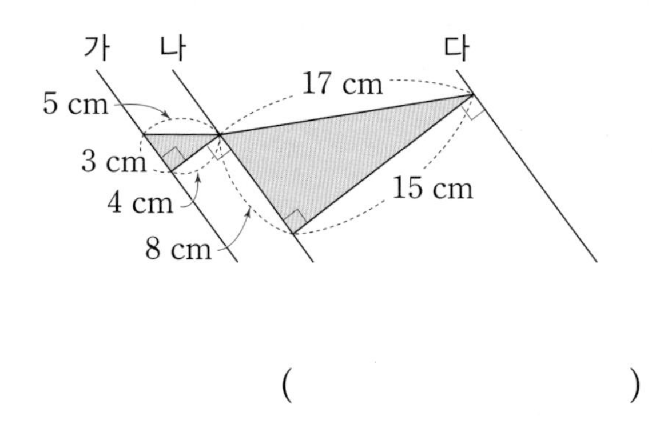

(　　　　　　　　)

19 직선 가와 나는 서로 평행합니다. □ 안에 알맞은 수를 써넣으시오.

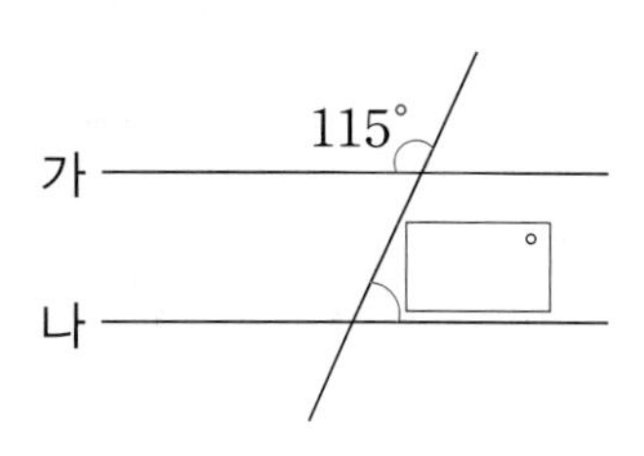

20 도형에서 변 ㄱㄹ과 변 ㄴㄷ은 서로 평행합니다. 각 ㄹㄱㄴ의 크기는 몇 도입니까?

ㄱ　　　　ㄹ

55°

ㄴ　　　　ㄷ

(　　　　　　　　)

개념 확인

1. 사다리꼴 알아보기

평행한 변이 한 쌍이라도 있는 사각형을 사다리꼴이라고 합니다.

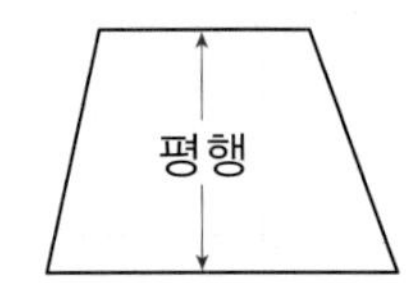

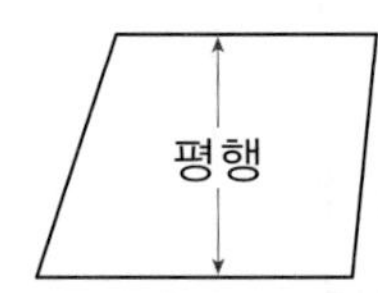

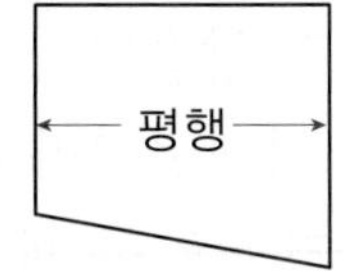

2. 평행사변형 알아보기

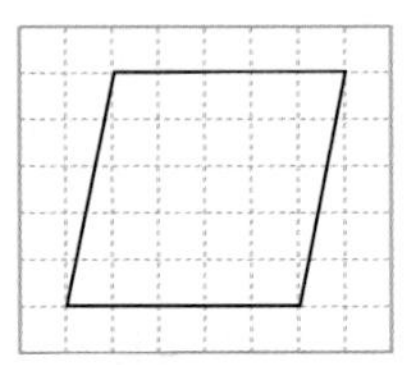

- 마주 보는 두 쌍의 변이 서로 평행한 사각형을 평행사변형이라고 합니다.
- 평행사변형은 마주 보는 두 쌍의 변이 서로 평행하므로 사다리꼴이라고 할 수 있습니다.

3. 평행사변형의 성질 알아보기

① 마주 보는 변의 길이가 같습니다. ② 마주 보는 각의 크기가 같습니다.
③ 이웃한 두 각의 크기의 합이 180°입니다.

4. 마름모 알아보기

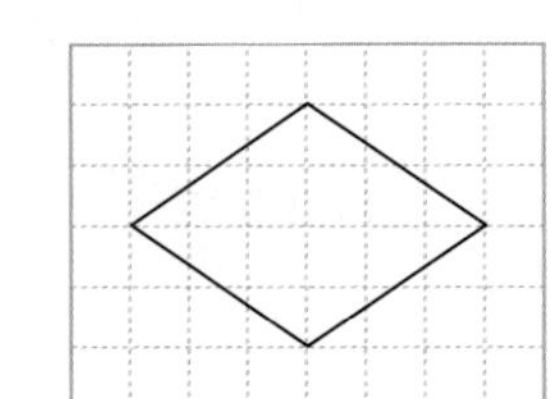

네 변의 길이가 모두 같은 사각형을 마름모라고 합니다.

5. 마름모의 성질 알아보기

① 마주 보는 두 쌍의 변이 서로 평행합니다.
② 마주 보는 각의 크기가 같습니다.

6. 직사각형의 성질 알아보기

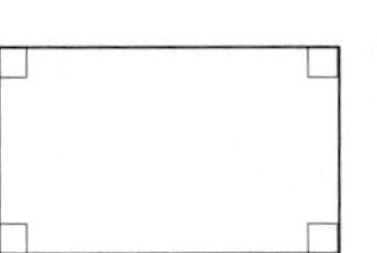

- 네 각이 모두 직각입니다.
- 마주 보는 두 쌍의 변의 길이가 서로 같습니다.
- 직사각형은 마주 보는 두 쌍의 변이 서로 평행하므로 평행사변형, 사다리꼴이라고 할 수 있습니다.

7. 정사각형의 성질 알아보기

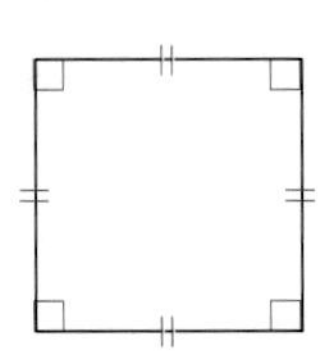

- 네 각이 모두 직각입니다.
- 네 변의 길이가 모두 같습니다.
- 마주 보는 두 쌍의 변이 서로 평행합니다.
- 정사각형은 네 각이 모두 직각이므로 직사각형이라고 할 수 있고, 네 변의 길이가 모두 같으므로 마름모라고 할 수도 있습니다.

개념 익히기

1 사다리꼴을 모두 찾아 기호를 쓰시오.

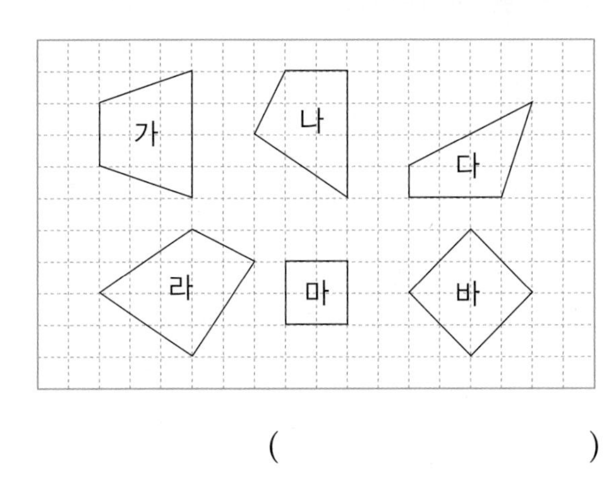

(　　　　　　　　)

평행사변형을 보고 물음에 답하시오. [2~3]

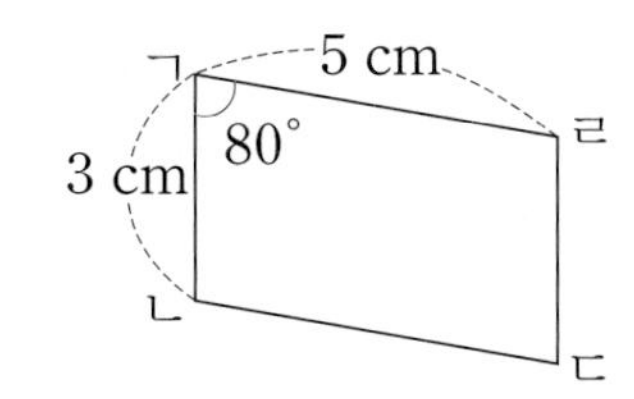

2 변 ㄴㄷ의 길이는 몇 cm입니까?

(　　　　　　　　)

3 각 ㄱㄹㄷ의 크기는 몇 도입니까?

(　　　　　　　　)

마름모입니다. 물음에 답하시오. [4~5]

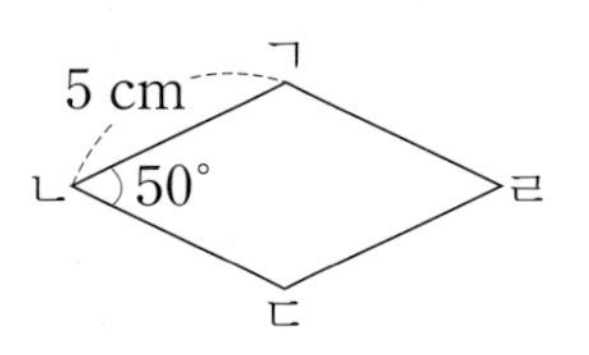

4 각 ㄱㄹㄷ의 크기는 몇 도입니까?

(　　　　　　　　)

5 마름모 ㄱㄴㄷㄹ의 둘레는 몇 cm입니까?

(　　　　　　　　)

6 그림을 보고 물음에 답하시오.

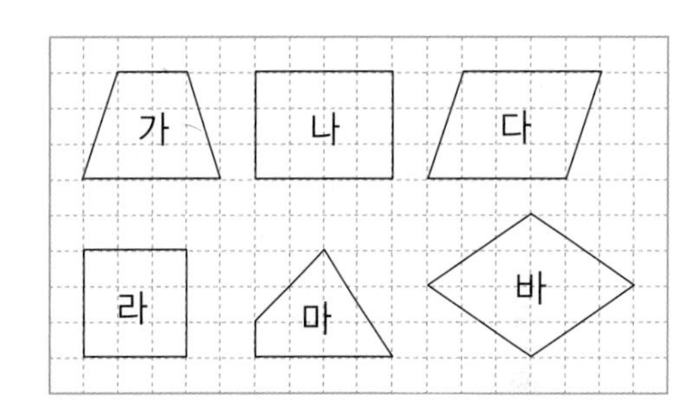

(1) 사다리꼴을 모두 찾아 기호를 쓰시오.

(　　　　　　　　)

(2) 평행사변형을 모두 찾아 기호를 쓰시오.

(　　　　　　　　)

(3) 마름모를 모두 찾아 기호를 쓰시오.

(　　　　　　　　)

(4) 직사각형을 모두 찾아 기호를 쓰시오.

(　　　　　　　　)

(5) 정사각형을 찾아 기호를 쓰시오.

(　　　　　　　　)

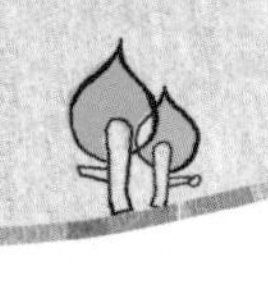

동메달 따기

1 도형에서 찾을 수 있는 크고 작은 사다리꼴은 모두 몇 개입니까?

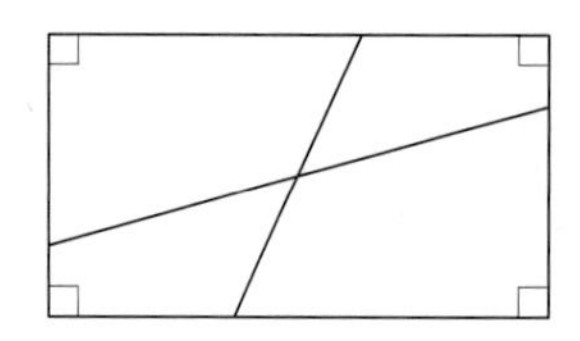

(   )

2 평행사변형의 네 변의 길이의 합은 몇 cm입니까?

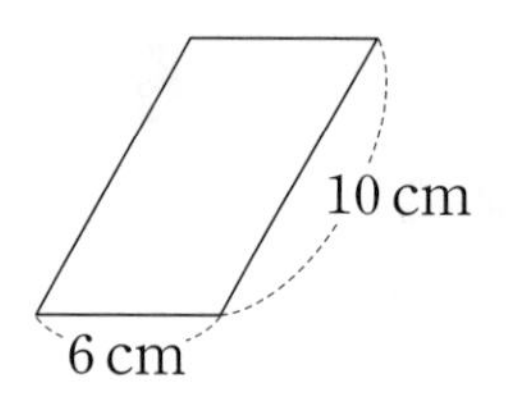

(   )

3 평행사변형 ㄱㄴㄷㄹ에서 각 ㄴㄱㄹ의 크기를 구하시오.

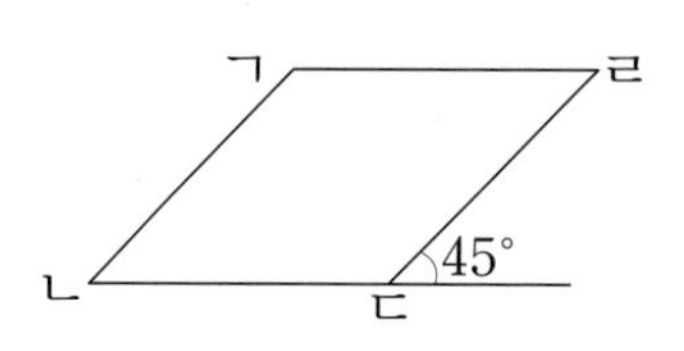

(   )

4 마름모입니다. □ 안에 알맞은 수를 써넣으시오.

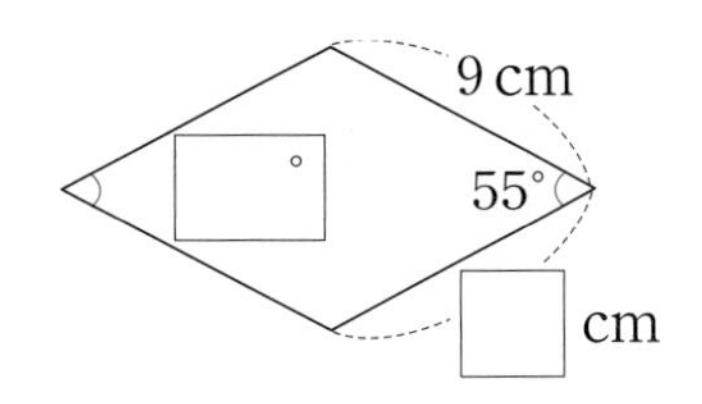

5 그림은 작은 이등변삼각형 여러 개를 이어 붙인 것입니다. 찾을 수 있는 크고 작은 마름모는 모두 몇 개입니까?

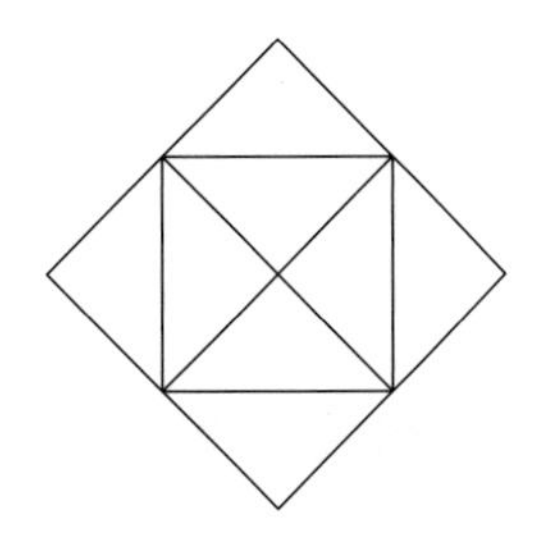

( )

6 다음 도형 중 네 변의 길이의 합이 가장 큰 사각형은 어느 것입니까? ( )

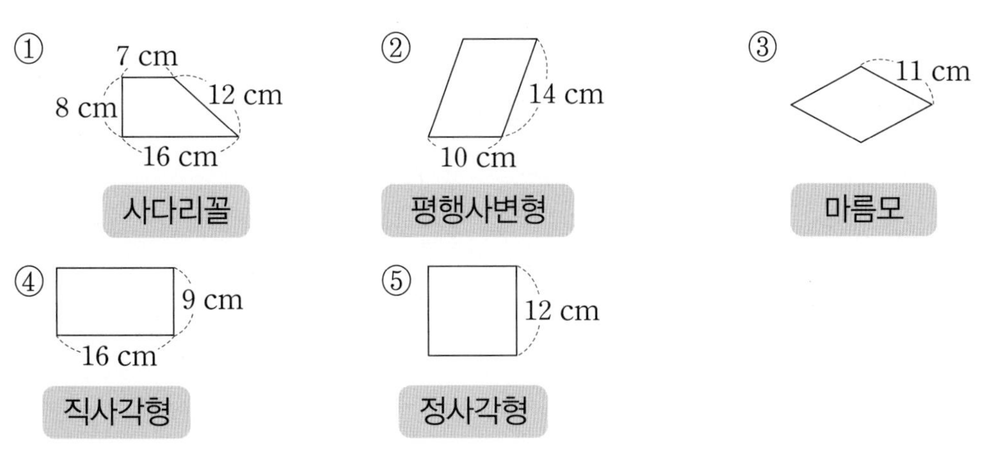

7 직사각형 ㄱㄴㄷㄹ에서 찾을 수 있는 크고 작은 직사각형은 모두 몇 개입니까?

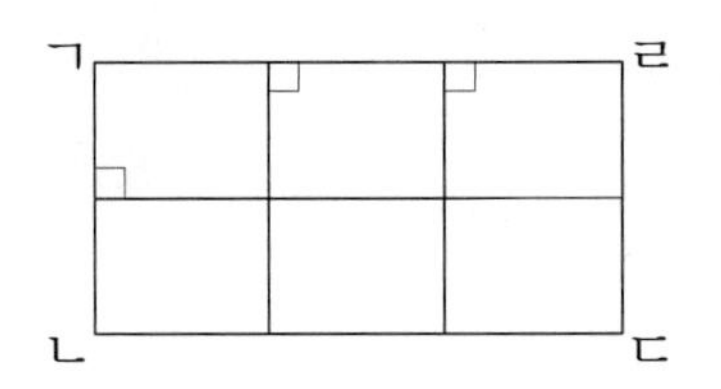

( )

8 직사각형 모양의 종이띠를 선을 따라 잘랐습니다. 물음에 답하시오.

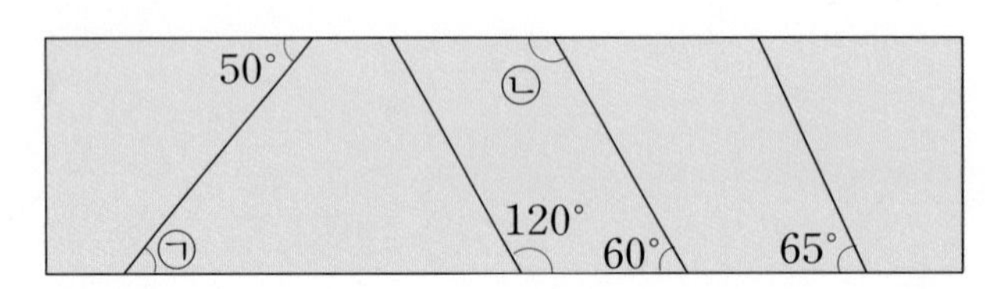

(1) ㉠과 ㉡의 크기를 각각 구하시오.

( )

(2) 사다리꼴과 평행사변형은 각각 몇 개입니까?

( )

9 길이가 28 cm인 끈을 남김없이 사용하여 마름모를 만들었습니다. 이 마름모의 한 변의 길이는 몇 cm입니까?

( )

10 마름모입니다. □ 안에 알맞은 수를 써넣으시오.

(1)

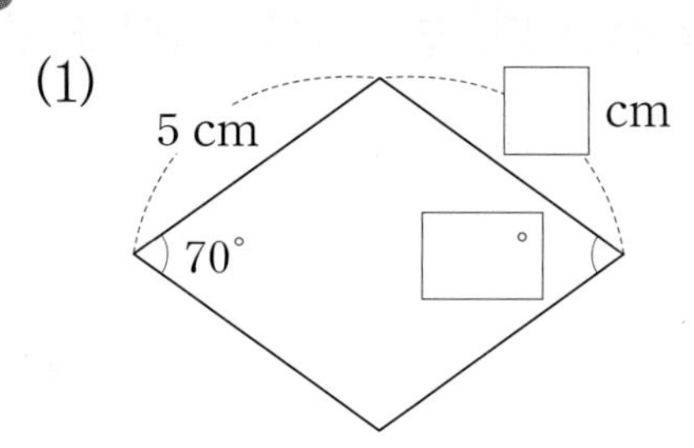

(2)

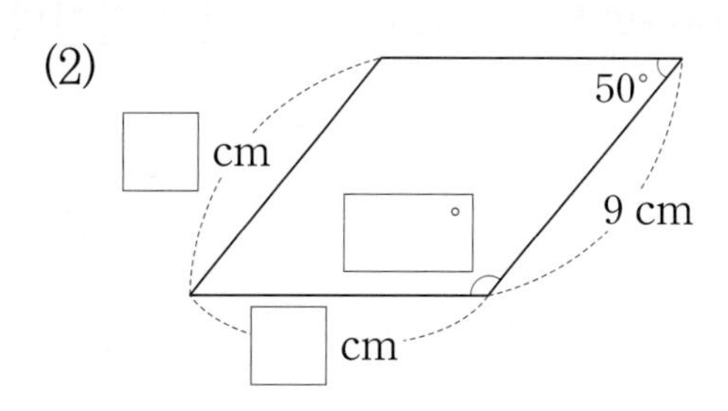

11 평행사변형이라 할 수 있는 사각형을 모두 찾아 기호를 써 보시오.

㉠ 사다리꼴	㉡ 마름모	㉢ 직사각형	㉣ 정사각형

( )

은메달 따기

1 사다리꼴 ㄱㄴㄷㄹ에서 각 ㄴㄱㄹ의 크기를 구하시오.

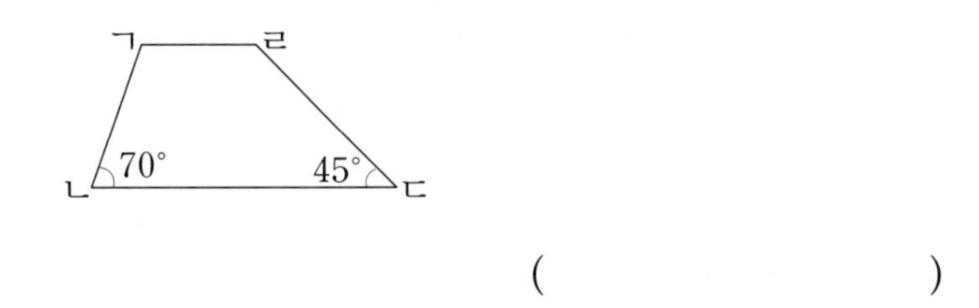

(　　　　　　　　　　)

2 평행사변형 ㄱㄴㄷㄹ의 네 변의 길이의 합이 34 cm일 때, 변 ㄴㄷ의 길이를 구하시오.

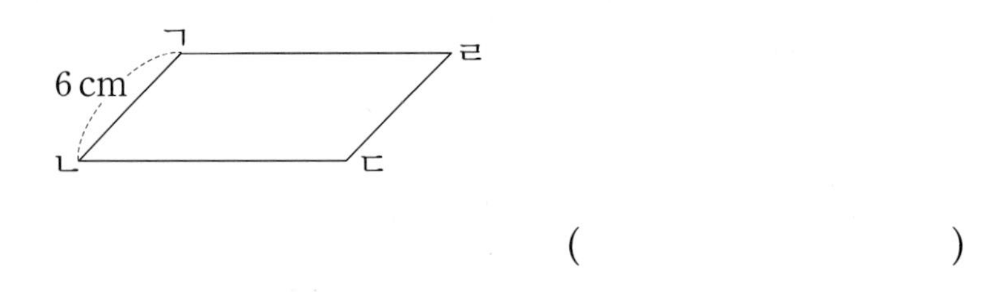

(　　　　　　　　　　)

3 다음 도형은 변 ㄱㄹ과 변 ㄴㄷ이 서로 평행하고, 변 ㄱㄴ, 변 ㄱㄹ, 변 ㄹㄷ의 길이가 같습니다. 색칠한 부분이 될 수 있는 도형의 이름을 모두 써 보시오.

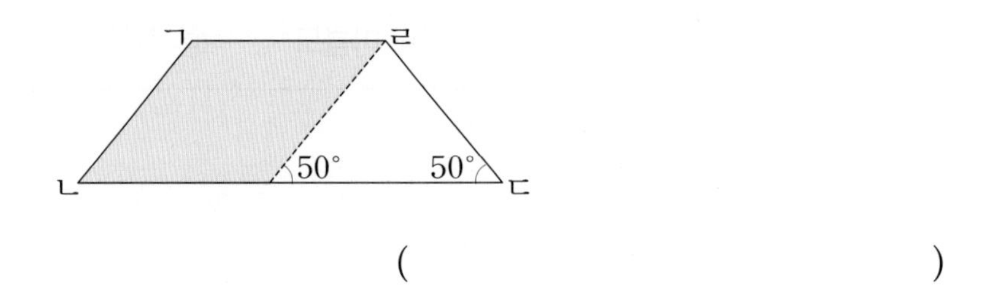

(　　　　　　　　　　　　　)

4 오른쪽 그림은 작은 정사각형 12개를 겹치지 않게 이어 붙여 만든 것입니다. 찾을 수 있는 크고 작은 직사각형은 모두 몇 개입니까?

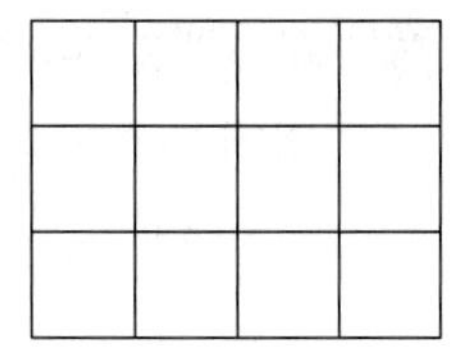

(　　　　　　　　　)

5 오른쪽 그림은 마름모와 정사각형의 한 변을 맞닿게 붙여 놓은 것입니다. 각 ㄷㅁㄹ의 크기를 구하시오.

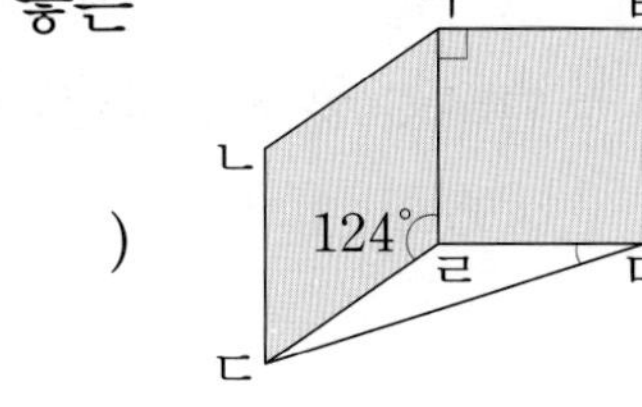

(　　　　　　　　　)

6 사각형 ㄱㄴㄷㄹ은 마름모입니다. ㉠의 크기를 구하시오.

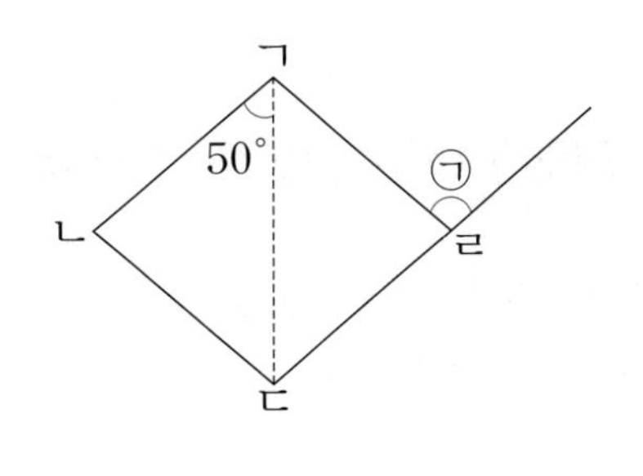

(　　　　　　　　　)

금메달 따기

생각의 샘

1 오른쪽 사각형 ㄱㄴㄷㅁ은 마름모이고, 변 ㄷㅁ과 변 ㅁㄹ의 길이가 같을 때, 사다리꼴 ㄱㄴㄹㅁ의 네 변의 길이의 합을 구하시오.

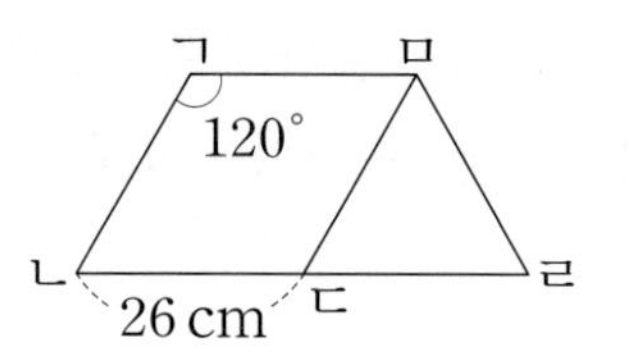

(　　　　　　　　　　)

마름모는 네변의 길이가 모두 같습니다.

2 사각형 ㄱㄴㄷㄹ은 마름모입니다. 오른쪽 그림과 같이 마름모를 접어서 각 ㄱㄹㅂ과 각 ㅂㄹㅇ의 크기를 같게 만들었습니다. 각 ㄴㅅㅇ의 크기는 몇 도입니까?

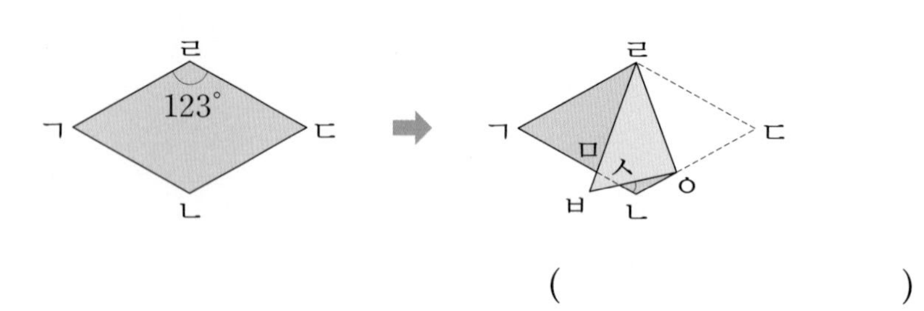

(　　　　　　　　　　)

접었을 때 겹쳐지는 부분의 각도는 같습니다.

3 오른쪽 도형은 모양과 크기가 같은 작은 정삼각형을 겹치지 않게 이어 붙여서 만든 것입니다. 찾을 수 있는 크고 작은 마름모는 모두 몇 개입니까?

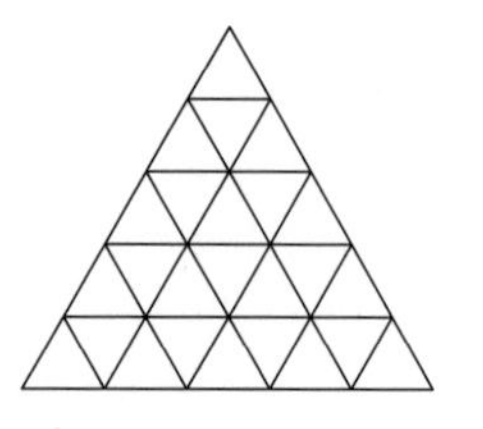

(　　　　　　　　　　)

마름모는 세 방향에서 찾을 수 있습니다.

4 오른쪽 사각형 ㄱㄴㄷㄹ은 사다리꼴이고, 삼각형 ㄱㄷㄹ은 변 ㄱㄹ과 변 ㄹㄷ의 길이가 같은 이등변삼각형입니다. 각 ㄱㄹㄷ의 크기를 구하시오.

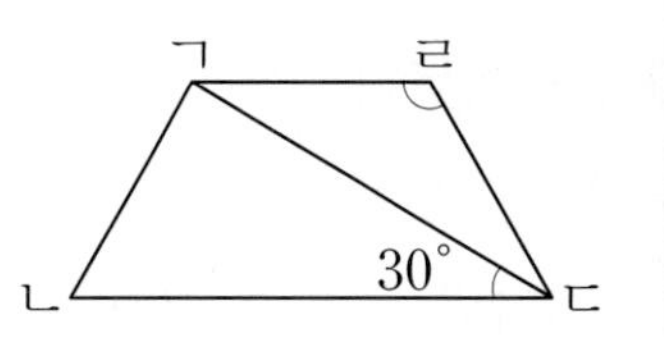

(　　　　　　　　)

5 두 개의 정사각형이 오른쪽 그림과 같이 겹쳐져 있습니다. ㉠의 크기를 구하시오.

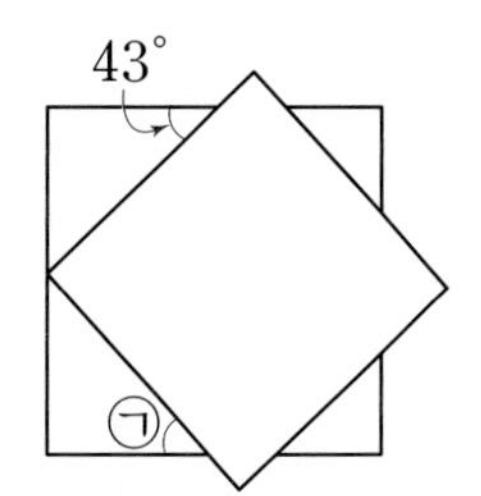

(　　　　　　　　)

6 오른쪽 그림에서 삼각형 ㄱㄴㄷ은 한 각이 직각인 이등변삼각형이고 사각형 ㄹㄴㅁㄷ은 마름모입니다. ㉠과 ㉡의 크기의 차를 구하시오.

(　　　　　　　　)

생각의 샘

평행선과 한 직선이 만날 때 생기는 반대쪽의 각의 크기는 같습니다.

직각삼각형에서 직각이 아닌 두 각의 크기의 합은 90°입니다.

마름모에서 마주 보는 각의 크기는 같고, 이웃하는 각의 크기의 합은 180°입니다.

7. 다각형

개념 확인

1. 다각형과 정다각형 알아보기

- 선분으로만 둘러싸인 도형을 다각형이라고 합니다. 다각형은 변의 수에 따라 변이 3개이면 삼각형, 변이 4개이면 사각형, 변이 5개이면 오각형 등으로 부릅니다.
- 변의 길이가 모두 같고 각의 크기가 모두 같은 다각형을 정다각형이라고 합니다.

정다각형은 변의 수에 따라 정삼각형, 정사각형, 정오각형, 정육각형 등으로 부릅니다.

2. 대각선 알아보기

선분으로 둘러싸인 도형에서 선분 ㄱㄷ, 선분 ㄴㄹ과 같이 이웃하지 않은 두 꼭짓점을 이은 선분을 대각선이라고 합니다.

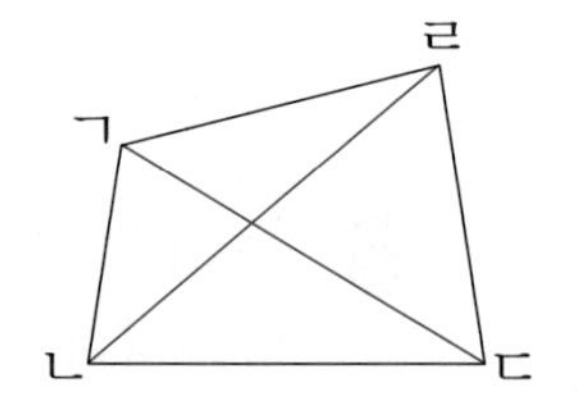

사각형의 대각선

① 두 대각선의 길이가 같은 경우 ➡ 직사각형, 정사각형
② 두 대각선이 서로 수직인 경우 ➡ 마름모, 정사각형
③ 한 대각선이 다른 대각선을 반으로 나누는 경우 ➡ 평행사변형, 마름모, 직사각형, 정사각형
④ 두 대각선이 서로 수직이고, 한 대각선이 다른 대각선을 반으로 나누는 경우 ➡ 마름모, 정사각형

3. 모양 만들기와 모양 채우기

모양 조각으로 여러 가지 모양을 만들거나 몇 가지 모양 조각을 사용하여 주어진 모양을 채울 수 있습니다.

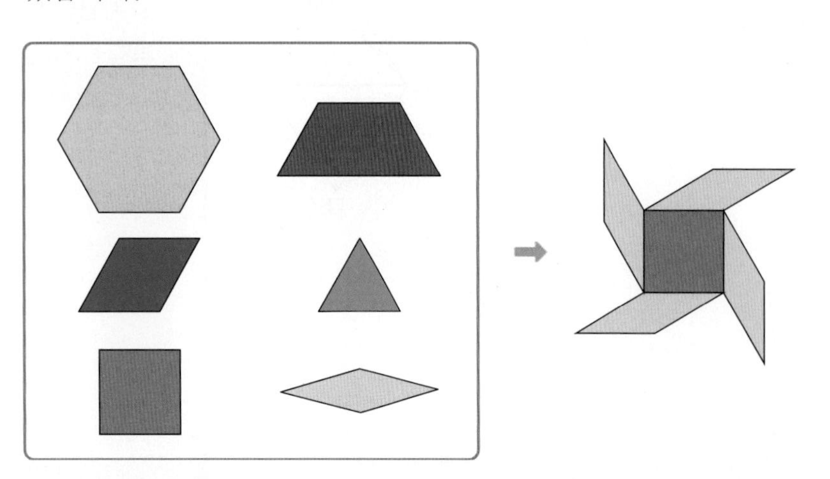

모양 조각은 모두 6조각으로 정육각형, 사다리꼴, 평행사변형, 정삼각형, 정사각형, 마름모입니다.

개념 익히기

1 다각형이 <u>아닌</u> 것을 모두 고르시오.

( )

① ② ③

④ ⑤

2 다각형의 이름을 써 보시오.

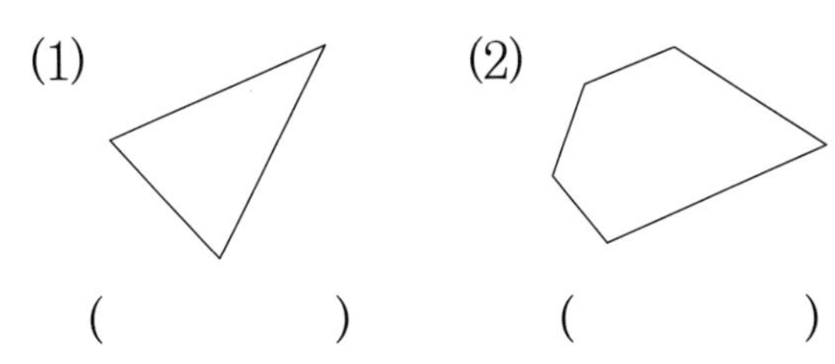

( ) ( )

3 정육각형입니다. □ 안에 알맞은 수를 써넣으시오.

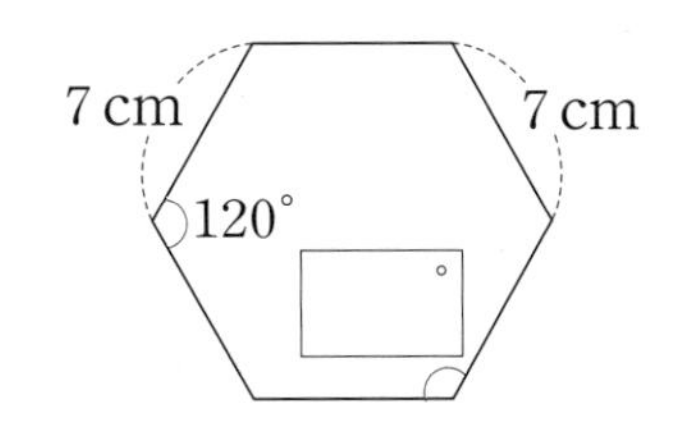

4 도형에서 대각선의 수가 가장 많은 도형을 찾아 기호를 써 보시오.

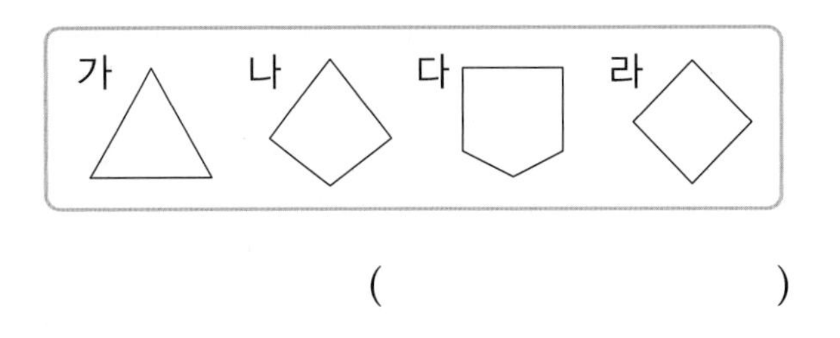

( )

5 오른쪽 사각형 ㄱㄴㄹㅁ에서 대각선을 모두 찾아 써 보시오.

( )

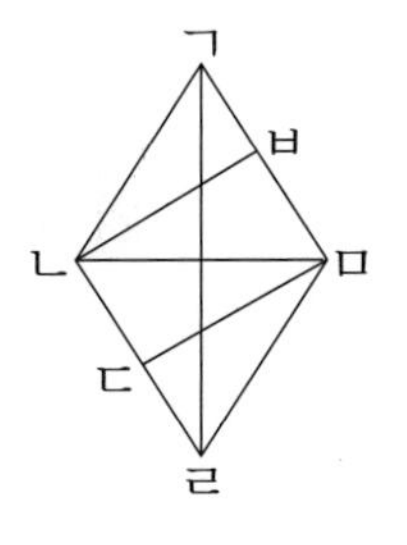

6 모양 조각을 사용하여 다음 도형을 만들어 보시오.

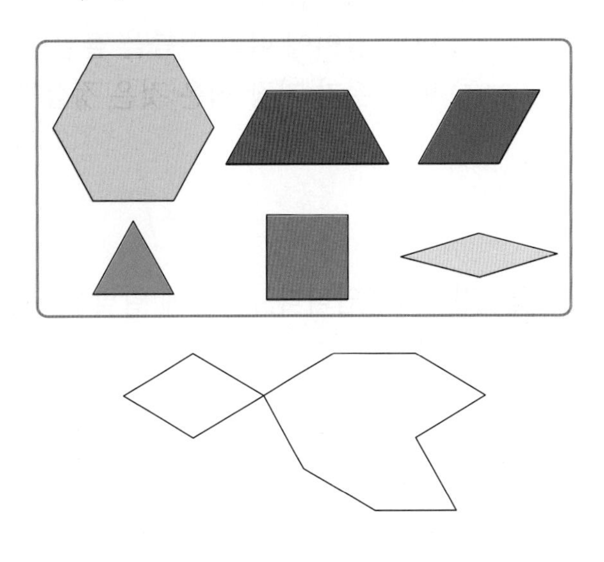

1 그림을 보고 물음에 답하시오.

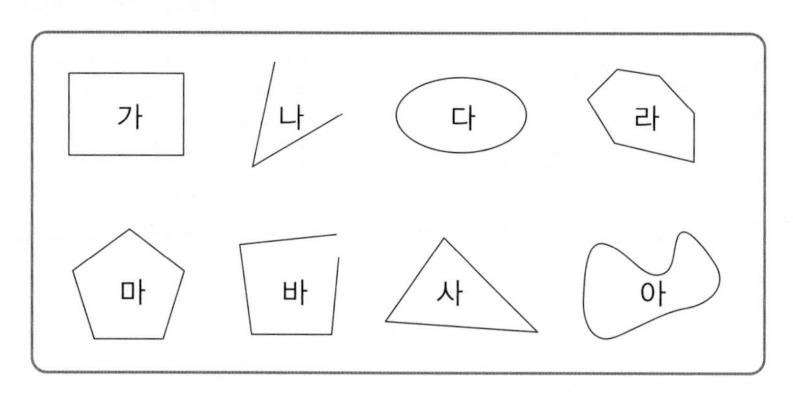

(1) 다각형을 모두 찾아 기호를 써 보시오.

( )

(2) 5개의 선분으로만 둘러싸인 도형을 찾아 기호를 써 보시오.

( )

2 정다각형에 대한 설명이 아닌 것을 모두 고르시오. ( )

① 모든 각의 크기가 같습니다.
② 모든 변의 길이가 같습니다.
③ 원은 정다각형입니다.
④ 변의 길이에 따라 이름을 붙입니다.
⑤ 변의 수가 가장 적은 것은 정삼각형입니다.

3 정오각형입니다. □ 안에 알맞은 수를 써넣으시오.

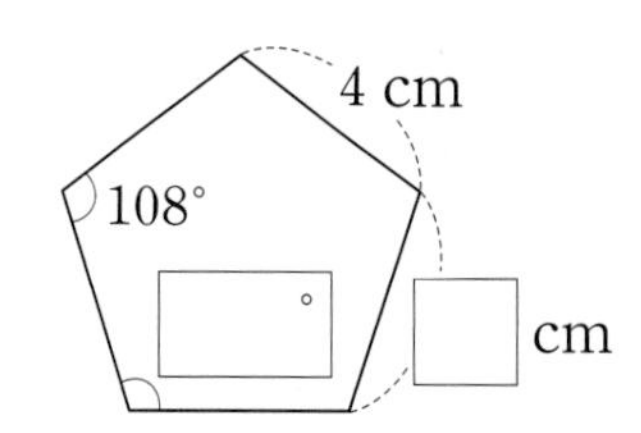

4 한 변의 길이가 5 cm이고 모든 변의 길이의 합이 30 cm인 정다각형의 이름을 써 보시오.

(　　　　　　　　　　)

5 정육각형의 대각선은 모두 몇 개입니까?

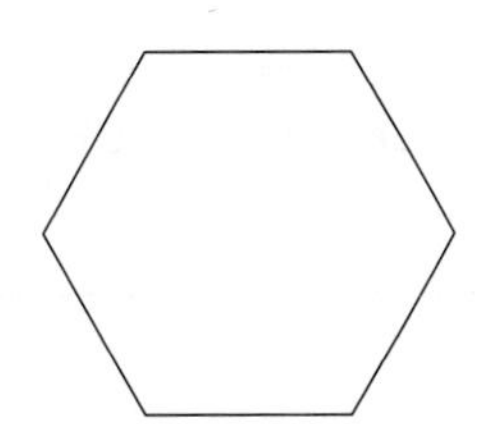

(　　　　　　　　　　)

6 직사각형 ㄱㄴㄷㄹ에서 선분 ㄱㄷ의 길이는 몇 cm입니까?

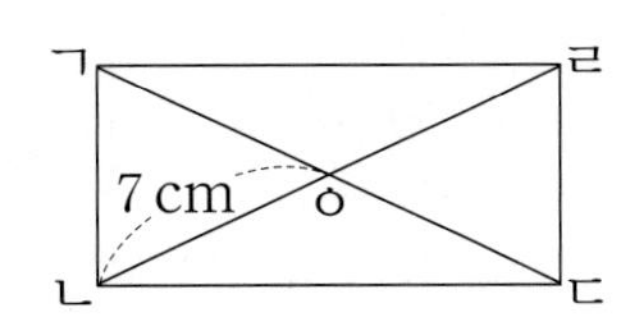

(　　　　　　　　　　)

7 대각선이 모두 5개인 정다각형의 이름을 써 보시오.

(　　　　　　　　　　)

8 두 대각선의 길이가 같은 도형을 모두 찾아 기호를 쓰시오.

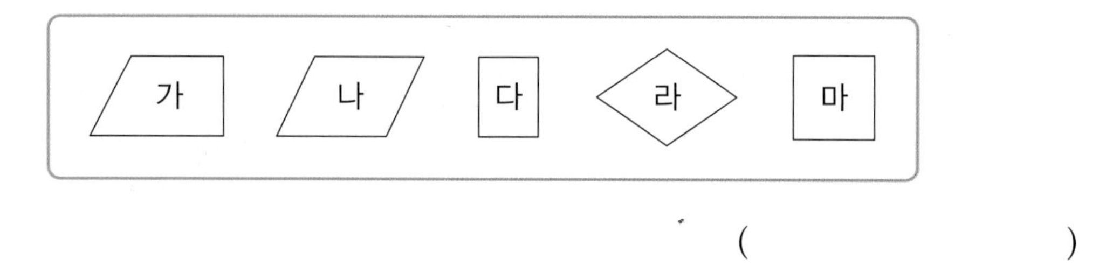

(　　　　　　　　　　)

9 바닥을 빈틈없이 덮을 수 있는 정다각형을 모두 찾아 기호를 쓰시오.

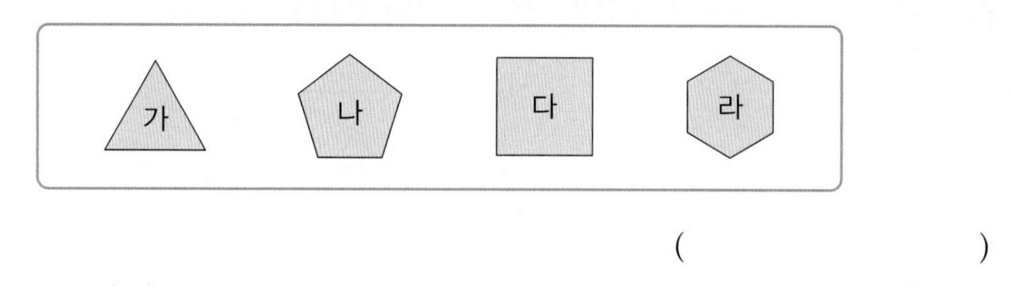

(　　　　　　　　　　)

모양 조각을 보고 물음에 답하시오. [10~11]

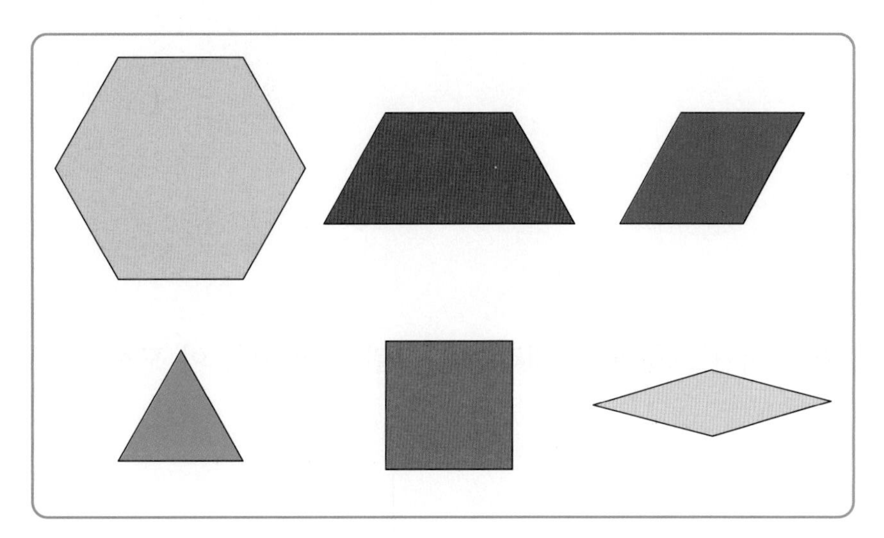

10 6가지의 모양 조각 중에서 변의 길이가 모두 같고 각의 크기가 모두 같은 모양 조각을 찾아 그 이름을 써 보시오.

( )

11 여러 가지 모양 조각 중 주어진 모양 조각의 수로 다음 모양을 만들어 보시오.

(1)

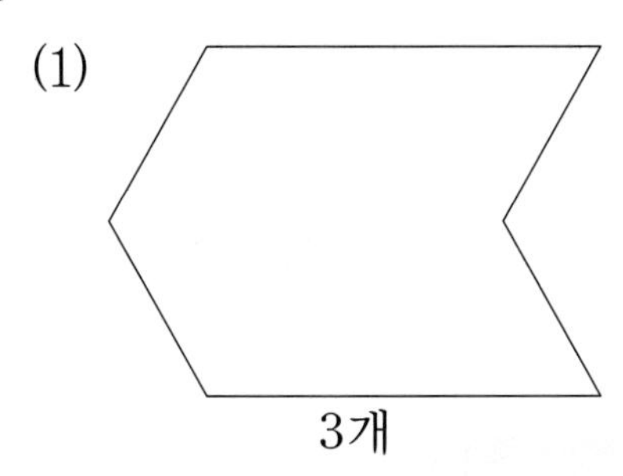

3개

(2)

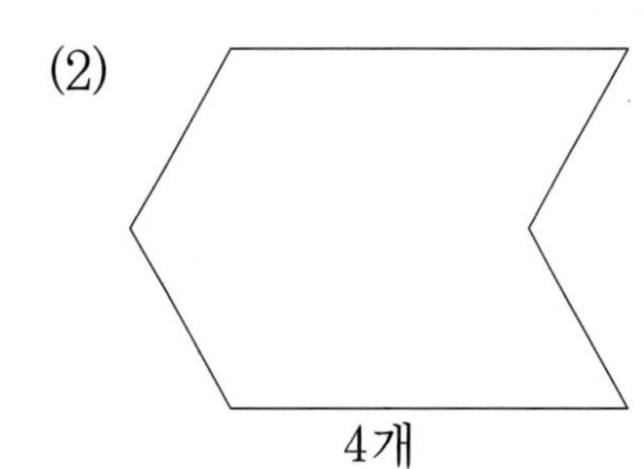

4개

(3)

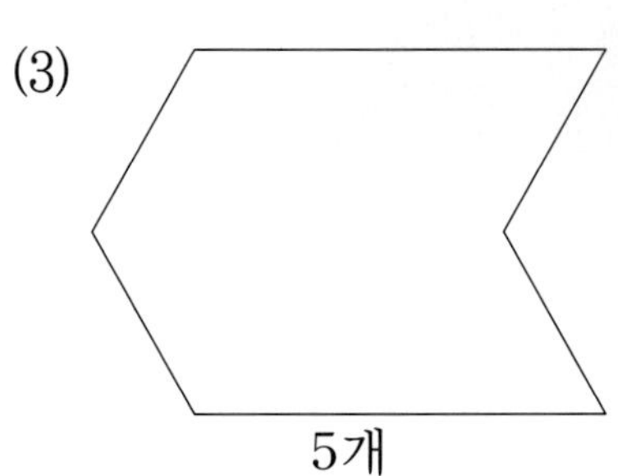

5개

(4)

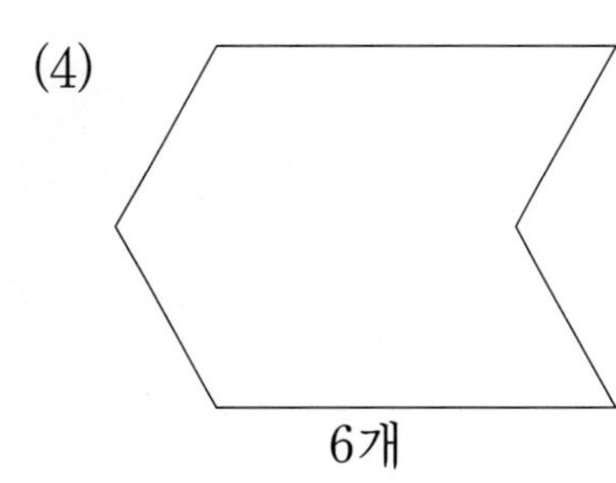

6개

(5)

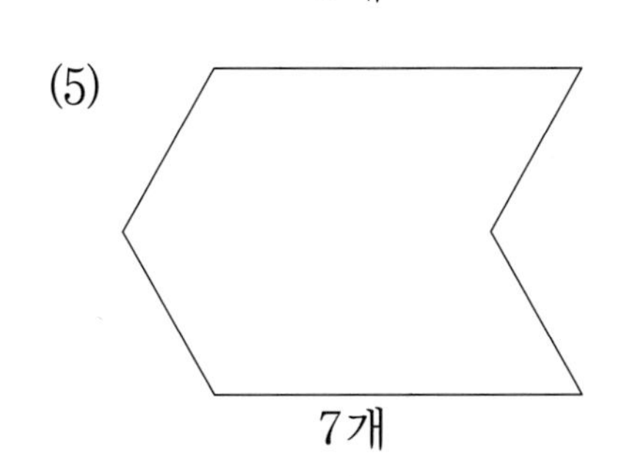

7개

(6)

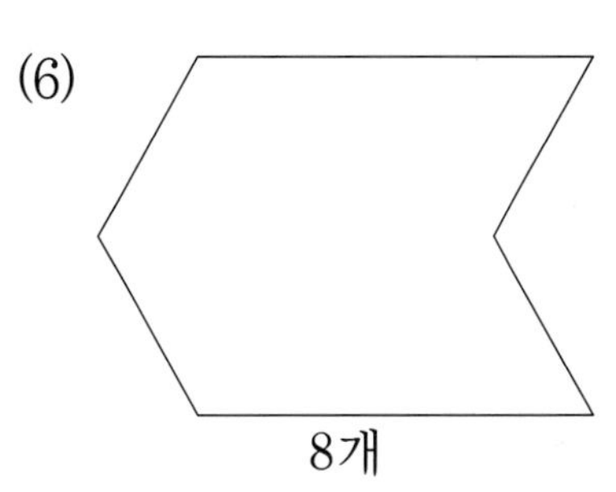

8개

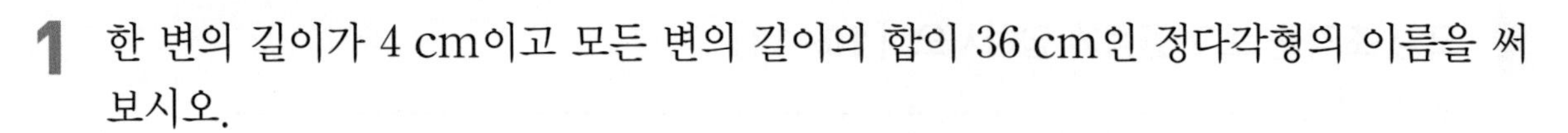

1 한 변의 길이가 4 cm이고 모든 변의 길이의 합이 36 cm인 정다각형의 이름을 써 보시오.

( )

2 다음 그림은 어떤 도형의 두 대각선을 그린 것입니다. 이 도형의 이름은 무엇입니까?

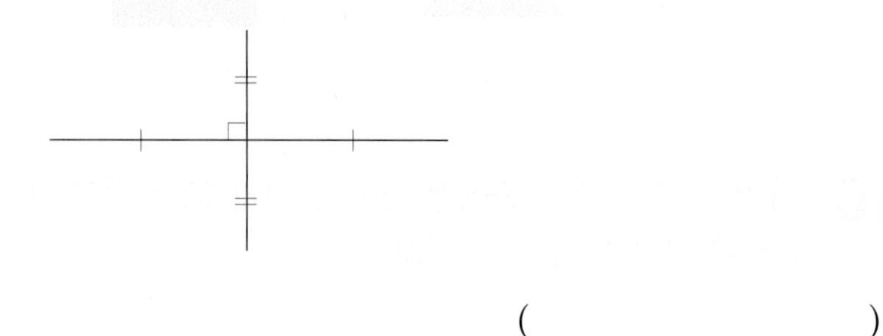

( )

3 모양 조각으로 다음 모양을 만들었습니다. 사용된 모양 조각이 <u>아닌</u> 것은 어느 것입니까? ( )

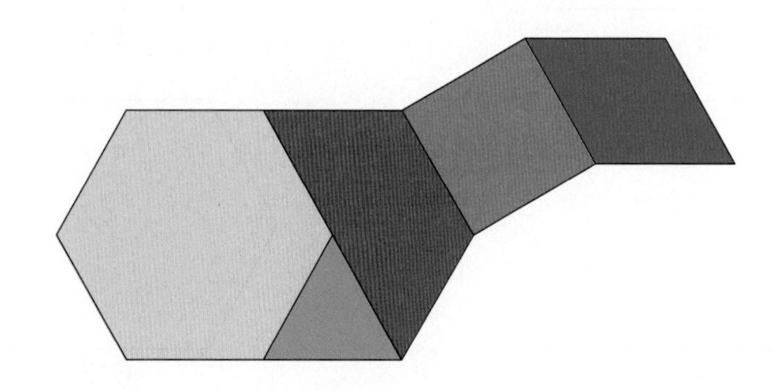

① 정육각형　② 사다리꼴　③ 마름모
④ 직각삼각형　⑤ 정삼각형

4 사각형의 네 각의 크기의 합을 다음과 같은 방법으로 구하였습니다. 그렇다면 육각형의 여섯 각의 크기의 합은 몇 도인지 구하시오.

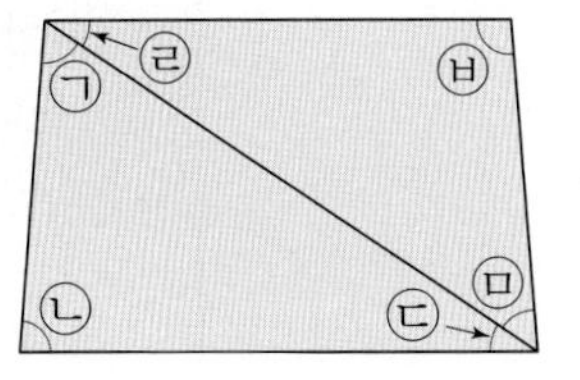

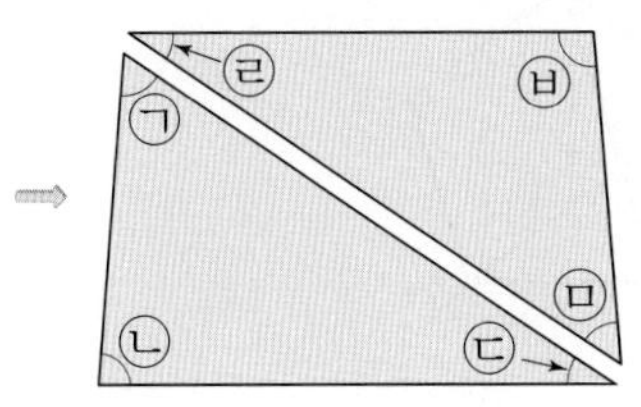

㉠+㉡+㉢=180°
㉣+㉤+㉥=180°
따라서 180°×2=360°

(　　　　　　　　)

5 정오각형의 한 각의 크기는 몇 도인지 구하시오.

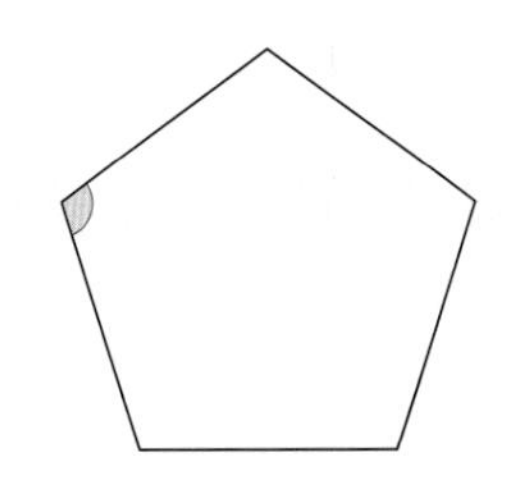

(　　　　　　　　)

6 다음 그림은 정다각형의 두 변이 꼭맞게 겹쳐지도록 연결한 것입니다. □ 안에 알맞은 각도를 구하시오.

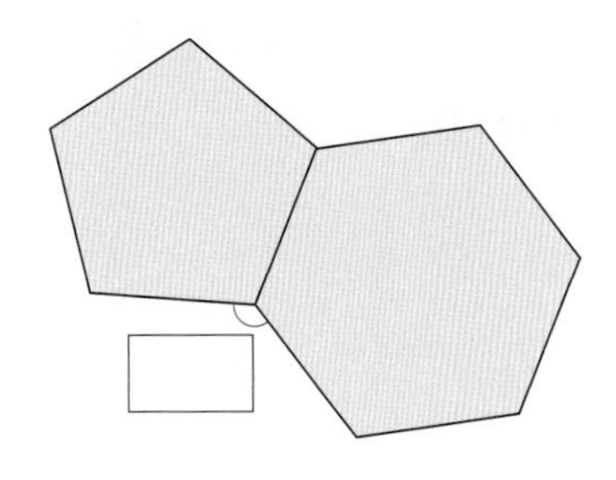

(　　　　　　　　)

금메달 따기

1 정오각형에서 각 ㄷㅂㄹ의 크기를 구하시오.

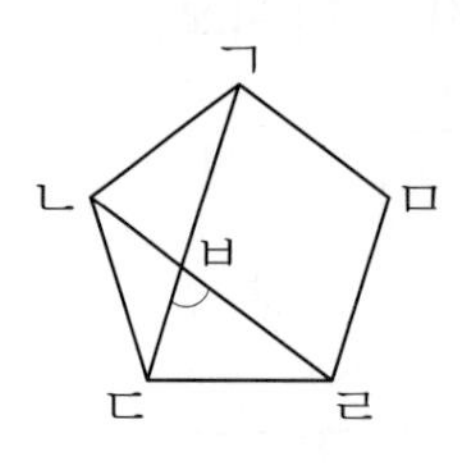

( )

정오각형의 5개의 각도의 합을 구하여 한 개의 각의 크기를 알아봅니다.

2 대각선의 수가 54개인 다각형의 이름을 써 보시오.

( )

다각형의 각 꼭짓점에서 대각선을 그을 때, 자기 자신과 양 옆의 꼭짓점은 대각선을 그을 수 없습니다.

3 오른쪽 그림과 같이 정육각형에서 대각선 ㄱㄴ과 대각선 ㄷㄹ이 만나는 점을 ㅁ이라고 할 때 각 ㄹㅁㄴ의 크기를 구하시오.

( )

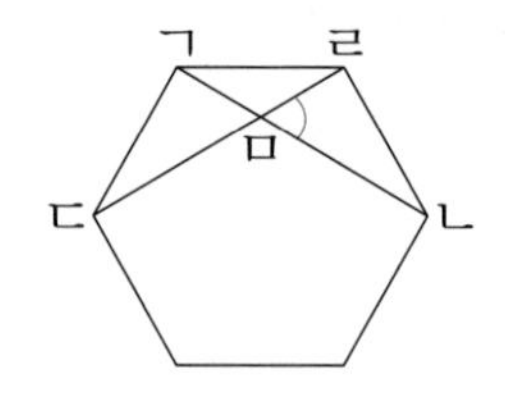

정육각형은 삼각형 4개로 나누어집니다.

생각의 샘

4 사각형 ㄱㄴㄷㄹ은 직사각형입니다. 직사각형의 두 대각선의 길이의 합을 구하시오.

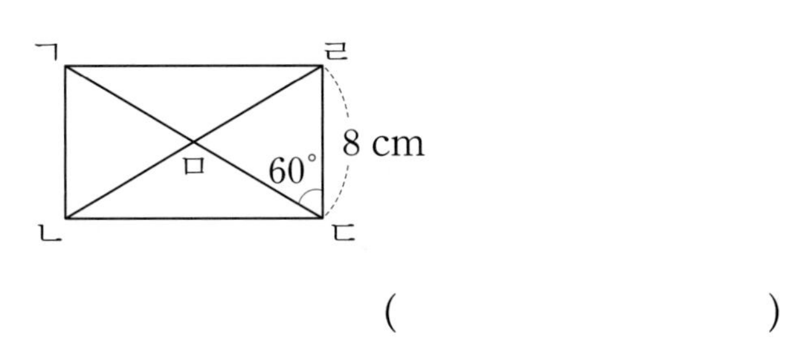

(　　　　　　　　　　)

직사각형의 두 대각선은 길이가 같고 서로 이등분합니다.

5 오른쪽 도형에서 ㉠, ㉡, ㉢, ㉣, ㉤의 크기의 합을 구하시오.

(　　　　　　　　　　)

6 오른쪽 그림은 정오각형의 각 변을 길게 늘여서 만든 별 모양의 도형입니다. ㉠의 크기를 구하시오.

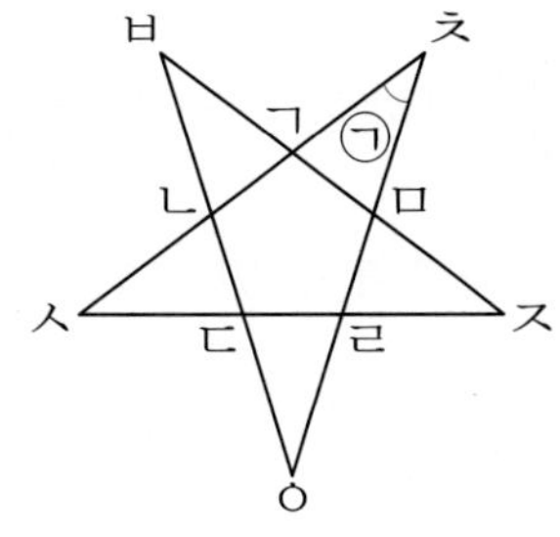

(　　　　　　　　　　)

정오각형의 5개의 각도의 합과 이등변삼각형의 성질을 이용합니다.

8. 평면도형의 이동

개념 확인

1. 도형 밀어 보기

도형을 위쪽, 아래쪽, 왼쪽, 오른쪽으로 밀면 도형의 위치만 변하고, 모양은 변하지 않습니다.

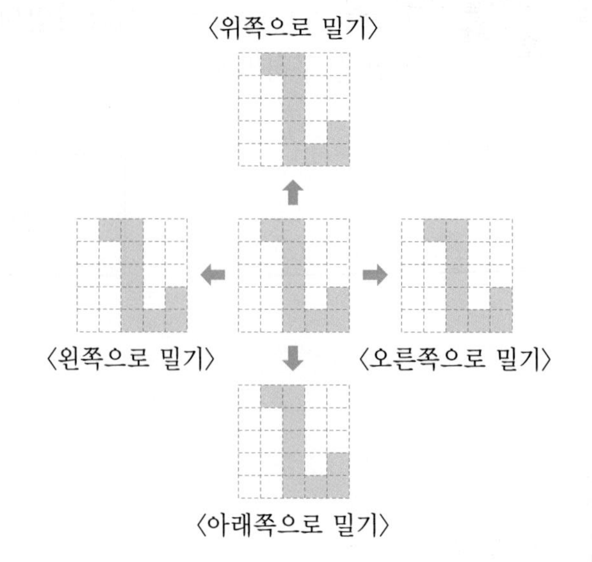

2. 도형 뒤집기

- 도형을 왼쪽 또는 오른쪽으로 뒤집으면 도형의 왼쪽과 오른쪽이 서로 바뀝니다.
- 도형을 위쪽 또는 아래쪽으로 뒤집으면 도형의 위쪽과 아래쪽이 서로 바뀝니다.

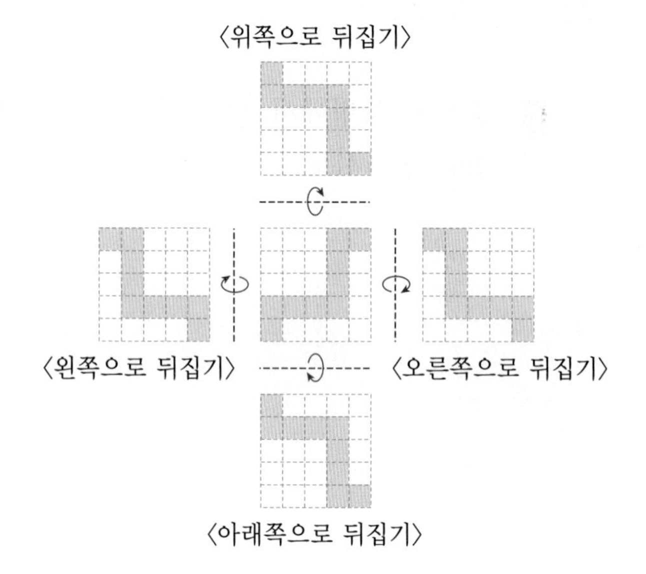

3. 도형 돌리기

- 처음 도형을 (시계 반대 방향 직각) 방향으로 돌린 모양은 처음 도형을 (시계 방향 직각) 방향으로 연속하여 두 번 돌린 모양과 같습니다.
- 주어진 도형을 (한 바퀴) 방향으로 돌리면 처음 도형과 모양이 같게 됩니다.

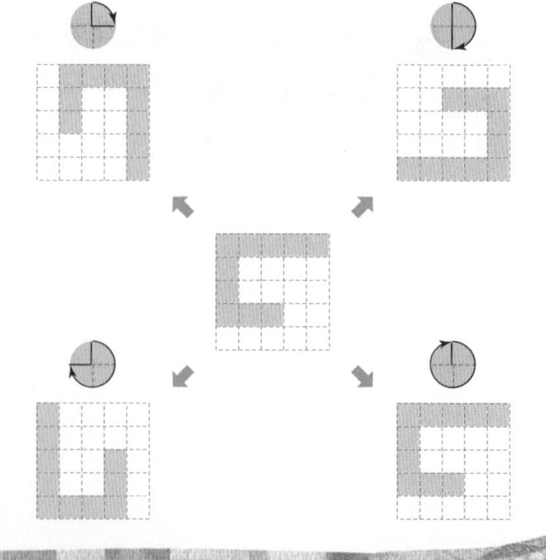

개념 익히기

1 그림을 보고 □ 안에 알맞은 말을 써넣으시오.

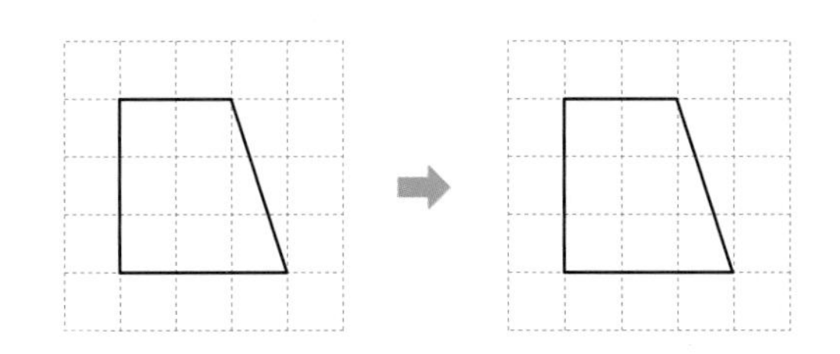

왼쪽 도형을 오른쪽으로 밀어도 도형의 □과 □는 변하지 않습니다.

2 모양 조각을 오른쪽으로 뒤집었을 때의 모양으로 옳은 것을 찾아 기호를 쓰시오.

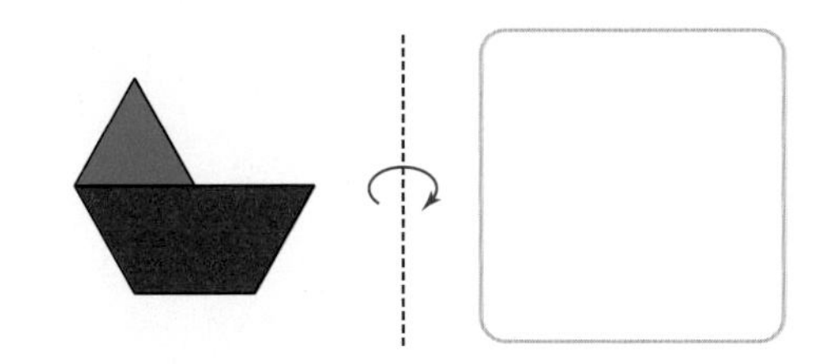

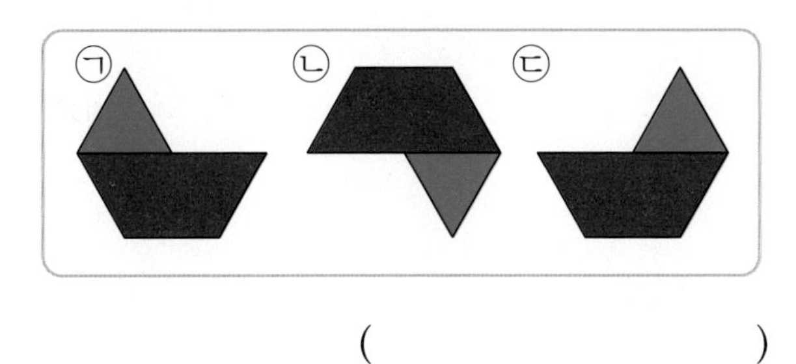

(　　　　　　　　　)

3 위쪽 도형을 아래쪽으로 뒤집었을 때의 모양을 그려 보시오.

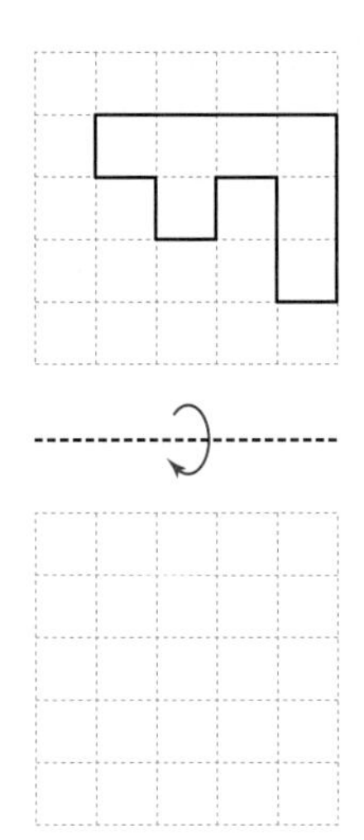

4 주어진 도형을 시계 방향으로 180°만큼 돌렸을 때의 모양을 그려 보시오.

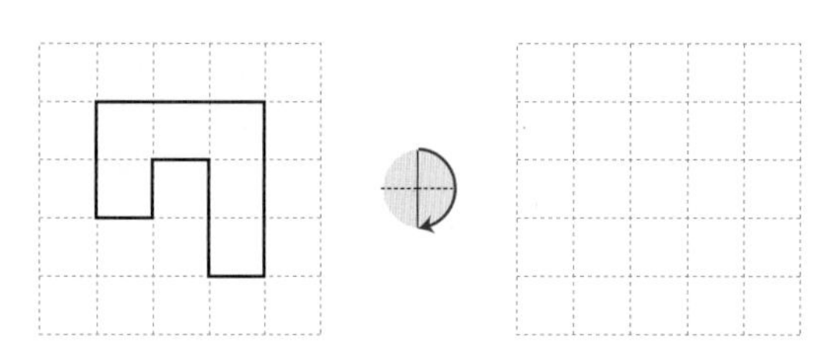

5 주어진 도형을 왼쪽으로 뒤집은 뒤 시계 반대 방향으로 90°만큼 돌렸을 때의 모양을 그려 보시오.

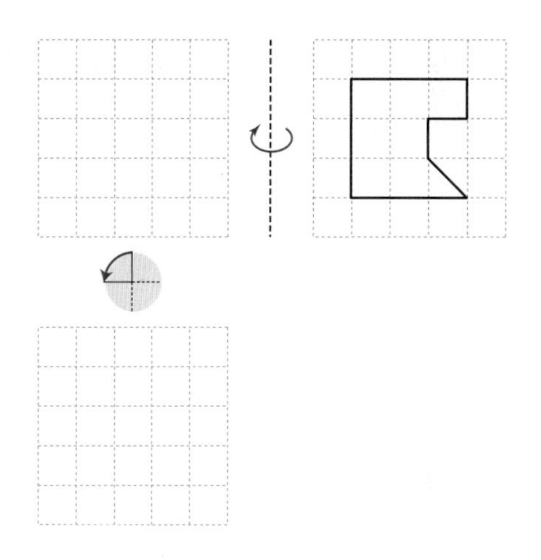

6 모양으로 돌리기를 이용하여 규칙적인 무늬를 만들어 보시오.

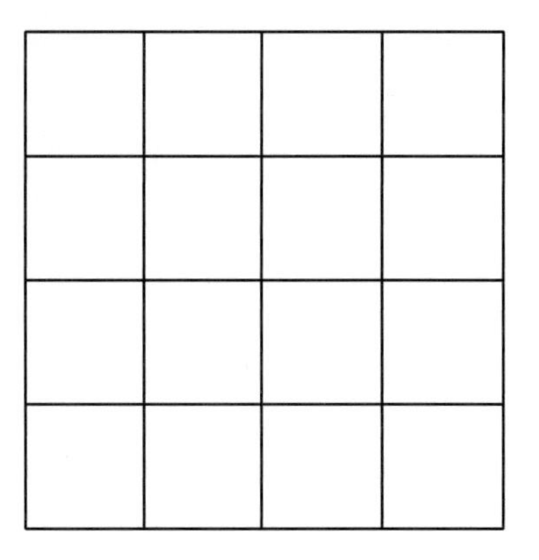

동메달 따기

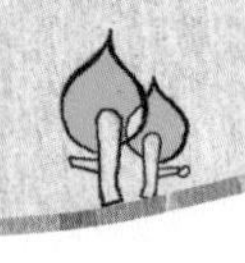

1 가운데 도형을 왼쪽과 오른쪽으로 밀었을 때 생기는 모양에 색칠하시오.

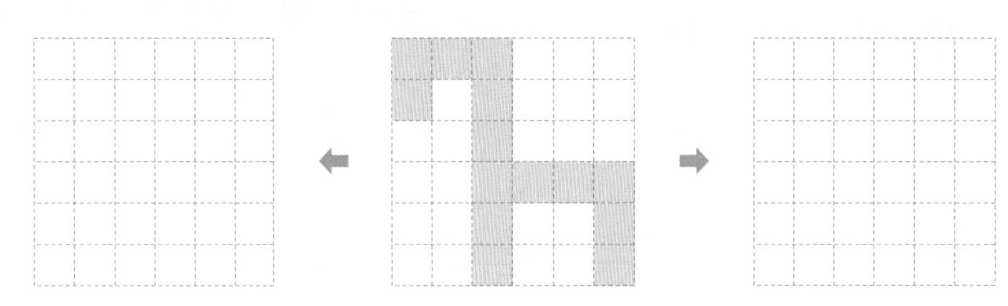

2 왼쪽 모양은 오른쪽 도형을 왼쪽으로 뒤집기 한 것입니다. 뒤집기 전의 도형을 그려 보시오.

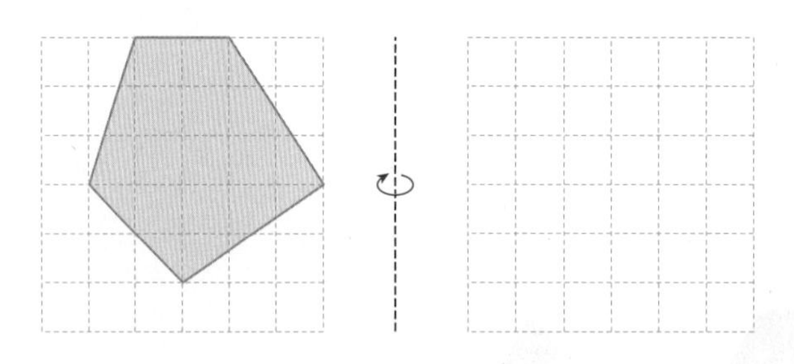

3 왼쪽과 같이 글자가 새겨진 도장을 종이에 찍었을 때 생기는 모양에 색칠하시오.

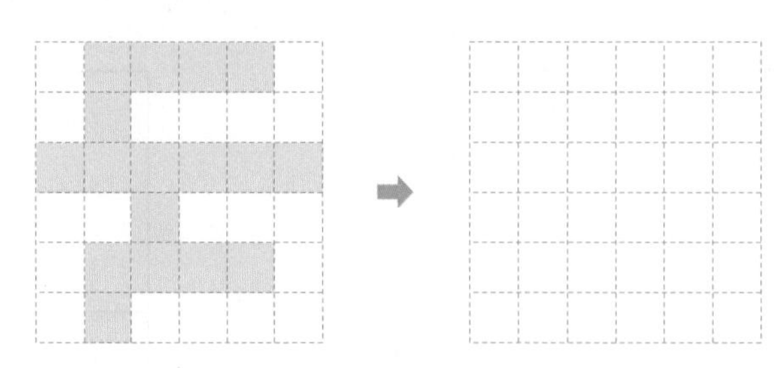

4 왼쪽 도형을 오른쪽으로 연속하여 2번 뒤집었을 때 생기는 모양에 색칠하시오.

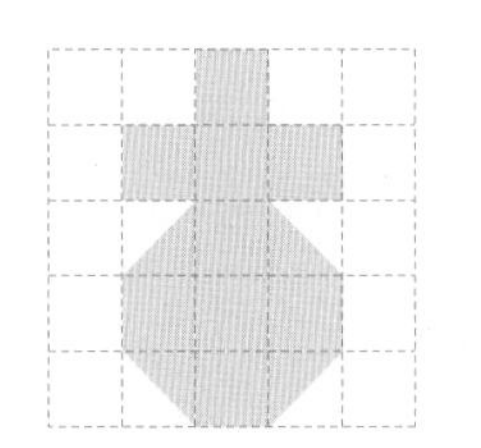

5 왼쪽 도형을 아래쪽으로 연속하여 3번 뒤집었을 때 생기는 모양에 색칠하시오.

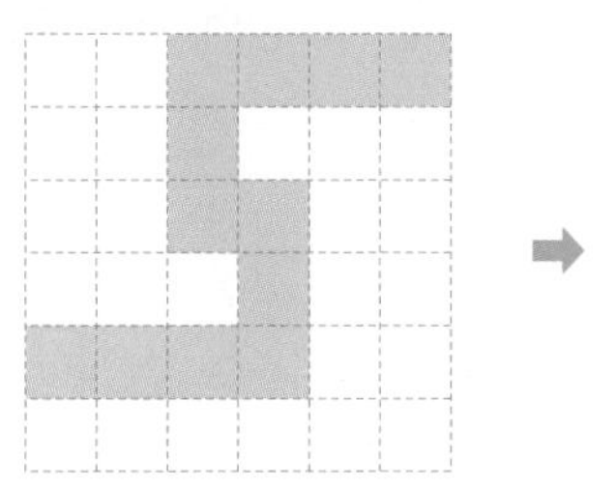

6 다음 중 방향으로 돌렸을 때 모양이 변하지 않는 것은 어느 것입니까?

( )

① 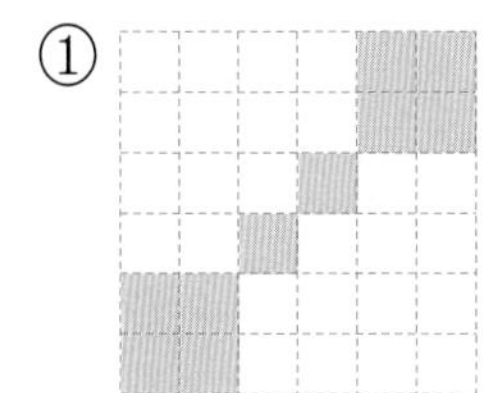
② 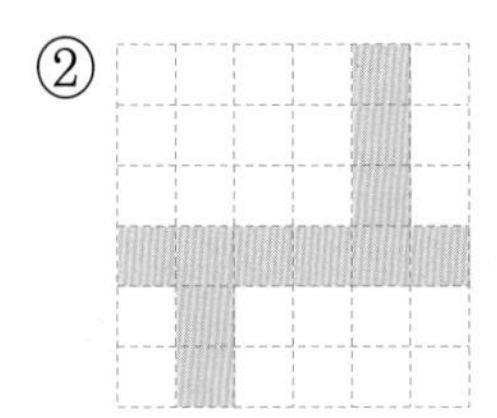
③ 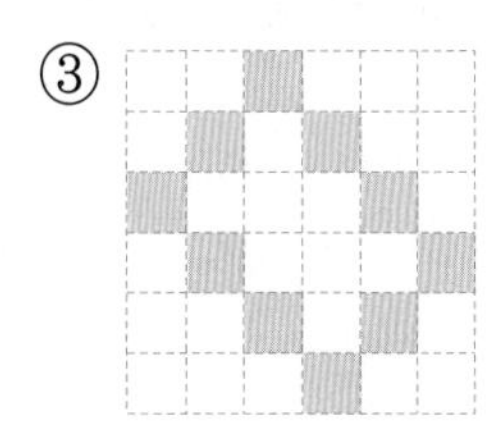
④ 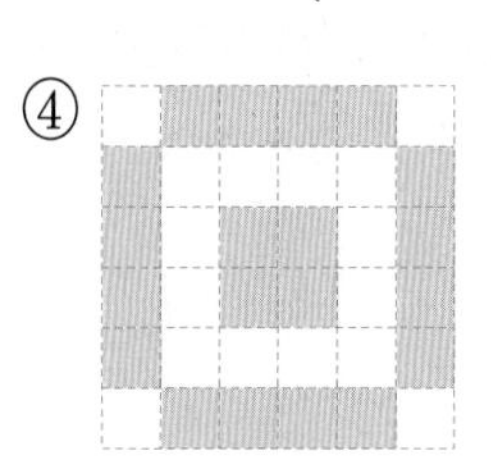

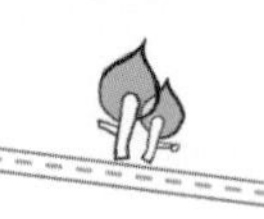

7 왼쪽 도형을 방향으로 돌렸을 때 생기는 모양에 색칠하시오.

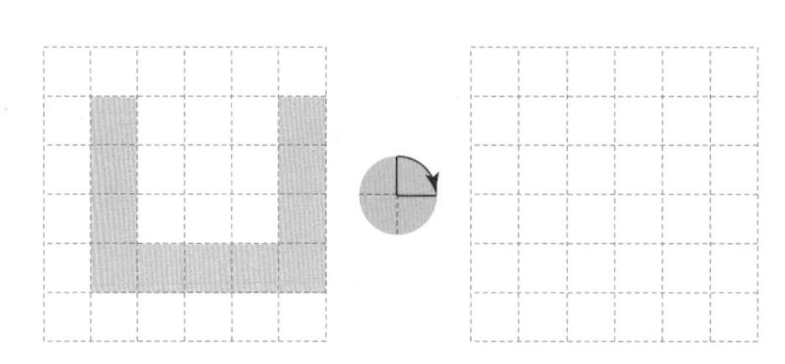

8 왼쪽 도형을 방향으로 돌렸을 때 생기는 모양에 색칠하시오.

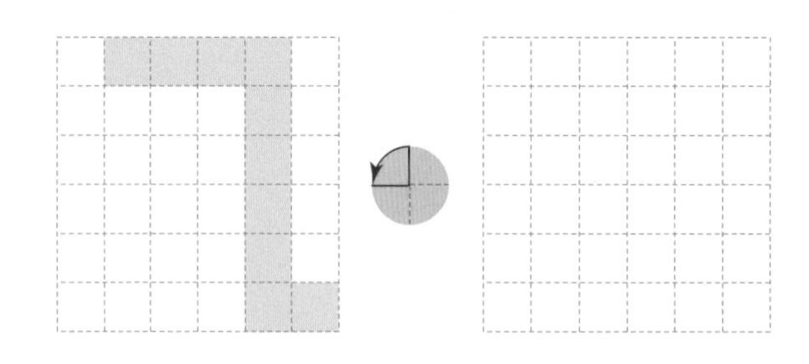

9 왼쪽 도형을 방향으로 돌렸을 때 생기는 모양에 색칠하시오.

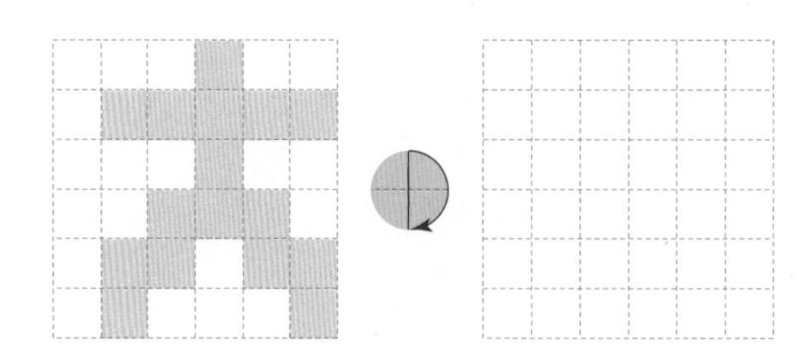

10 다음 중 왼쪽으로 만큼 돌렸을 때 처음 도형과 모양이 같은 것은 어느 것입니까? (　　　)

① 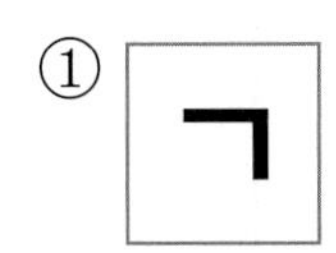

② 

③ 

④ 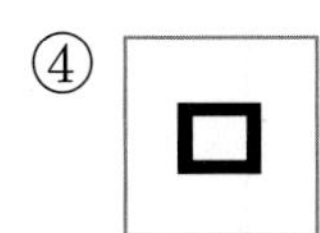

⑤ 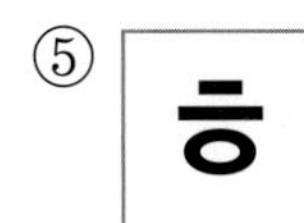

11 왼쪽 도형을 오른쪽으로 뒤집은 후 왼쪽으로 만큼 돌렸을 때 생기는 모양을 그려 보시오.

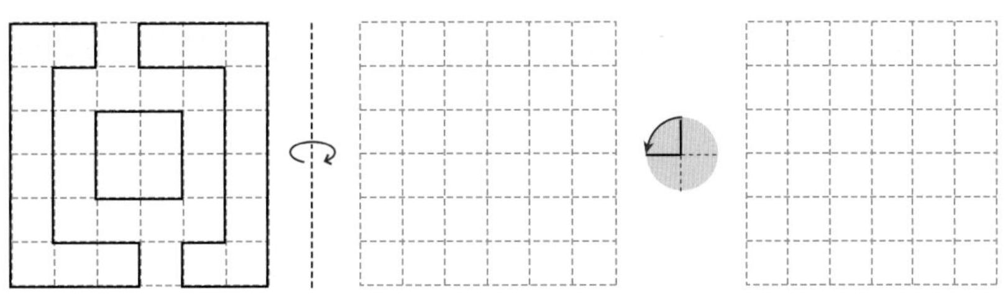

12 오른쪽 도형을 왼쪽으로 뒤집은 후 오른쪽으로 만큼 돌렸을 때 생기는 모양을 그려 보시오.

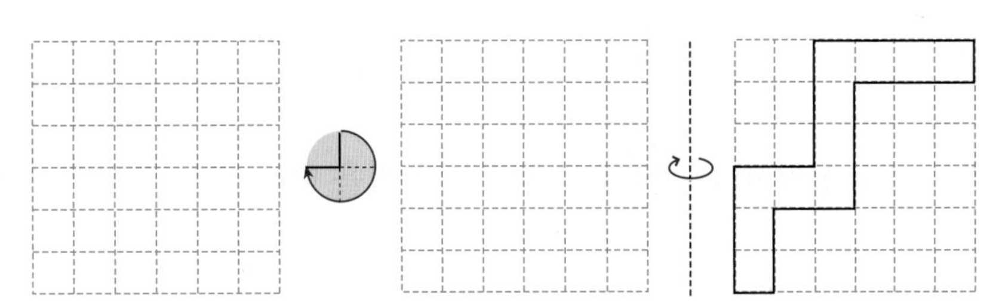

다음 도형을 보고, 물음에 답하시오. [1~3]

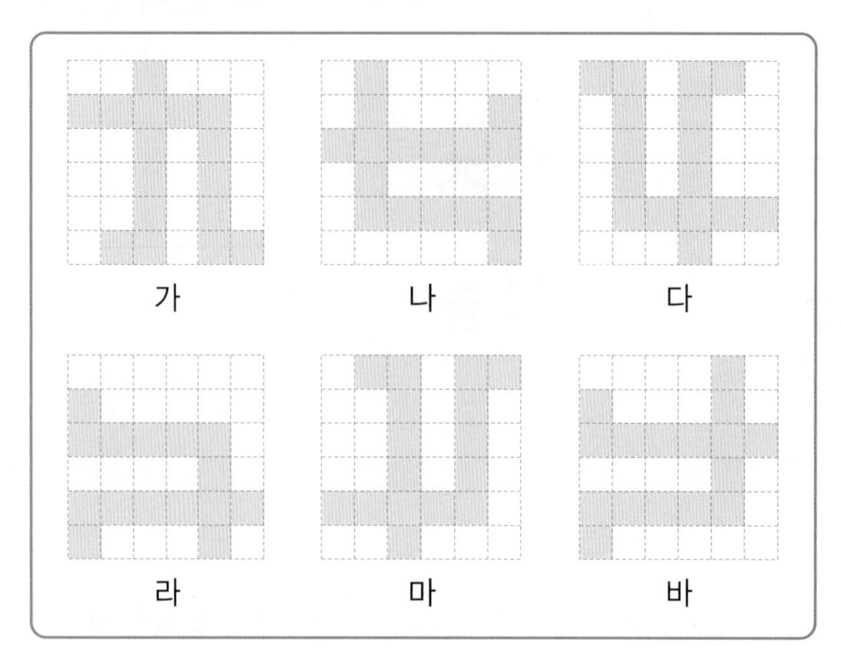

1 가를 위쪽으로 연속하여 3번 뒤집었을 때 생기는 모양은 어느 것입니까?

( )

2 다를 방향으로 연속하여 5번 돌렸을 때 생기는 모양은 어느 것입니까?

( )

3 나를 왼쪽으로 뒤집기 한 후 방향으로 돌렸을 때 생기는 모양은 어느 것입니까?

( )

4 오른쪽 모양은 왼쪽 모양을 어떻게 움직였을 때 생기는 모양입니까? (　　　　)

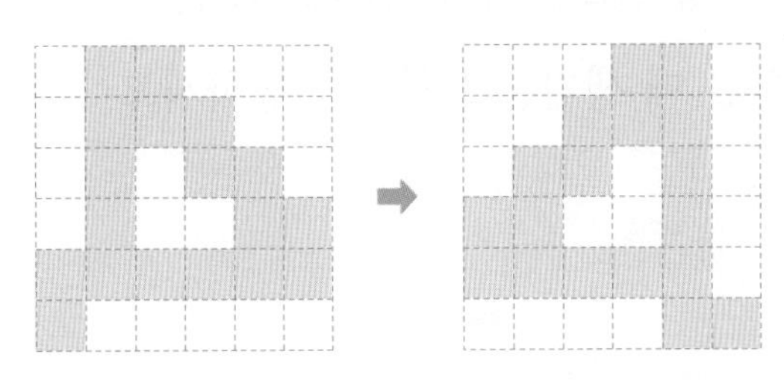

① 아래쪽으로 밀기
② 방향으로 돌리기
③ 오른쪽으로 연속하여 3번 뒤집기
④ 방향으로 연속하여 5번 돌리기
⑤ 위쪽으로 뒤집은 후 방향으로 연속하여 4번 돌리기

5 오른쪽 모양은 왼쪽 도형을 방향으로 돌리기 한 것입니다. 돌리기 전의 모양에 색칠하시오.

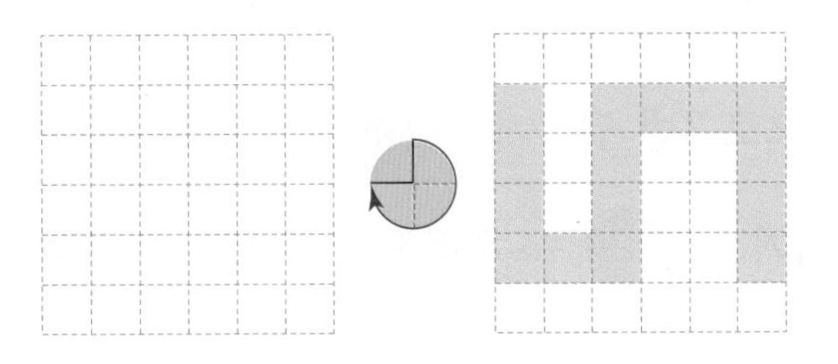

6 왼쪽 도형을 방향으로 세 번 돌렸을 때 생기는 모양에 색칠하시오.

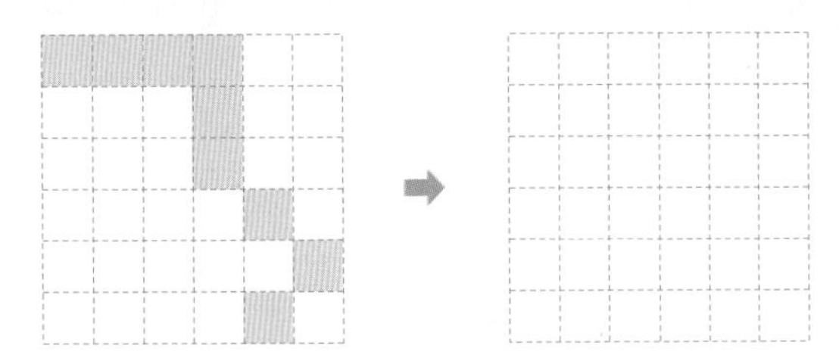

금메달 따기

생각의 샘

1 왼쪽 도형을 (시계 방향 1/4 회전 그림) 방향으로 돌리기, 왼쪽으로 밀기, 아래쪽으로 뒤집기를 차례로 했을 때 생기는 모양에 색칠하시오.

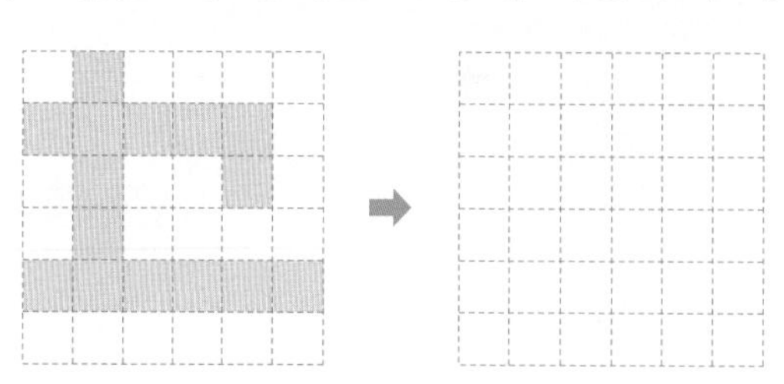

순서에 따라 차례로 움직여 보고 결과를 색칠합니다.

2 오른쪽 도형을 뒤집거나 돌렸을 때 생기는 모양을 색칠했을 때, 처음과 같은 모양이 되는 것은 어느 것입니까? (　　　　)

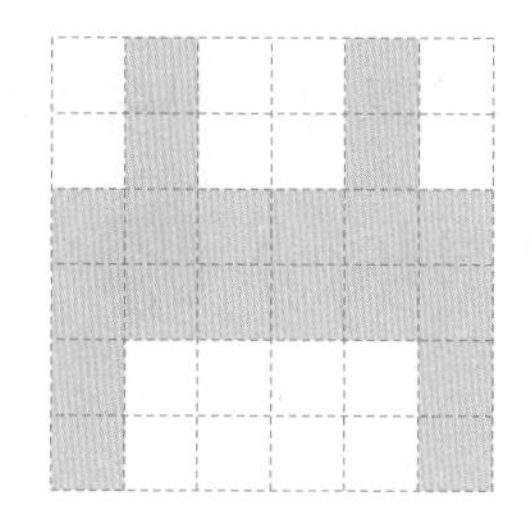

① 왼쪽으로 2번 뒤집기 → (돌리기 그림) → 위쪽으로 뒤집기 → (돌리기 그림)

② 오른쪽으로 뒤집기 → (돌리기 그림) → 아래쪽으로 3번 뒤집기

③ (돌리기 그림) → 아래쪽으로 뒤집기 → (돌리기 그림) → 왼쪽으로 뒤집기

④ (돌리기 그림) → 왼쪽으로 3번 뒤집기 → (돌리기 그림) → 위쪽으로 뒤집기

⑤ 위쪽으로 뒤집기 → (돌리기 그림) → 왼쪽으로 뒤집기 → (돌리기 그림)

뒤집기 할 때 같은 방향으로 2번 뒤집을 때와 서로 반대 방향으로 같은 횟수씩 뒤집을 때의 모양은 처음 모양과 같습니다.

3 오른쪽 모양은 어떤 도형을 왼쪽으로 5번 뒤집은 후 (돌리기 그림) 방향으로 연속하여 2번 돌렸을 때 생긴 모양입니다. 움직이기 전의 모양에 색칠하시오.

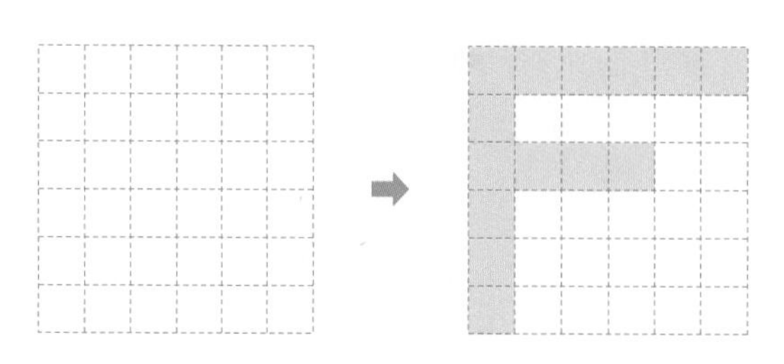

같은 방향으로 짝수 번 뒤집으면 처음 모양과 같고, 홀수 번 뒤집으면 1번 뒤집은 모양과 같습니다.

생각의 샘

4 왼쪽 도형을 오른쪽으로 연속하여 19번 뒤집은 후 (시계 방향으로 직각만큼 돌리기) 방향으로 연속하여 5번 돌렸을 때 생기는 모양에 색칠하시오.

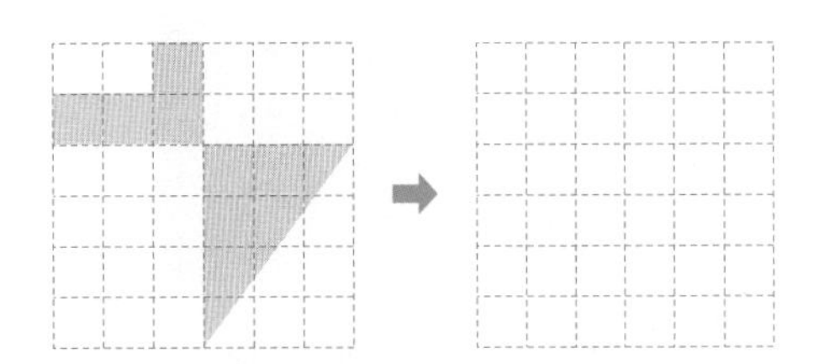

19번 뒤집은 것은 1번 뒤집은 것과 같고, (시계 방향) 방향으로 5번 돌린 것은 1번 돌린 것과 같습니다.

5 왼쪽 도형을 오른쪽 → 왼쪽 → 오른쪽 → 위쪽으로 뒤집은 다음 (시계 방향으로 직각만큼 돌리기) 방향으로 돌렸을 때 생기는 모양에 색칠하시오.

오른쪽 → 왼쪽 → 오른쪽으로 뒤집기는 오른쪽으로 1번 뒤집은 것과 같습니다.

6 다음 도형을 (시계 반대 방향으로 직각만큼 돌리기) 방향으로 돌리기, 위쪽으로 뒤집기, (시계 방향으로 반 바퀴 돌리기) 방향으로 돌리기를 차례로 하였습니다. 이렇게 움직여서 생긴 도형을 어떻게 움직여야 처음과 같은 도형이 되는지 설명하시오.

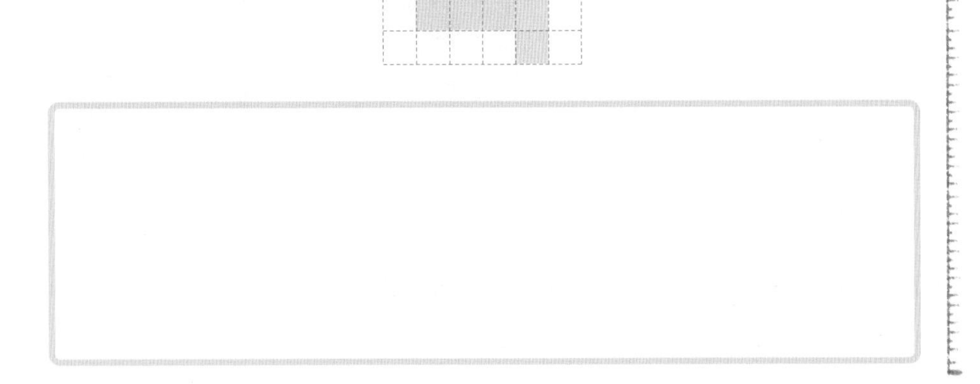

마지막 차례부터 거꾸로 생각해 봅니다.

9. 도형과 규칙성

개념 확인

도형의 배열에서 규칙을 찾아보기

(1) 모형의 개수를 세어 보고, 어떤 규칙이 있는지 찾아보기

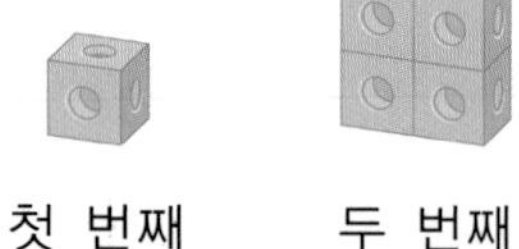
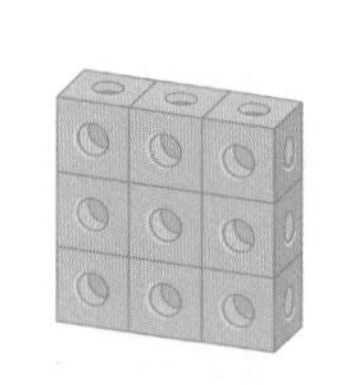
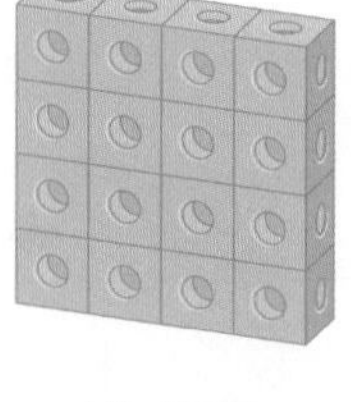

첫 번째 　 두 번째 　 세 번째 　 네 번째

예 모형의 개수는 놓인 순서에 따라 (번째 수)×(번째 수)의 곱과 같습니다.

> 도형의 배열에서 규칙을 찾을 때 개수의 규칙이 아닌 모양의 배열에서 규칙을 찾을 수도 있습니다.
>
> 예
>
> 
> 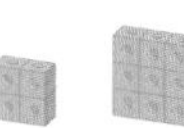
> 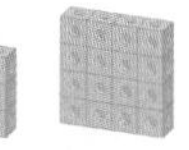
>
> ➡ 가로와 세로가 각각 1개씩 늘어나서 이루어진 정사각형 모양입니다.

(2) 도형의 배열에서 규칙을 찾아보기

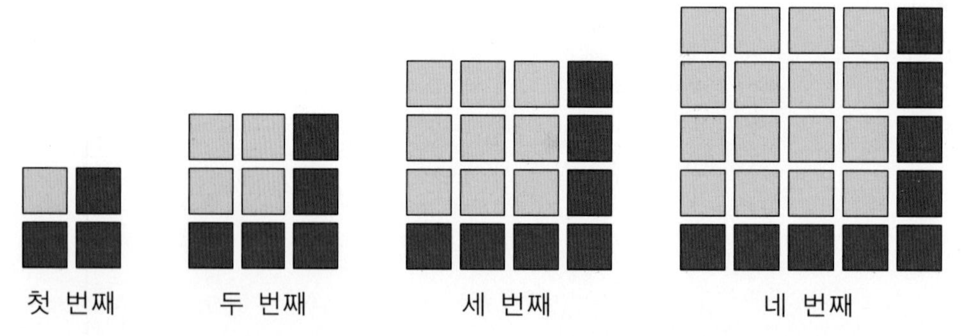

〈규칙〉 • 노란색 모양은 가로와 세로가 각각 1개씩 더 늘어나서 이루어진 정사각형 모양입니다.
• 빨간색 모양은 위쪽과 왼쪽으로 각각 1개씩 늘어납니다.

(3) 계단 모양의 배열에서 규칙을 찾아보기

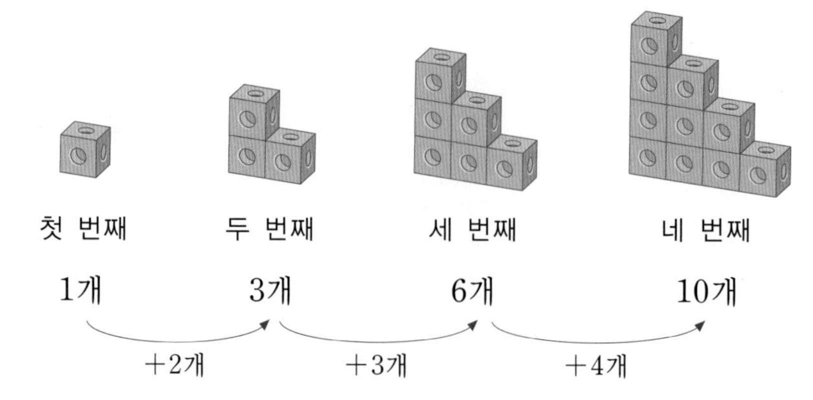

• 모형의 개수가 1개에서 시작하여 2개, 3개, 4개, ……씩 점점 늘어나는 규칙입니다.
• 다섯 번째에 놓이는 모양에서 모형의 개수는 $1+2+3+4+5=15$(개)입니다.

개념 익히기

연결큐브로 만든 모양의 배열에서 규칙을 찾아 물음에 답하시오. [1~4]

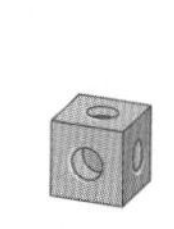

첫 번째 두 번째 세 번째

1 연결큐브가 몇 개씩 늘어나는 규칙입니까?

( )

2 네 번째 모양을 만들려면 연결큐브는 몇 개 필요합니까?

( )

3 첫 번째 모양부터 다섯 번째 모양까지의 연결큐브를 모두 더하면 몇 개입니까?

( )

4 50번째 모양을 만들려면 연결 큐브는 몇 개 필요합니까?

( )

도형의 배열을 보고 물음에 답하시오. [5~7]

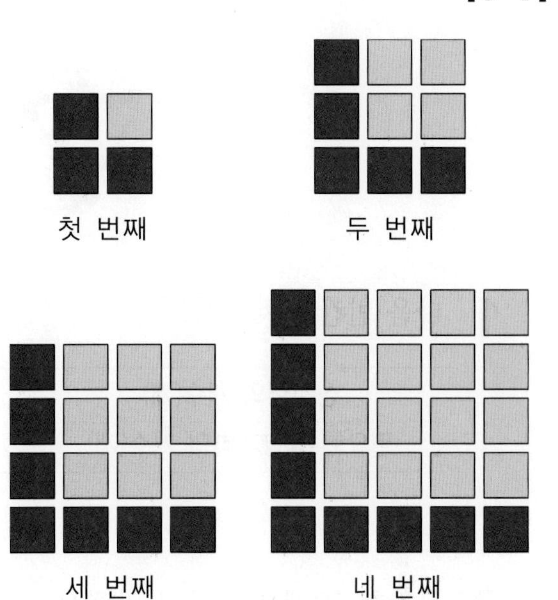

5 다섯 번째에 올 도형을 그려 보시오.

6 도형의 배열에서 노란색 모양의 규칙을 찾아보시오.

7 도형의 배열에서 빨간색 모양의 규칙을 찾아보시오.

동메달 따기

다음과 같이 성냥개비를 순서대로 늘어놓아 삼각형을 만들어 갑니다. 물음에 답하시오. [1~2]

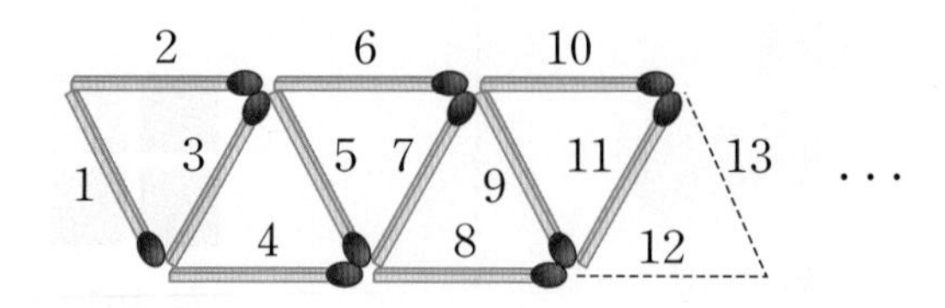

1 다음 빈칸을 채우시오.

삼각형의 개수(개)	1	2	3	4	…
필요한 성냥개비의 개수(개)					…

2 삼각형 10개를 만들기 위해서는 성냥개비가 몇 개 필요한지 구하시오.

( )

다음과 같이 나무젓가락을 순서대로 늘어놓아 평행사변형을 만들어 갑니다. 물음에 답하시오. [3~4]

3 다음 빈칸을 채우시오.

가장 작은 평행사변형의 개수(개)	1	2	3	4	…
필요한 나무젓가락의 개수(개)					…

4 가장 작은 평행사변형 20개를 만들기 위해서는 나무젓가락이 몇 개 필요한지 구하시오.

( )

흰색과 검은색 두 종류의 정삼각형 모양의 종이를 다음 그림과 같이 규칙적으로 늘어놓았습니다. 물음에 답하시오. [5~7]

5 열 번째에 올 그림에서 사용될 흰색 정삼각형의 종이는 몇 장인지 구하시오.

( )

6 검은색 정삼각형의 종이가 28장 사용된 경우는 몇 번째에 올 그림인지 구하시오.

( )

7 100번째에 올 그림에서 사용될 흰색 정삼각형 종이와 검은색 정삼각형 종이의 차는 몇 장인지 구하시오.

( )

동메달 따기

8 그림과 같이 바둑돌을 놓을 때 여섯 번째에는 몇 개의 바둑돌을 놓아야 하는지 구하시오.

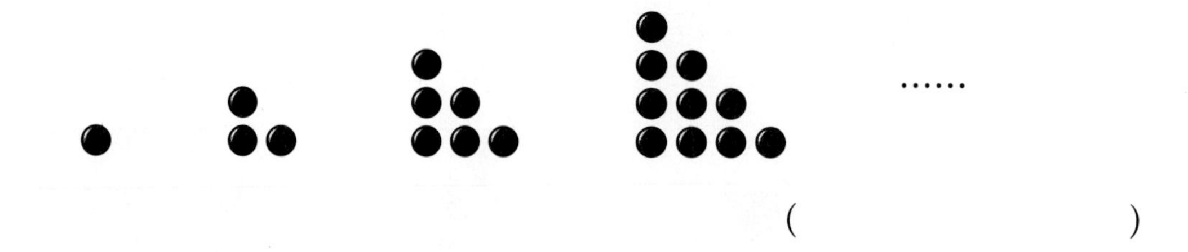

(　　　　　　　　　　)

9 다음 규칙을 보고 7층까지 쌓으려면 ○ 모양은 몇 개가 필요합니까?

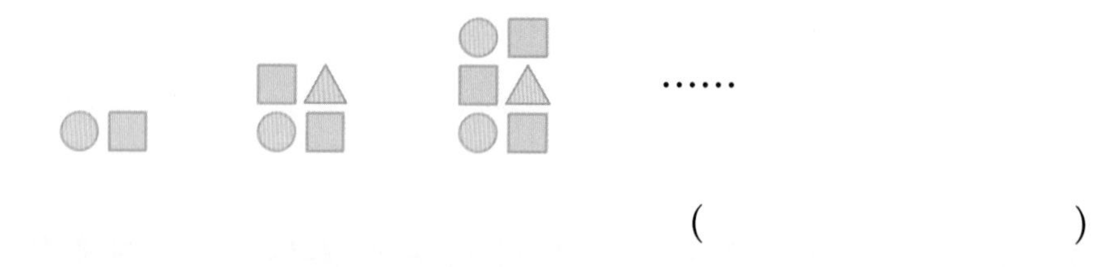

(　　　　　　　　　　)

10 그림을 보고 여덟 번째에 놓아야 하는 정사각형은 몇 개인지 구하시오.

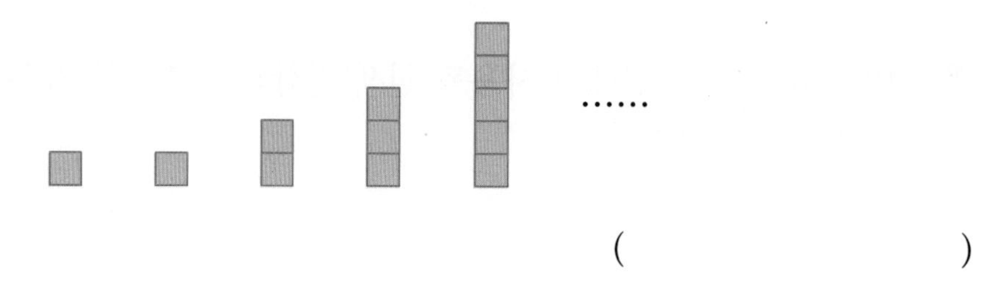

(　　　　　　　　　　)

11 규칙에 따라 구슬을 놓을 때, 여섯 번째까지 구슬을 놓으려면 필요한 구슬은 모두 몇 개입니까?

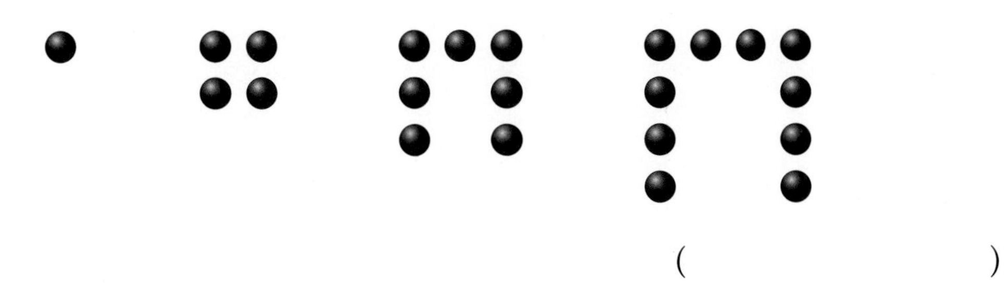

( )

12 규칙에 따라 공깃돌을 놓을 때, 다섯 번째까지 공깃돌을 놓으려면 필요한 공깃돌은 모두 몇 개입니까?

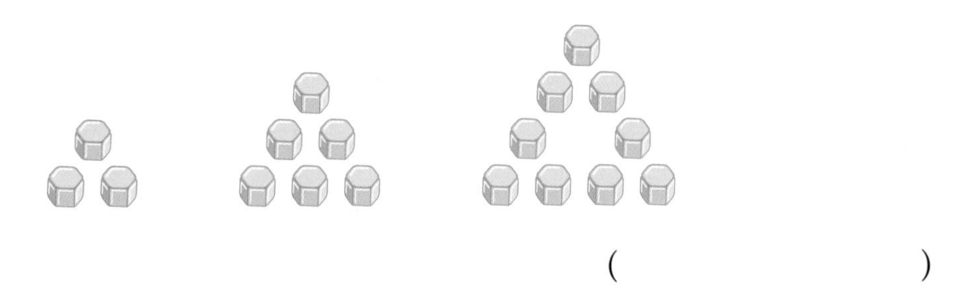

( )

13 오른쪽과 같이 쌓기나무를 쌓을 때, 10층까지 쌓은 쌓기나무는 모두 몇 개입니까?

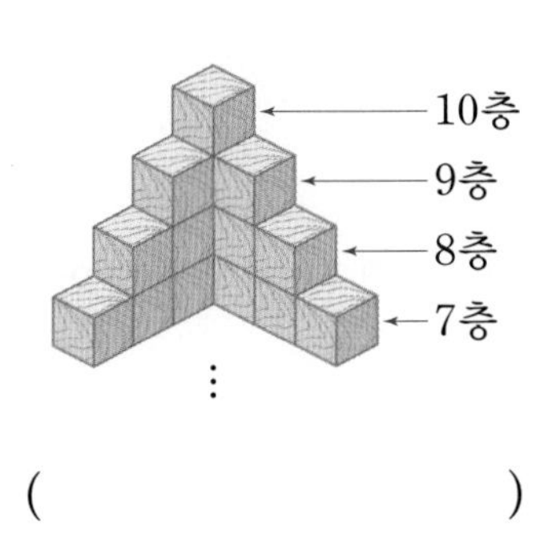

( )

은메달 따기

정육각형의 종이를 다음과 같이 바깥 둘레에 놓아가며 규칙적으로 늘어놓았습니다. 물음에 답하시오. [1~3]

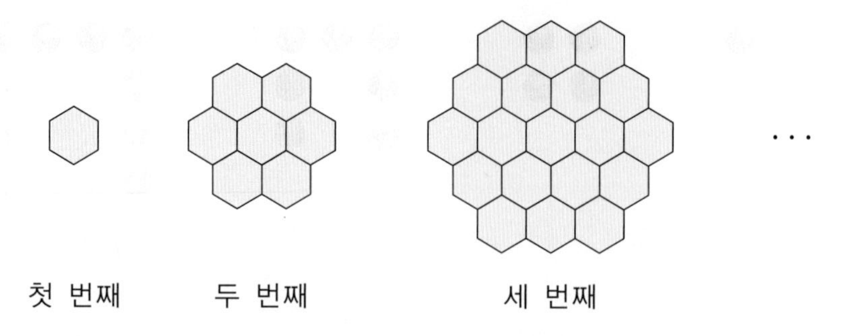

1 네 번째에 올 그림에서 가장 바깥 둘레에 놓일 정육각형의 종이는 몇 장인지 구하시오.

( )

2 열 번째에 올 그림에서 사용될 정육각형의 종이는 모두 몇 장인지 구하시오.

( )

3 사용될 정육각형의 종이가 91장인 경우는 몇 번째에 올 그림인지 구하시오.

( )

4 규칙대로 놓은 바둑돌을 보고 7번째에는 어느 색 바둑돌이 몇 개 더 많은지 구하시오.

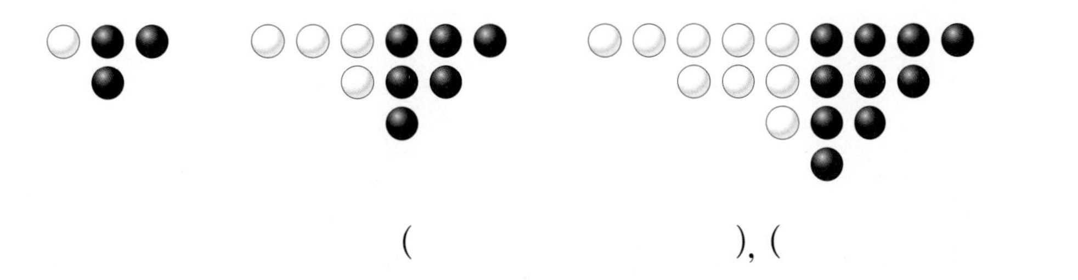

( ), ( )

5 오른쪽 그림과 같이 쌓기나무를 8층까지 쌓을 때 필요한 쌓기나무는 모두 몇 개입니까?

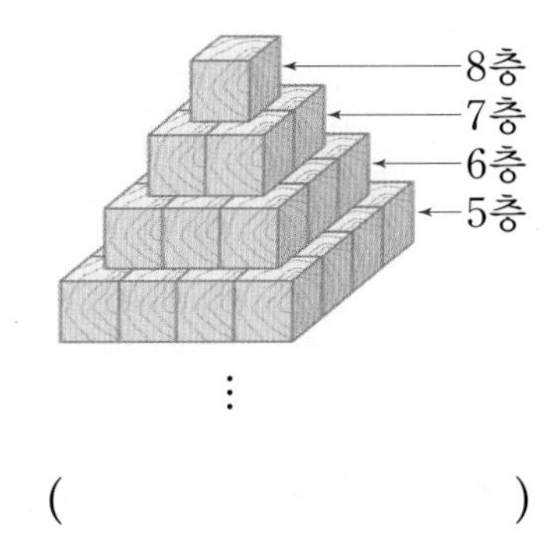

( )

6 그림과 같이 성냥개비로 삼각형 모양을 만들 때 6번째 모양을 만들려면 성냥개비는 몇 개 필요합니까?

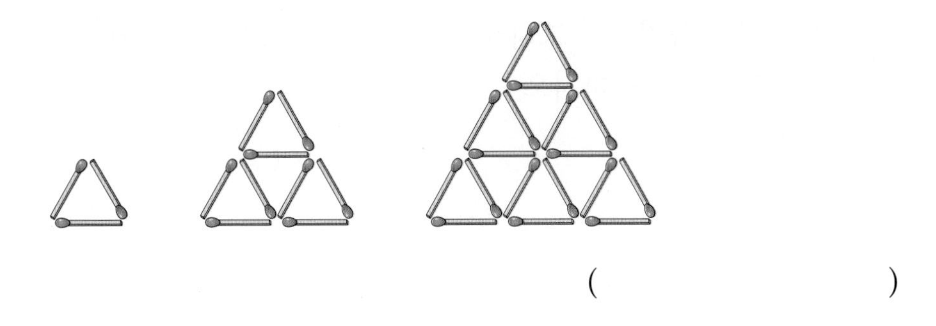

( )

금메달 따기

한 변의 길이가 2 cm인 정삼각형을 사용하여 다음과 같이 규칙적으로 도형을 그려 갑니다. 물음에 답하시오. [1~3]

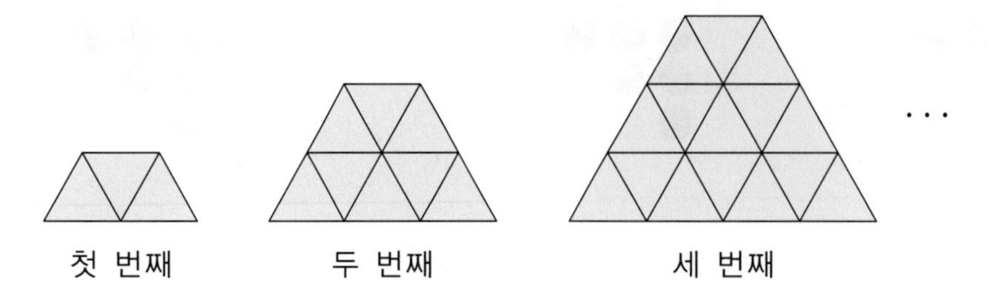

1 네 번째에 올 도형의 둘레의 길이는 세 번째 도형의 둘레의 길이보다 얼마나 더 긴지 구하시오.

( )

도형의 둘레의 길이가 몇 cm씩 늘어나는 규칙인지 살펴봅니다.

2 열 번째에 올 도형의 둘레의 길이를 구하시오.

( )

3 위와 같은 규칙으로 그려갈 때, 둘레의 길이가 124 cm인 때는 몇 번째 그림인지 구하시오.

( )

늘어나는 규칙을 찾아 식으로 나타내어 해결합니다.

한 변의 길이가 1 cm인 파란색 정삼각형의 종이를 늘어놓아 커다란 정삼각형을 만듭니다. 예를 들어 한 변이 5 cm인 큰 정삼각형을 만들면 그림과 같습니다. 물음에 답하시오. [4~6]

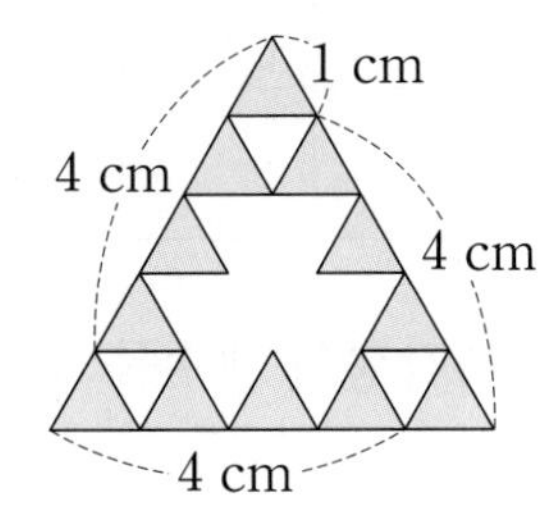

4 한 변의 길이가 10 cm인 정삼각형을 만드는 데 필요한 파란색 정삼각형의 종이는 몇 장인지 구하시오.

( )

주어진 그림에서 정삼각형 종이를 늘어놓은 규칙을 알아봅니다.

5 한 변의 길이가 50 cm인 정삼각형을 만드는 데 필요한 파란색 정삼각형의 종이는 몇 장인지 구하시오.

( )

규칙을 찾아 식을 세워 해결합니다.

6 한 변의 길이가 20 cm인 정삼각형을 만들었을 때, 파란색 정삼각형의 종이가 없는 부분을 같은 크기의 노란색 정삼각형의 종이로 채우려고 합니다. 노란색 정삼각형의 종이는 몇 장이 필요한지 구하시오.

( )

전체 정삼각형의 종이의 수에서 파란색 정삼각형 종이의 수를 빼어 구할 수 있습니다.

10. 도형 세기

개념 확인

1. 사각형의 개수 세기

• 다음 도형에서 찾을 수 있는 크고 작은 사각형의 개수는 아래와 같이 구합니다.

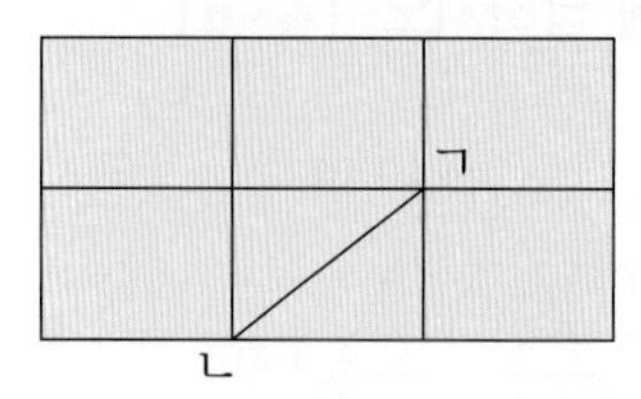

① 먼저 선분 ㄱㄴ은 없는 것으로 생각하고 사각형의 개수를 구합니다.

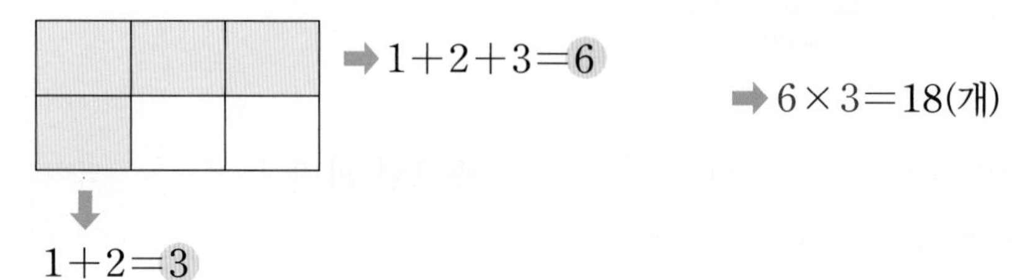

② 선분 ㄱㄴ을 포함하는 사각형이 몇 개인지 찾습니다.

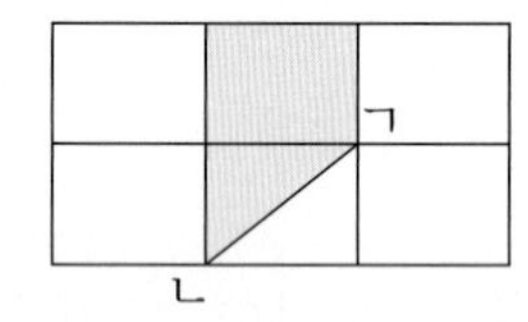

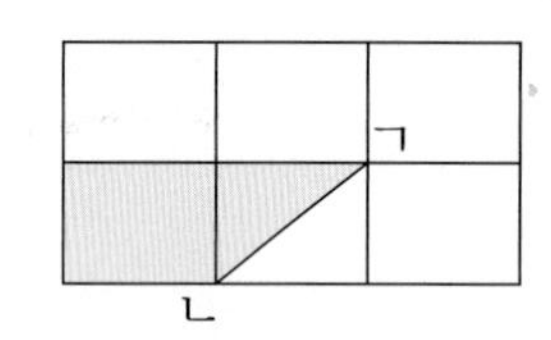

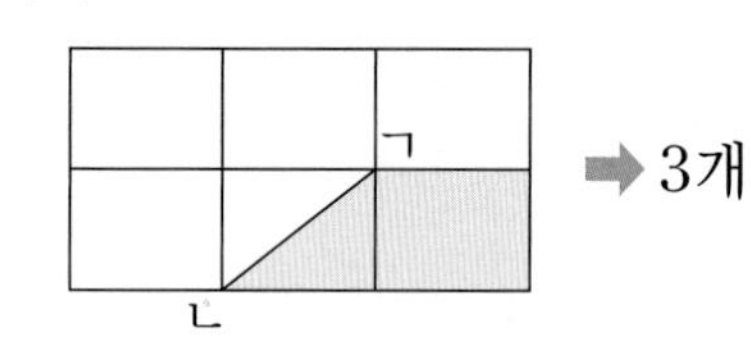

따라서 주어진 도형에서 찾을 수 있는 크고 작은 사각형은 모두 18+3=21(개)입니다.

2. 사각형의 개수 세기

• 다음 도형에서 찾을 수 있는 크고 작은 사각형의 개수는 다음과 같습니다.

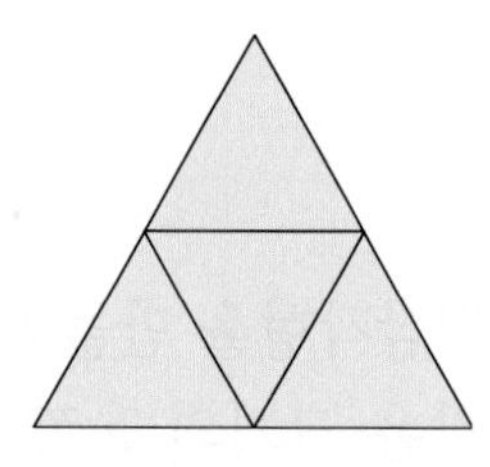

① 작은 삼각형 2개로 이루어진 마름모 : 1×3=3(개)

② 작은 삼각형 3개로 이루어진 사다리꼴 : 1×3=3(개)

따라서 도형에서 찾을 수 있는 크고 작은 사각형은 모두 3+3=6(개)입니다.

개념 익히기

다음 도형에서 찾을 수 있는 크고 작은 사각형의 개수를 알아보려고 합니다. 물음에 답하시오. [1~7]

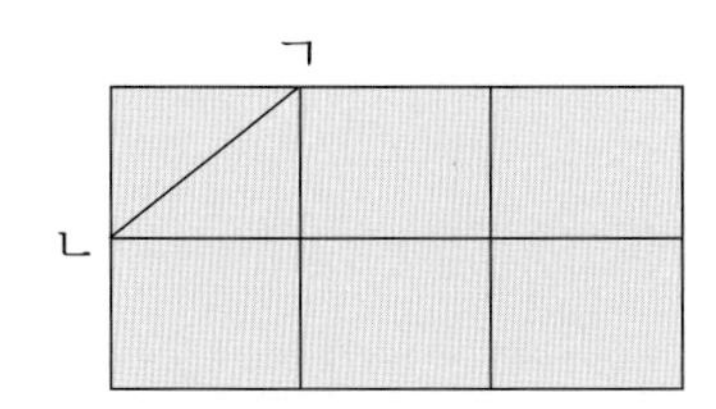

1 선분 ㄱㄴ이 없을 때, 작은 직사각형 1개로 이루어진 사각형의 개수를 구하시오.

( )

2 선분 ㄱㄴ이 없을 때, 작은 직사각형 2개로 이루어진 사각형의 개수를 구하시오.

( )

3 선분 ㄱㄴ이 없을 때, 작은 직사각형 3개로 이루어진 사각형의 개수를 구하시오.

( )

4 선분 ㄱㄴ이 없을 때, 작은 직사각형 4개로 이루어진 사각형의 개수를 구하시오.

( )

5 선분 ㄱㄴ이 없을 때, 작은 직사각형 6개로 이루어진 사각형의 개수를 구하시오.

( )

6 선분 ㄱㄴ을 포함하는 사다리꼴 모양의 사각형의 개수를 구하시오.

( )

7 위 도형에서 찾을 수 있는 크고 작은 사각형의 개수는 모두 몇 개입니까?

( )

다음 도형에서 찾을 수 있는 크고 작은 사각형의 개수를 알아보려고 합니다. 물음에 답하시오. [8~13]

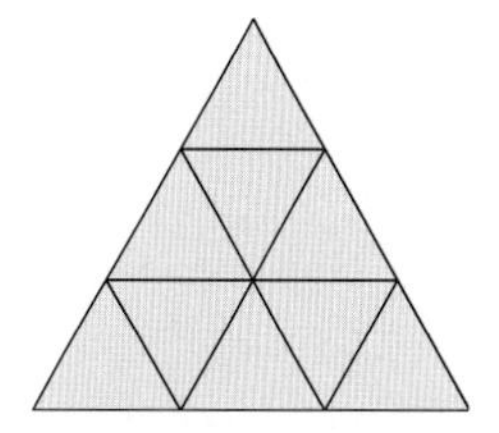

8 작은 삼각형 2개로 이루어진 사각형(마름모)의 개수를 구하시오.

( )

9 작은 삼각형 3개로 이루어진 사각형(사다리꼴)의 개수를 구하시오.

( )

10 작은 삼각형 4개로 이루어진 사각형(평행사변형)의 개수를 구하시오.

( )

11 작은 삼각형 5개로 이루어진 사각형(사다리꼴)의 개수를 구하시오.

( )

12 작은 삼각형 8개로 이루어진 사각형(사다리꼴)의 개수를 구하시오.

( )

13 위 도형에서 찾을 수 있는 크고 작은 사각형의 개수는 모두 몇 개입니까?

( )

동메달 따기

1 다음 도형에서 찾을 수 있는 사각형은 모두 몇 개인지 구하시오.

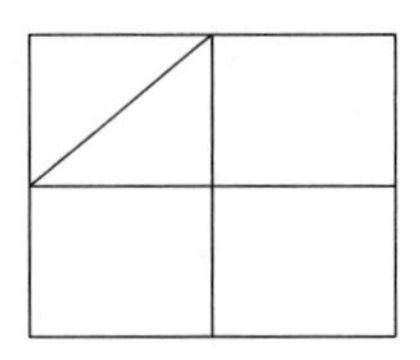

( )

2 다음 도형에서 선분 ㄱㄴ을 포함하는 사각형은 모두 몇 개인지 구하시오.

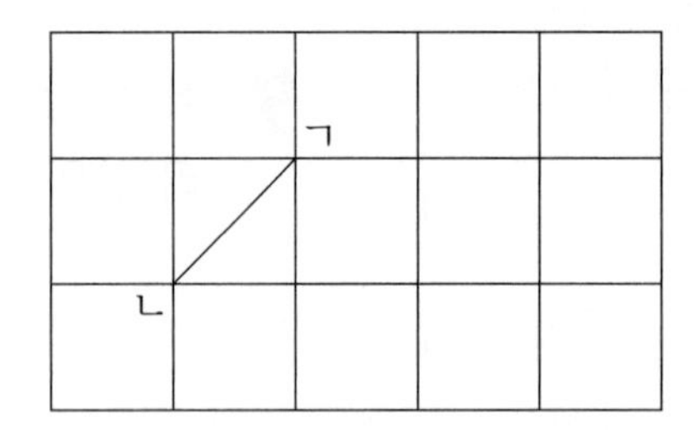

( )

3 다음 도형에서 선분 ㄱㄴ 또는 선분 ㄷㄹ을 포함하는 사각형은 모두 몇 개인지 구하시오.

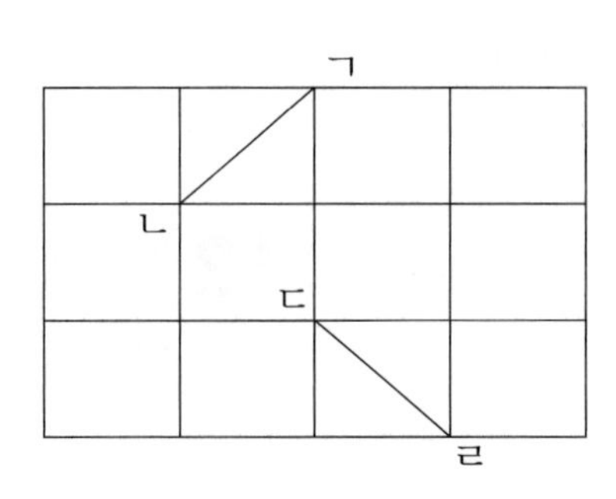

( )

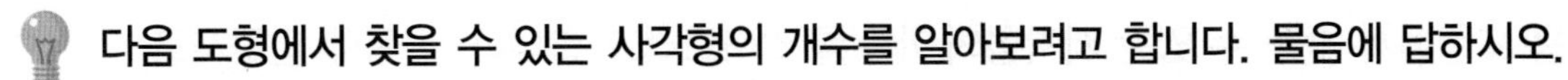

다음 도형에서 찾을 수 있는 사각형의 개수를 알아보려고 합니다. 물음에 답하시오.

[4~7]

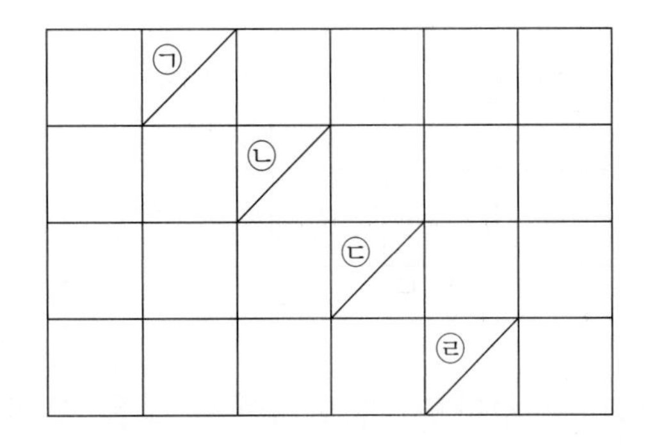

4 선분 ㉠, ㉡, ㉢, ㉣이 없다면 찾을 수 있는 사각형은 모두 몇 개입니까?

(　　　　　　　　)

5 선분 ㉠을 포함하는 사각형은 모두 몇 개입니까?

(　　　　　　　　)

6 선분 ㉡, ㉢, ㉣을 포함하는 사각형도 각각 몇 개인지 구하시오.

(　　　　　　　　　　　　　　)

7 찾을 수 있는 사각형은 모두 몇 개입니까?

(　　　　　　　　)

다음 도형에서 찾을 수 있는 사각형의 개수를 알아보려고 합니다. 물음에 답하시오. [8~12]

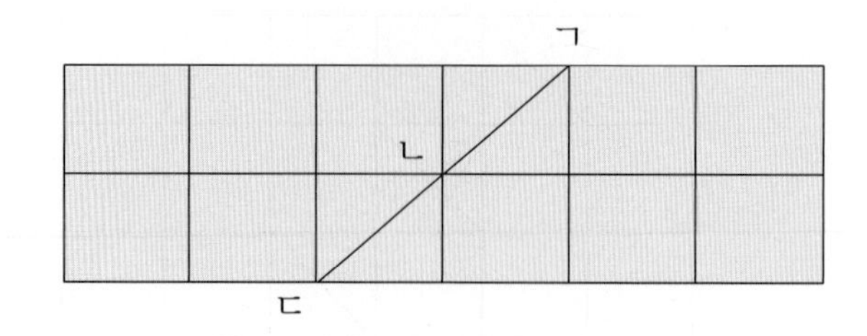

8 선분 ㄱㄴ과 선분 ㄴㄷ이 없다면 위 도형에서 찾을 수 있는 크고 작은 직사각형은 모두 몇 개인지 구하시오.

(　　　　　　　　)

9 선분 ㄱㄴ을 포함하는 크고 작은 사다리꼴은 모두 몇 개인지 구하시오.

(　　　　　　　　)

10 선분 ㄴㄷ을 포함하는 크고 작은 사다리꼴은 모두 몇 개인지 구하시오.

(　　　　　　　　)

11 선분 ㄱㄷ을 포함하는 크고 작은 사다리꼴은 모두 몇 개인지 구하시오.

(　　　　　　　　)

12 위 도형에서 찾을 수 있는 크고 작은 사각형은 모두 몇 개인지 구하시오.

(　　　　　　　　)

13 오른쪽 도형에서 찾을 수 있는 크고 작은 사각형은 모두 몇 개인지 구하시오.

( )

14 오른쪽 도형에서 찾을 수 있는 크고 작은 사각형은 모두 몇 개인지 구하시오.

( )

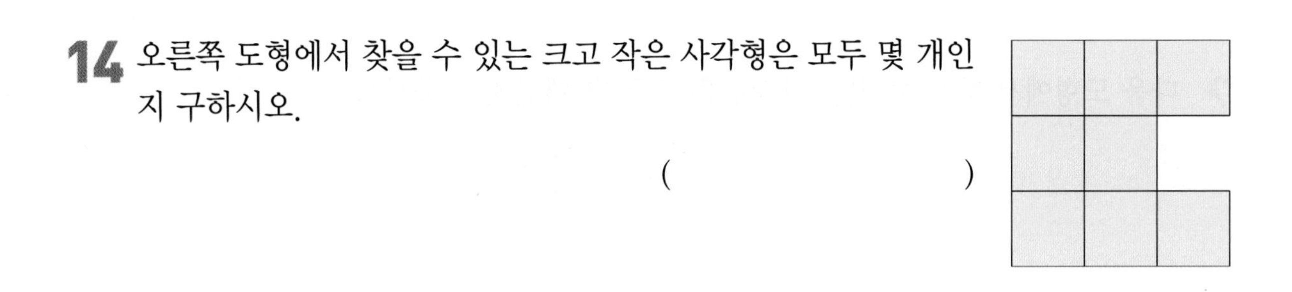

15 오른쪽 도형에서 찾을 수 있는 크고 작은 사각형은 모두 몇 개인지 구하시오.

( )

은메달 따기

1 다음 도형에서 찾을 수 있는 사각형은 모두 몇 개인지 구하시오.

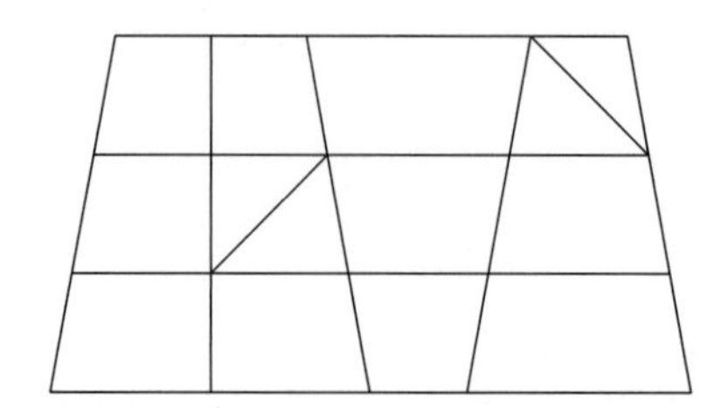

(　　　　　　　　　)

2 다음 도형에서 찾을 수 있는 사각형은 모두 몇 개인지 구하시오.

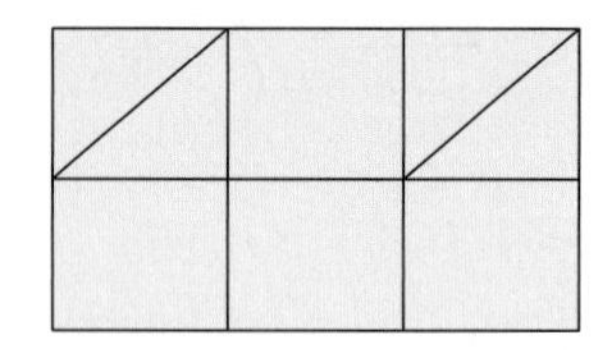

(　　　　　　　　　)

3 다음 도형에서 찾을 수 있는 사각형은 모두 몇 개인지 구하시오.

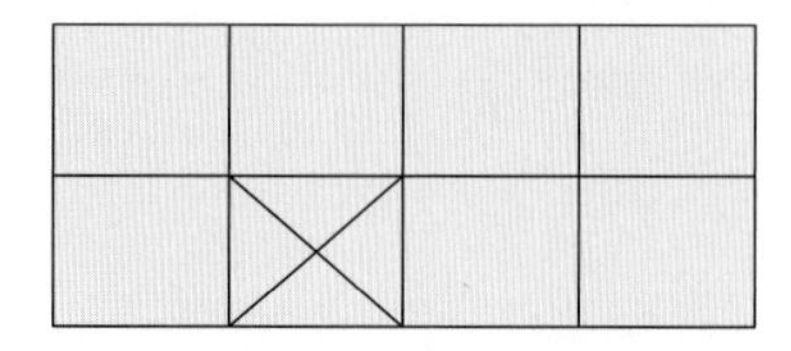

(　　　　　　　　　)

다음 도형에서 찾을 수 있는 사각형의 개수를 알아보려고 합니다. 물음에 답하시오. [4~7]

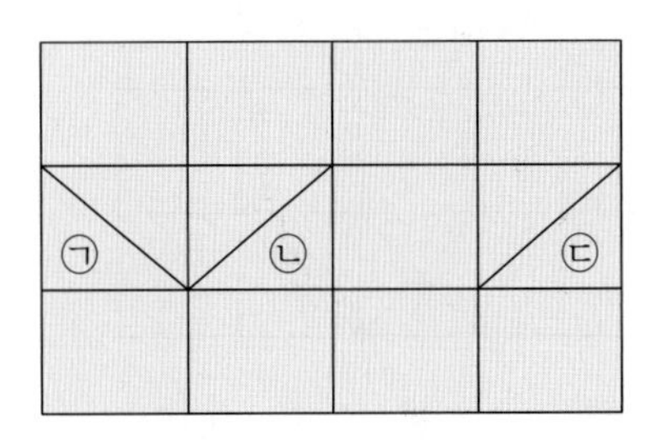

4 선분 ㉠, ㉡, ㉢ 중 선분 ㉠만 포함하는 사각형은 몇 개입니까?

(　　　　　　　　)

5 선분 ㉠과 ㉢을 함께 포함하는 사각형은 몇 개입니까?

(　　　　　　　　)

6 선분 ㉡과 ㉢을 함께 포함하는 사각형은 몇 개입니까?

(　　　　　　　　)

7 찾을 수 있는 사각형은 모두 몇 개입니까?

(　　　　　　　　)

금메달 따기

생각의 샘

1 다음 도형에서 찾을 수 있는 사각형은 모두 몇 개인지 구하시오.

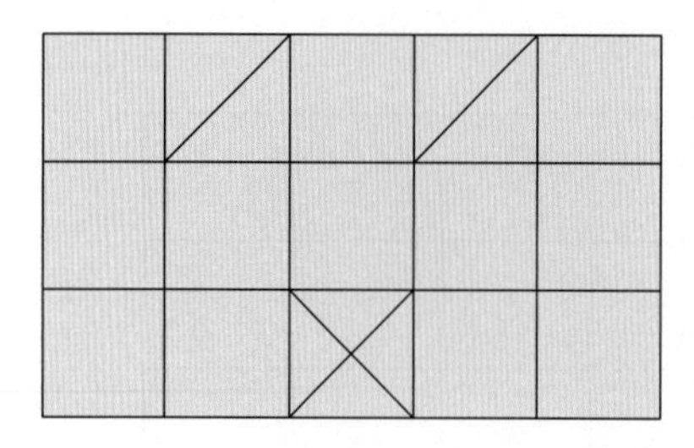

(　　　　　　　　　　)

대각선이 없을 때 찾을 수 있는 사각형의 개수는 (1+2+3+4+5)×(1+2+3)

2 다음 도형에서 찾을 수 있는 사각형은 모두 몇 개인지 구하시오.

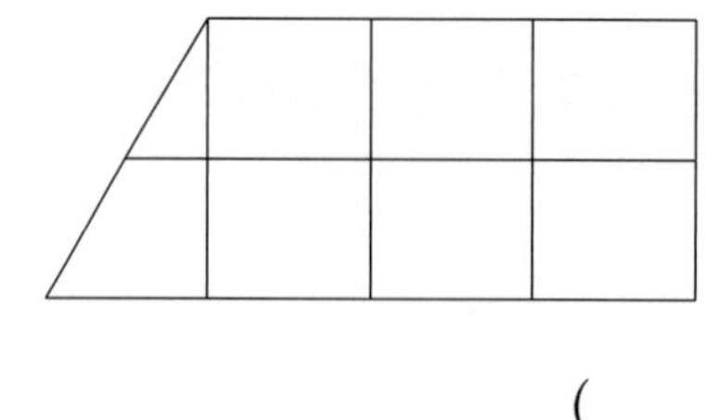

(　　　　　　　　　　)

모양에서 찾을 수 있는 사각형의 개수부터 구해 보세요!

3 다음 도형에서 찾을 수 있는 사각형은 모두 몇 개인지 구하시오.

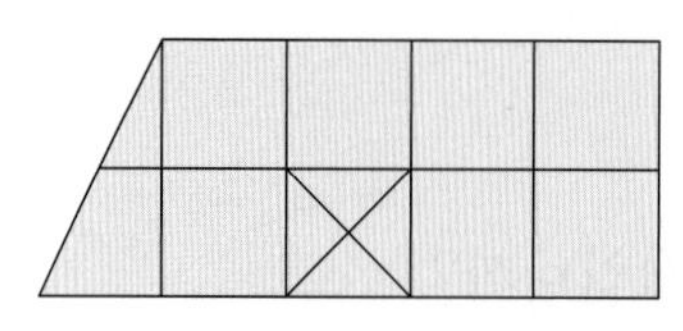

(　　　　　　　　　　)

모양에서 찾을 수 있는 사각형의 개수부터 구해 봅니다.

생각의 샘

4 다음 도형에서 찾을 수 있는 사각형은 모두 몇 개인지 구하시오.

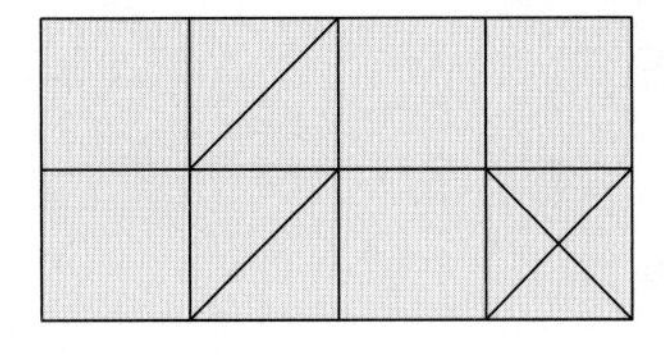

(　　　　　　　　　　)

직사각형의 개수와 사다리꼴의 개수의 합을 구합니다.

5 다음 도형에서 찾을 수 있는 사각형은 모두 몇 개인지 구하시오.

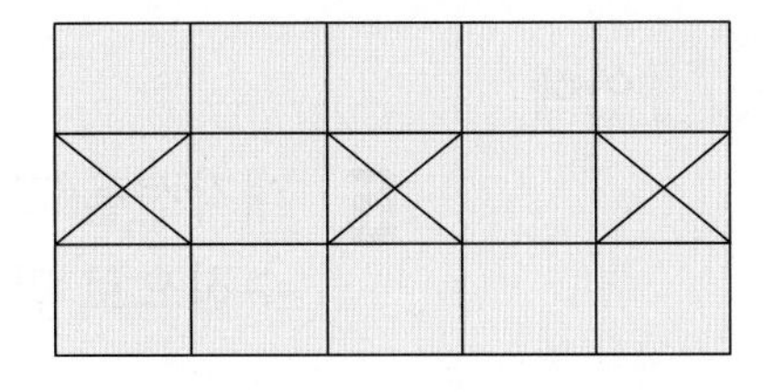

(　　　　　　　　　　)

사다리꼴의 개수를 구할 때 대각선을 1개, 대각선을 2개 포함하는 개수의 합으로 알아봅니다.

6 다음 도형에서 찾을 수 있는 사각형은 모두 몇 개인지 구하시오.

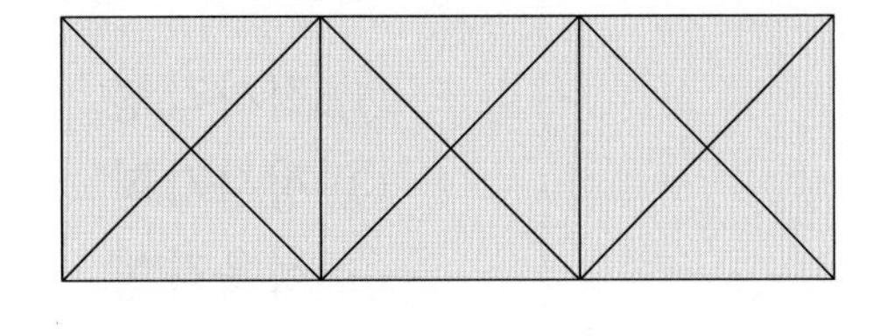

(　　　　　　　　　　)

총괄 평가

맞은 개수	20~18	17~16	15~14	13~
평 가	최우수	우수	보통	노력요함

1 다음과 같이 직사각형 모양의 종이를 두 번 접어서 점선을 따라 오린 후 폈을 때 생긴 ㉮는 어떤 사각형이 되는지 설명하시오.

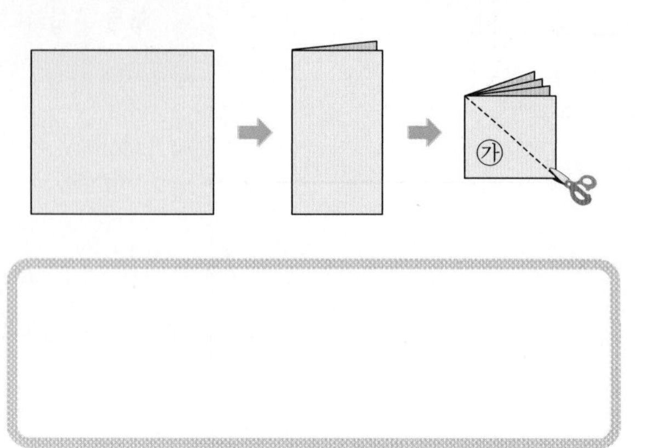

2 다음 사각형은 평행사변형입니다. □ 안에 알맞은 수를 써넣으시오.

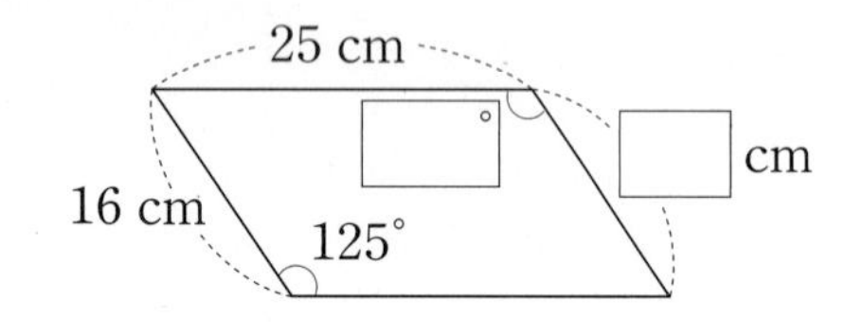

3 도형은 네 변의 길이의 합이 52 cm인 마름모입니다. □ 안에 알맞은 수를 써넣으시오.

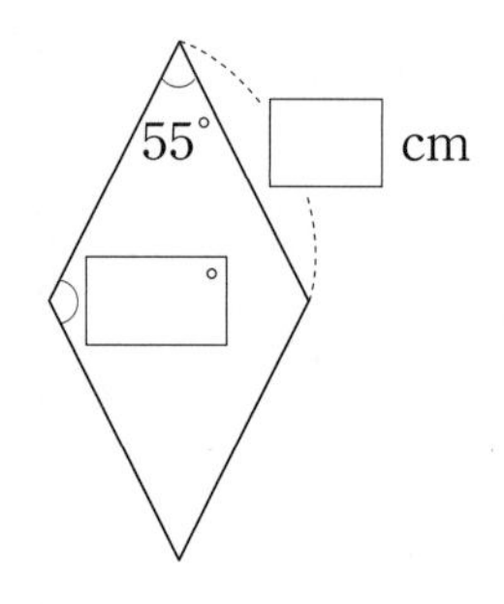

4 다음 중 정다각형인 것을 모두 찾아 기호를 쓰시오.

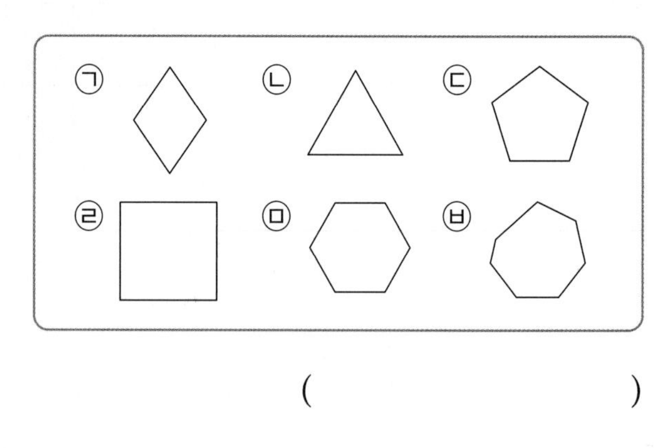

( )

5 대각선을 그었을 때 두 대각선이 항상 서로 수직으로 만나는 사각형을 모두 쓰시오.

( )

6 다음 중 평면을 빈틈없이 덮을 수 없는 도형은 어느 것입니까? ( )

① 직사각형 ② 마름모
③ 정사각형 ④ 정팔각형
⑤ 정육각형

7 다음 도형에서 찾을 수 있는 크고 작은 사다리꼴은 모두 몇 개입니까?

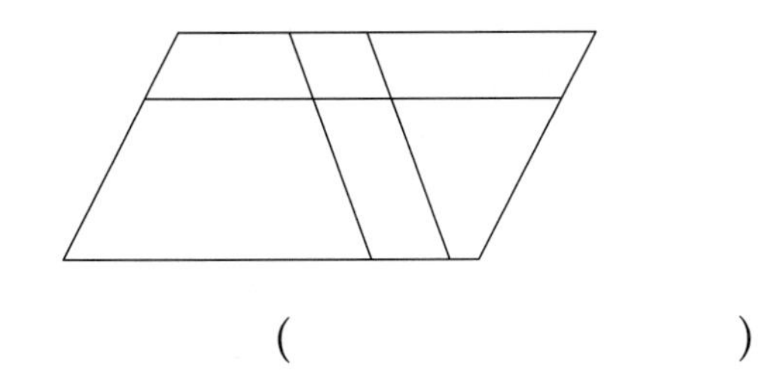

(　　　　　　　　)

8 삼각형 ㄱㄴㅁ은 정삼각형입니다. 선분 ㄹㄷ과 선분 ㄱㅁ이 평행할 때, 선분 ㄱㄴ의 길이는 몇 cm입니까?

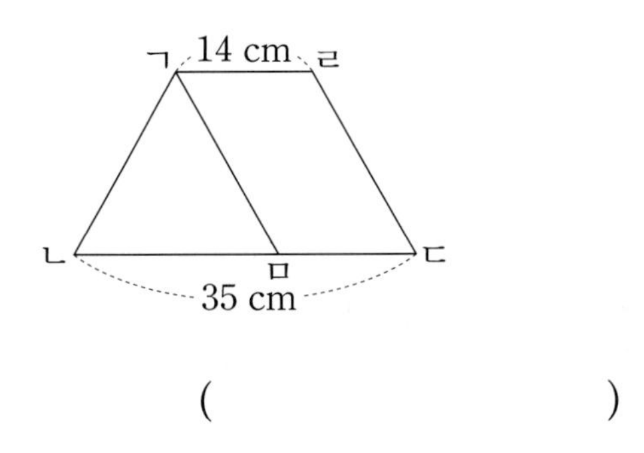

(　　　　　　　　)

9 다음 정육각형의 둘레는 정삼각형의 둘레와 같습니다. 정삼각형 한 변의 길이는 몇 cm입니까?

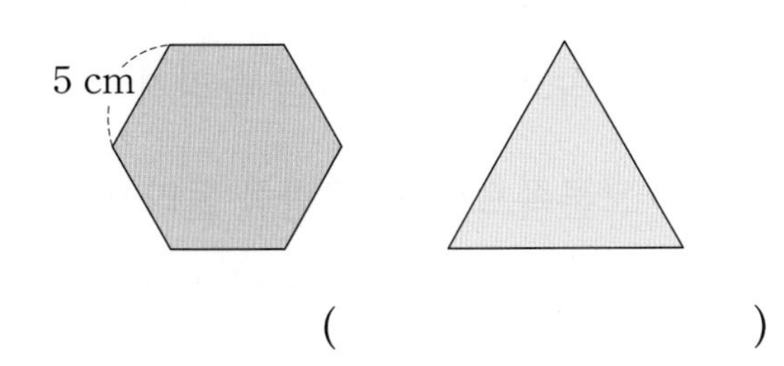

(　　　　　　　　)

10 철사를 사용하여 한 변의 길이가 25 cm인 정오각형을 만들었습니다. 이 철사를 곧게 펴서 다음과 같은 직사각형을 만든다면, 몇 개까지 만들 수 있습니까?

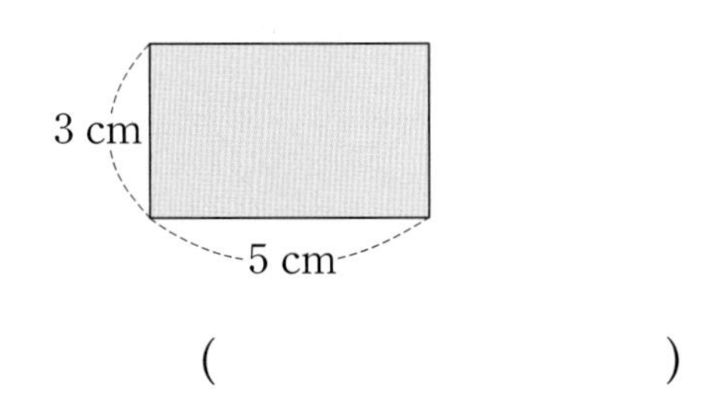

(　　　　　　　　)

11 규칙에 따라 공깃돌을 놓을 때 8번째에는 공깃돌을 몇 개 놓아야 합니까?

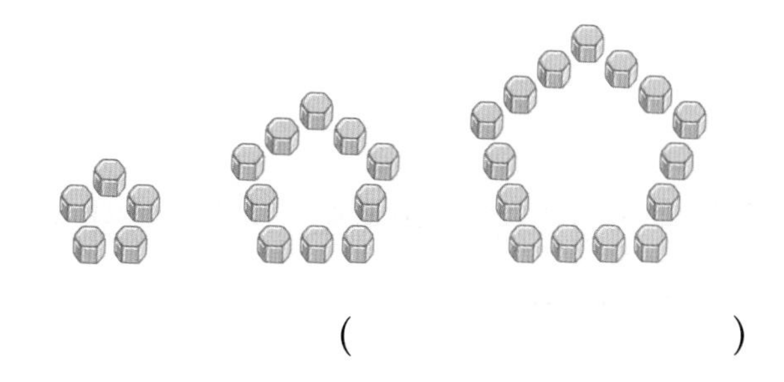

(　　　　　　　　)

12 그림과 같이 성냥개비로 삼각형을 만들었습니다. 삼각형 15개를 만드는 데 필요한 성냥개비는 몇 개입니까?

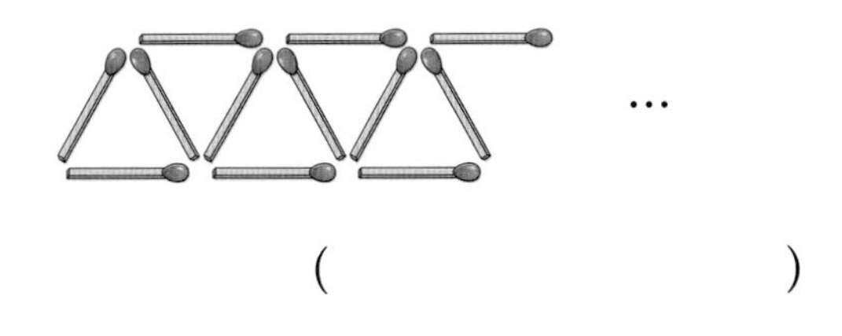

(　　　　　　　　)

총괄 평가

13 주어진 도형을 아래쪽으로 뒤집었을 때 생기는 모양을 그려 보시오.

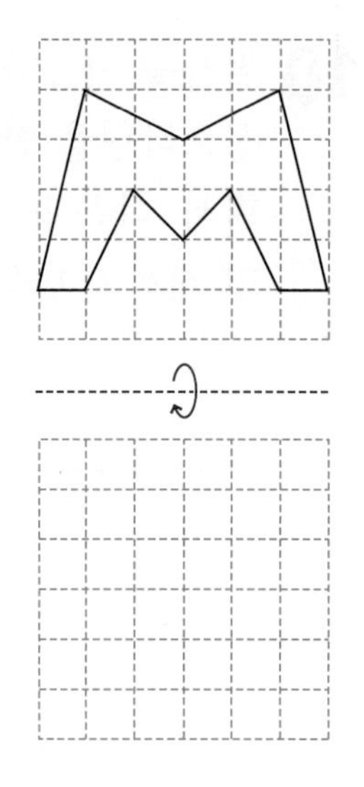

14 주어진 도형을 왼쪽으로 만큼 돌렸을 때 생기는 모양을 그려 보시오.

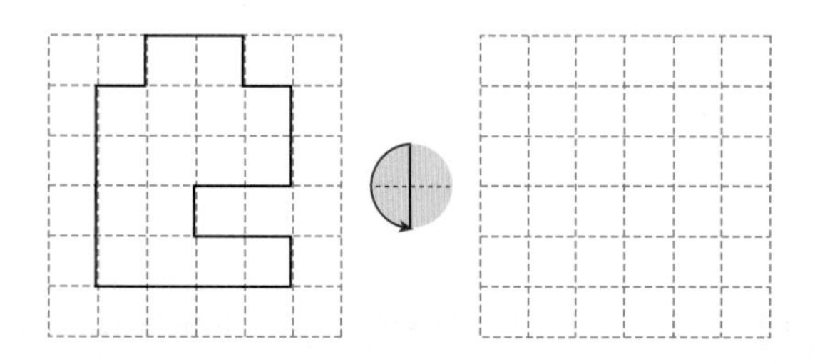

15 주어진 도형을 위쪽으로 뒤집은 후 오른쪽으로 만큼 돌렸을 때 생기는 모양을 그려 보시오.

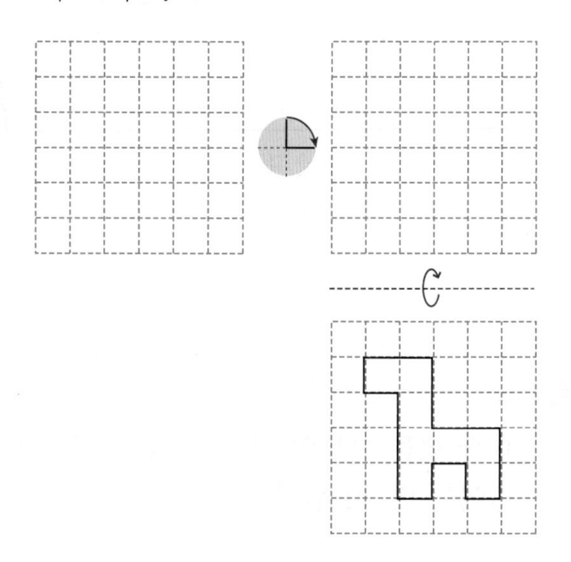

16 오른쪽 모양은 왼쪽 도형을 어떻게 움직인 것입니까? (　　　　)

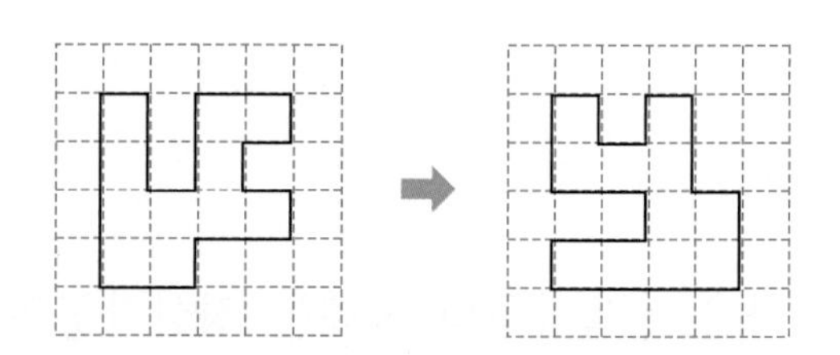

① 왼쪽으로 밀기
② 위쪽으로 뒤집기
③ 왼쪽으로 만큼 돌리기
④ 오른쪽으로 만큼 돌리기
⑤ 왼쪽으로 뒤집은 후 아래쪽으로 뒤집기

17 다음 도형에서 찾을 수 있는 직사각형은 모두 몇 개입니까?

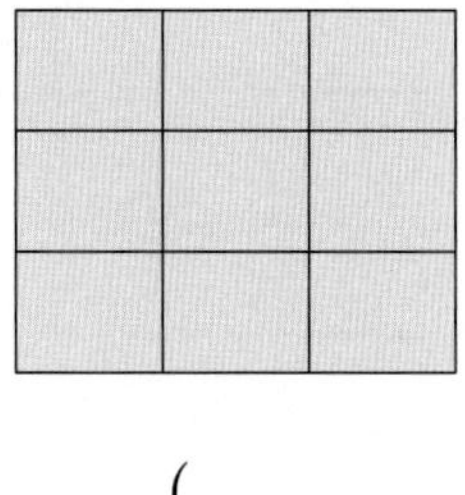

( )

18 다음 도형에서 찾을 수 있는 직사각형의 개수와 정사각형의 개수의 차를 구하시오.

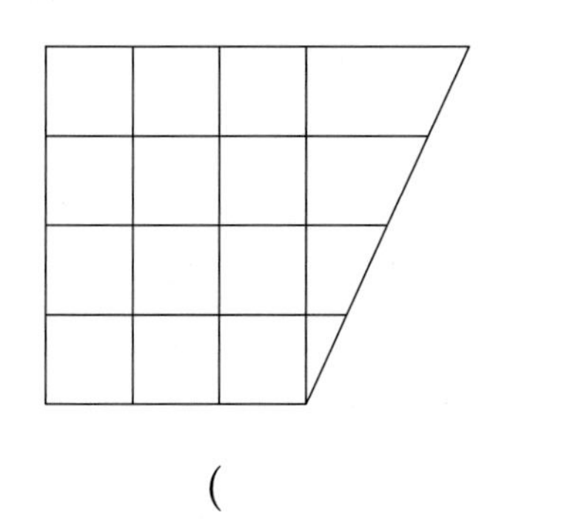

( )

19 다음 도형에서 찾을 수 있는 사각형은 모두 몇 개입니까?

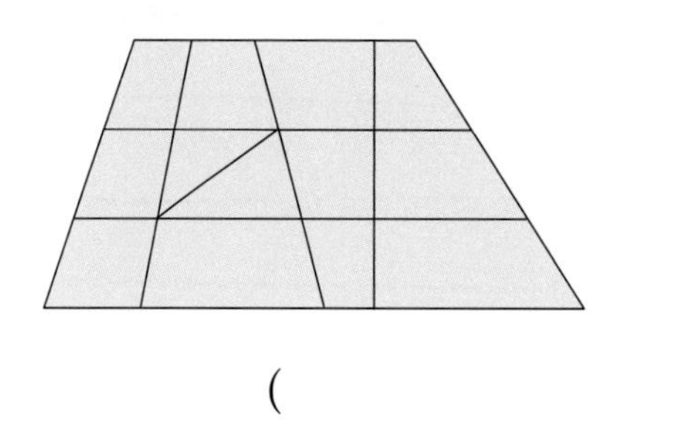

( )

20 다음 도형에서 찾을 수 있는 삼각형은 모두 몇 개입니까?

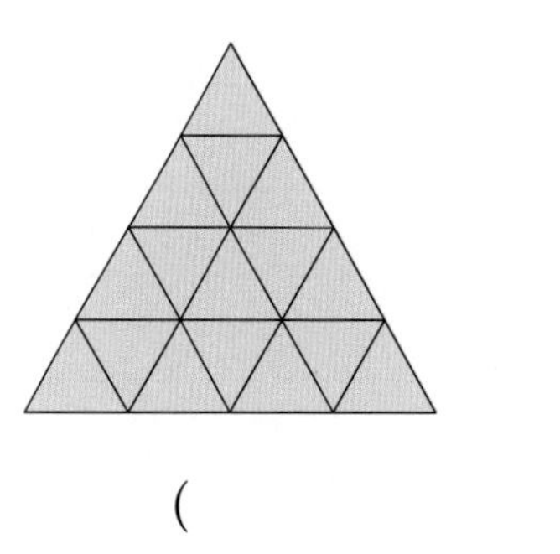

( )

MEMO

꼭 알아야 할
도형

4학년이 꼭 알아야 할 도형

정답과 풀이

(주)에듀왕
www.왕수학.com

정답과 풀이

4학년

1. 각과 각도 (1)

page. 5

1. ㉠
2. 예슬
3. (1) 70 (2) 110
4. 풀이 참조
5. (1) 가, 다 (2) 나, 라
6. ○, × / △, ○ / △, ○

1. 두 각을 겹쳐 보면 ㉠이 ㉡보다 더 작은 각입니다.
2. 각의 기준이 왼쪽에서 시작되므로 왼쪽 눈금 0에서 오른쪽으로 매겨진 눈금을 읽은 예슬이가 바르게 구했습니다.
4. (1)

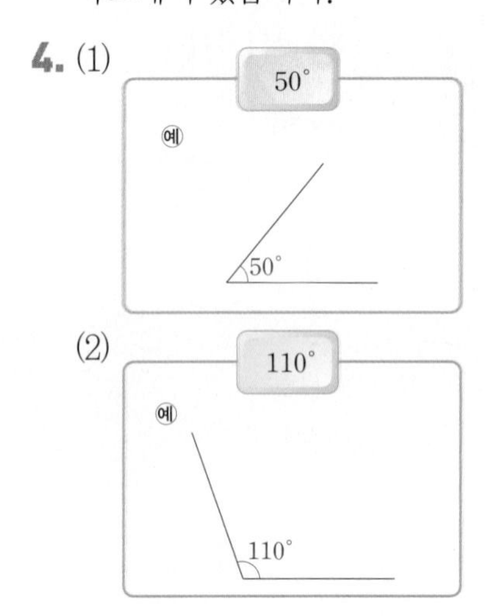

(2) 110°

예 110°

동메달 따기

page. 6~9

1. ㉢, ㉡, ㉠
2. ㉢, ㉣
3. 풀이 참조
4. 각 ㄱㅇㄹ 또는 각 ㄹㅇㄱ
5. ④
6. (1) 100° (2) 55°
7. (1) 110 (2) 50
8. (1) 35° (2) 110°
9. ㉢
10. 105, 예

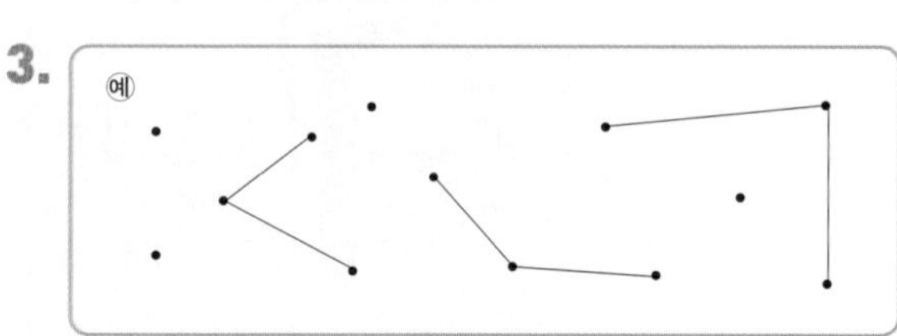

11. 예각, 둔각
12. 둔각, 예각, 직각

1. 투명 종이로 한 각의 본을 떠서 다른 각에 겹쳐 두 변의 벌어진 정도를 비교합니다.
2. 보기의 각은 직각입니다.
3. 예

두 점을 이어 선분을 그은 후 선분의 한 점에서 다른 점을 이어 보며 각을 그려 봅니다.

4. 가장 많이 벌어진 두 변을 찾으면 가장 큰 각은 각 ㄱㅇㄹ입니다.
5. 각의 꼭짓점에 각도기의 중심을 맞추고 각의 한 변에 각도기의 밑금을 맞춘 것을 찾습니다.
9. 보기의 각도는 30°입니다.
   ㉠ 40° ㉡ 35° ㉢ 30°
10. 각의 크기는 105°입니다.
12. 90°인 각을 직각이라 하고 90°보다 작은 각은 예각, 90°보다 크고 180°보다 작은 각은 둔각이라고 합니다.

은메달 따기

page. 10~11

1. ㉤, ㉠, ㉣, ㉢, ㉥, ㉡
2. ㉣, ㉢, ㉡, ㉠
3. ㉢
4. 50°
5. ㉢, ㉣, ㉡, ㉠
6. 예
7. 4개

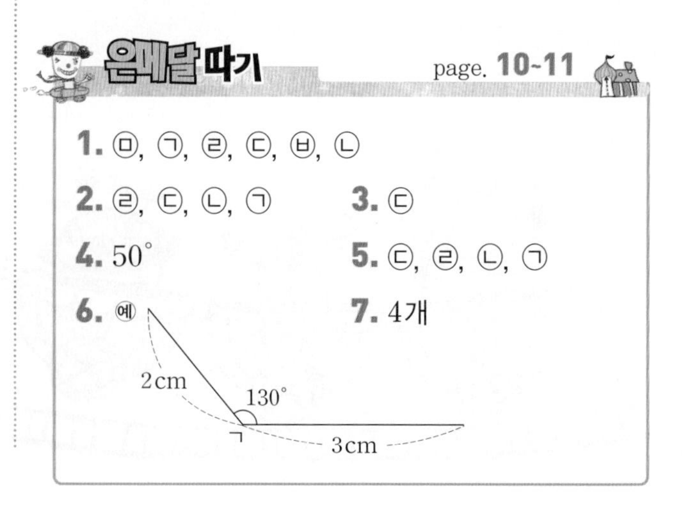

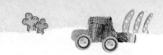

2. ㉠ 각도기 왼쪽의 0에서 시작하는 눈금을 읽으면 50°입니다.
㉡ 각도기 오른쪽의 0에서 시작하는 눈금을 읽으면 60°입니다.
㉢ 각도기 왼쪽의 0에서 시작하는 눈금을 읽으면 120°입니다.
㉣ 각도기 오른쪽의 0에서 시작하는 눈금을 읽으면 130°입니다.

3. |보기|의 각도는 50°입니다.
㉠ 55° ㉡ 45° ㉢ 50° ㉣ 60° ㉤ 35°

4. 40°에서 90°까지 벌어져 있으므로 50°입니다.

5. 각의 한 변을 그린 후 각의 꼭짓점과 각의 한 변에 각도기의 중심과 밑금을 정확히 맞추어야 합니다.

7. 예각은 90°보다 작은 각입니다.
따라서 예각은 각 ㄱㅇㄴ, 각 ㄴㅇㄷ, 각 ㄹㅇㅁ, 각 ㄱㅇㄷ이므로 모두 4개입니다.

금메달 따기 page. 12~13

1. 11개
2. 각 ㄱㅇㄷ, 각 ㄴㅇㄹ, 각 ㄷㅇㄹ
3. 풀이 참조
4. ③
5. 165°
6. 4시, 8시

1. 1개로 이루어진 각 2개로 이루어진 각

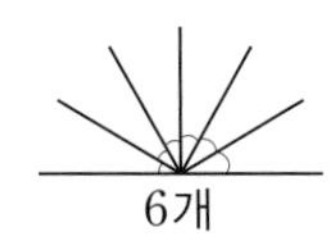

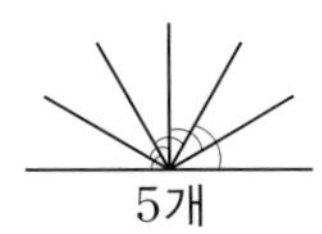

따라서 6+5=11(개)입니다.

2. 둔각은 직각보다 크고 180°보다 작은 각이므로 각 ㄱㅇㄷ, 각 ㄴㅇㄹ, 각 ㄷㅇㄹ이 둔각입니다.

3.

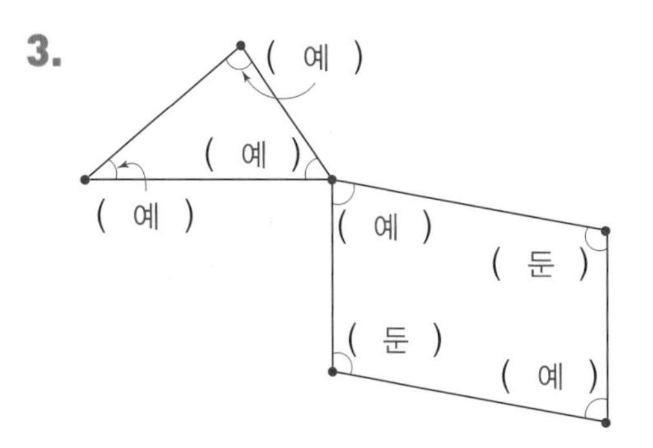

4. ①

② 

③ 

④ 

⑤ 

5. 시계에서 숫자와 숫자 사이의 큰 눈금 한 칸의 크기는 360°÷12=30°입니다.
12시 30분은 짧은바늘이 숫자 12와 1 사이의 한가운데를 가리키고 있으므로 큰 눈금 5칸과 반입니다. 따라서 시계의 긴바늘과 짧은바늘이 이루는 작은 쪽의 각의 크기는 30°×5+15°=165°입니다.

6. 시계에서 숫자와 숫자 사이의 큰 눈금 한 칸의 크기는 360°÷12=30°입니다.
따라서 120°가 되려면 긴바늘과 짧은바늘은 숫자와 숫자 사이의 큰 눈금 4칸만큼 벌어져 있어야 하므로 정각 4시와 8시입니다.

2. 각과 각도 (2)

개념 익히기 page. 15

1. (1) 예 25, 25 (2) 예 145, 145
2. (1) 65 (2) 60
3. (1) 90 (2) 135 (3) 40 (4) 95
4. (1) 70 (2) 50
5. 135, 135
6. (1) 140 (2) 100

4. (1) 삼각형의 세 각의 크기의 합은 180°이므로
□=180°−70°−40°=70°입니다.
(2) 직각=90°이므로
□=180°−40°−90°=50°입니다.

5. 사각형의 네 각의 크기의 합은 360°이므로
□=360°−45°−80°−100°=135°입니다.

6. (1) 360°−55°−100°−65°=140°
(2) 360°−75°−65°−120°=100°

page. **16~19**

1. (1) 예 65, 65 (2) 예 130, 130
2. (1) 95 (2) 125
3. (1) 130° (2) 115° (3) 135° (4) 120°
4. (1) 60 (2) 55
5. (1) 45° (2) 65° (3) 85° (4) 45°
6. 110°, 60° **7.** 180
8. (1) 70 (2) 120 **9.** 135
10. 예 80, 110, 85, 85, 360
11. (1) 110 (2) 105 **12.** 85

6. 합 : 85°+25°=110°
차 : 85°−25°=60°

7. 삼각형의 세 각을 직선 위에 맞추어 보면 직선 위에 꼭 맞습니다.
직선은 직각이 2개 모인 크기이므로 삼각형의 세 각의 크기의 합은 180°입니다.

8. (1) □+55°+55°=180°,
□=180°−(55°+55°)=70°
(2) 25°+35°+□=180°,
□=180°−(25°+35°)=120°

9. 75°+60°+㉠=180°,
㉠=180°−(75°+60°)=45°
45°+□=180°, □=180°−45°=135°

10. 사각형이므로 네 각의 크기의 합이 360°가 아니면 각의 크기를 잘못 잰 것입니다.

11. (1) 100°+90°+60°+□=360°,
□=360°−(100°+90°+60°)=110°
(2) 80°+□+85°+90°=360°,
□=360°−(80°+85°+90°)=105°

12.

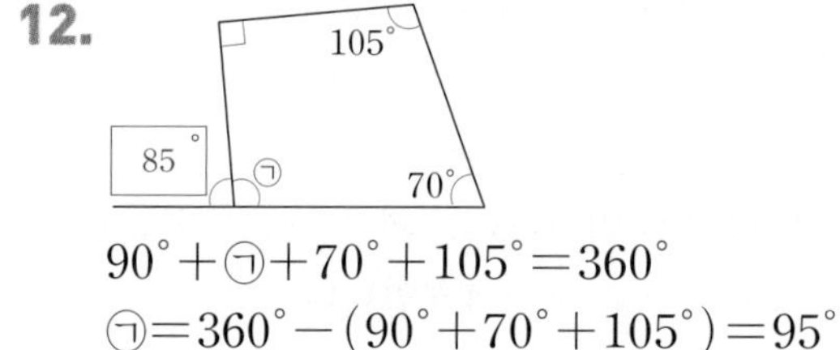

90°+㉠+70°+105°=360°
㉠=360°−(90°+70°+105°)=95°
□=180°−95°=85°

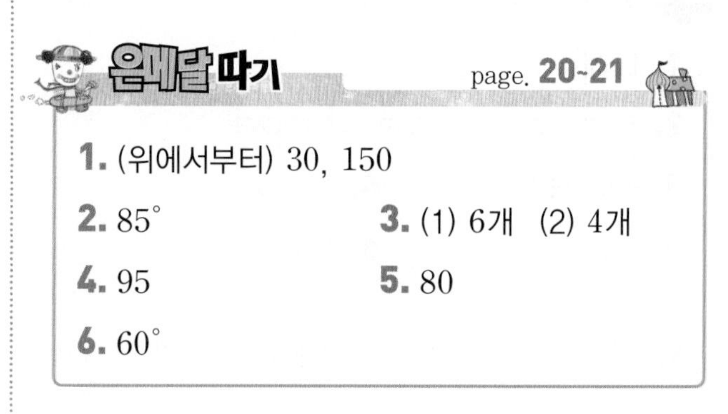

page. **20~21**

1. (위에서부터) 30, 150
2. 85° **3.** (1) 6개 (2) 4개
4. 95 **5.** 80
6. 60°

1.

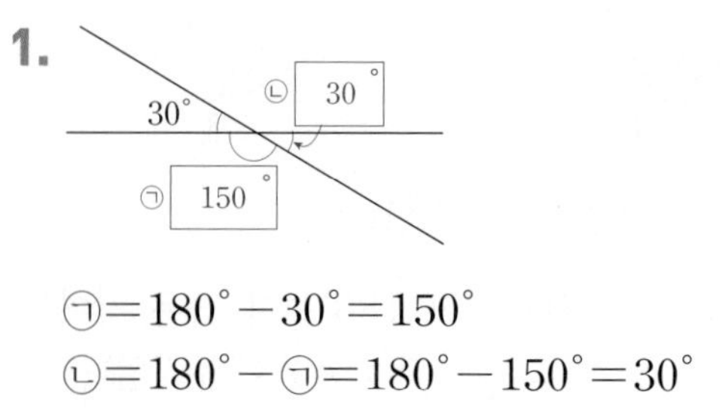

㉠=180°−30°=150°
㉡=180°−㉠=180°−150°=30°

2. 각 ㄱㄴㄷ의 크기는 60°입니다.
$125^\circ+60^\circ+$(각 ㄴㄷㄹ)$+90^\circ=360^\circ$
(각 ㄴㄷㄹ)$=360^\circ-(125^\circ+60^\circ+90^\circ)$
$=85^\circ$

3. (1) $30^\circ+45^\circ=75^\circ$, $60^\circ+45^\circ=105^\circ$,
$90^\circ+30^\circ=120^\circ$, $90^\circ+45^\circ=135^\circ$,
$90^\circ+60^\circ=150^\circ$, $90^\circ+90^\circ=180^\circ$
이므로 모두 6개입니다.
(2) $45^\circ-30^\circ=15^\circ$, $90^\circ-60^\circ=30^\circ$,
$90^\circ-45^\circ=45^\circ$, $90^\circ-30^\circ=60^\circ$
이므로 모두 4개입니다.

4.

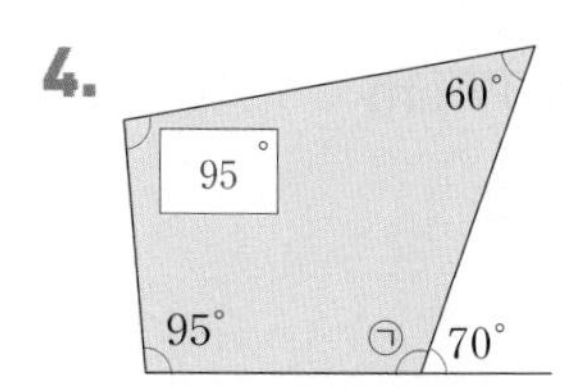

㉠의 각도는 $180^\circ-70^\circ=110^\circ$이므로
□$=360^\circ-(110^\circ+95^\circ+60^\circ)=95^\circ$입니다.

5.

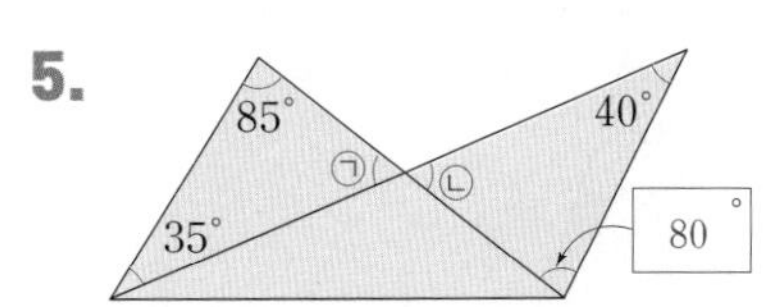

㉠과 ㉡의 각도는 같으므로 ㉡의 각도는
$180^\circ-(85^\circ+35^\circ)=60^\circ$입니다.
따라서 □$=180^\circ-(60^\circ+40^\circ)=80^\circ$입니다.

6. 주어진 도형은 사각형이므로 네 각의 크기의 합은 360°입니다.
따라서 각 가와 각 나의 각도의 합은
$360^\circ-(240^\circ+60^\circ)=60^\circ$입니다.

금메달 따기 page. 22~23

1. 35°	**2.** 82
3. 360°	**4.** 540°
5. 155°	**6.** 145°

1. 각 ㄱㄷㄴ의 크기가 둔각인 삼각형이 되려면 다른 두 각의 크기의 합은 90°보다 작아야 합니다.
$55^\circ+$(각 ㄴㄱㄷ)$<90^\circ$이어야 하므로 각 ㄴㄱㄷ의 크기는 35°보다 작아야 합니다.

2.

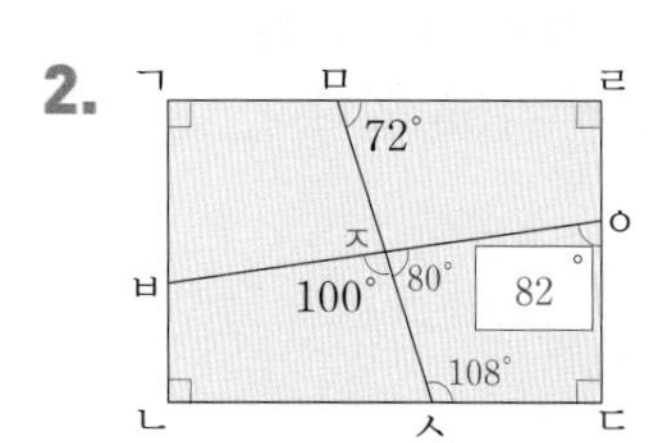

사각형 ㅁㅅㄷㄹ의 네 각의 크기의 합은 360°이므로 각 ㅁㅅㄷ의 크기는
$360^\circ-(90^\circ\times2+72^\circ)=108^\circ$이고, 각 ㅇㅈㅅ의 크기는 $180^\circ-100^\circ=80^\circ$입니다.
또, 사각형 ㅈㅅㄷㅇ의 네 각의 크기의 합은 360°이므로 □$=360^\circ-(80^\circ+108^\circ+90^\circ)$
$=82^\circ$입니다.

3.

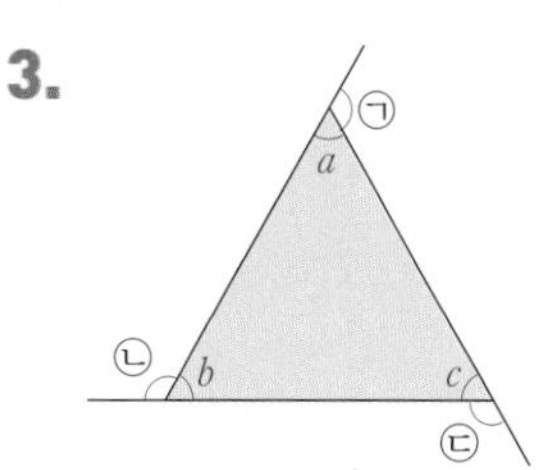

각 ㉠$+$각 $a=180^\circ$, 각 ㉡$+$각 $b=180^\circ$,
각 ㉢$+$각 $c=180^\circ$이므로
각 ㉠$+$각 $a+$각 ㉡$+$각 $b+$각 ㉢$+$각 c
$=180^\circ\times3$입니다.
이것을 정리하면 (각 ㉠$+$각 ㉡$+$각 ㉢)$+$
$\underbrace{(\text{각 } a+\text{각 } b+\text{각 } c)}_{180^\circ}=540^\circ$
따라서 각 ㉠$+$각 ㉡$+$각 ㉢$=540^\circ-180^\circ$
$=360^\circ$입니다.

4. 도형을 삼각형 3개로 나눌 수 있습니다.
삼각형의 세 각의 크기의 합은 180°이므로 다섯 각의 크기의 합은 $180^\circ\times3=540^\circ$입니다.

별해
도형을 삼각형 또는 사각형으로 나누어 생각합니다.
도형을 사각형 1개와 삼각형 1개로 나누어 생각하면 $360^\circ+180^\circ=540^\circ$입니다.

5. 사각형 ㄱㄴㄷㄹ의 네 각의 크기의 합은 360°이므로
$a+a+b+b=360°-(120°+70°)=170°$,
$a+b=170°\div2=85°$
사각형 ㄱㄴㅇㄹ에서 각 ㉮의 크기는
$360°-(120°+85°)=155°$입니다.

6.

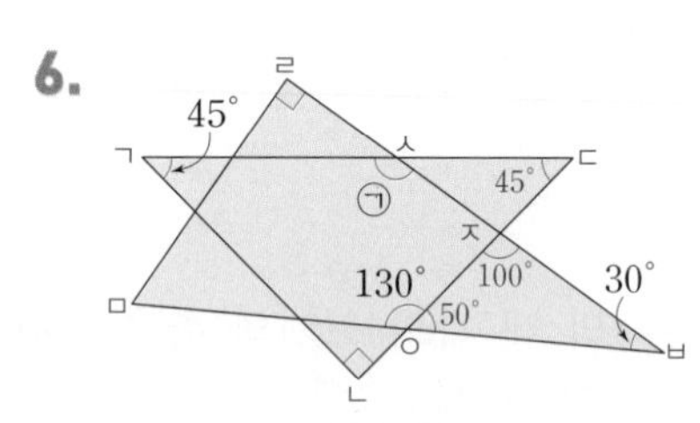

삼각형 ㅈㅇㅂ에서 각 ㅈㅇㅂ의 크기는
$180°-130°=50°$, 각 ㅇㅈㅂ의 크기는
$180°-(50°+30°)=100°$이므로
각 ㅅㅈㄷ의 크기는 100°, 각 ㄷㅅㅈ의 크기는
$180°-(100°+45°)=35°$입니다.
따라서 ㉠의 크기는 $180°-35°=145°$입니다.

3. 삼각형을 변의 길이에 따라 분류하기

개념익히기 page. 25

1. ㉡ **2.** ㉢
3. 각 ㄴㄷㄱ **4.** 30
5. 7 **6.** 8, 60, 8
7. 생략

1. 두 변의 길이가 같은 삼각형은 ㉡입니다.

2. 세 변의 길이가 같은 삼각형은 ㉢입니다.

3. 변 ㄴㄱ과 변 ㄴㄷ의 길이가 같으므로 각 ㄴㄱㄷ과 크기가 같은 각은 각 ㄴㄷㄱ입니다.

6. 세 각이 모두 60°이므로 정삼각형입니다.

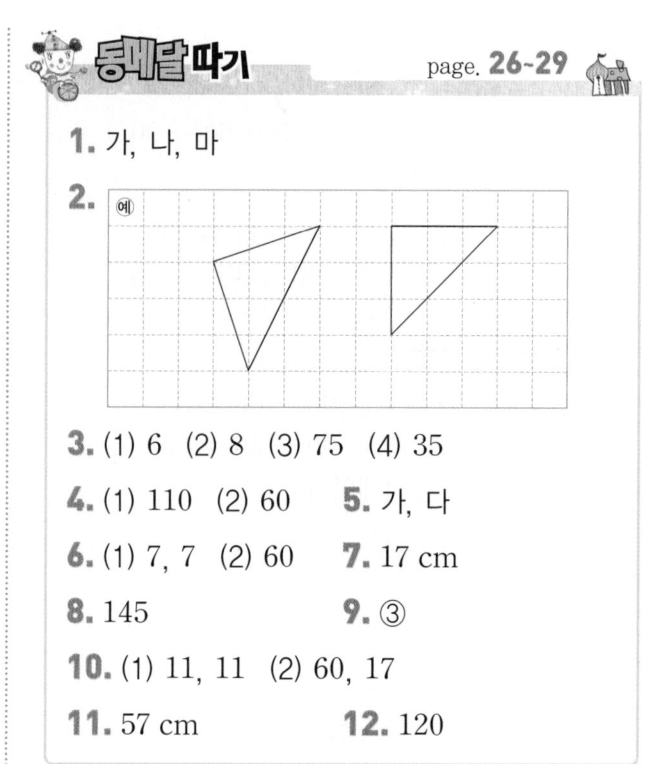

동메달따기 page. 26~29

1. 가, 나, 마
2. 예
3. (1) 6 (2) 8 (3) 75 (4) 35
4. (1) 110 (2) 60 **5.** 가, 다
6. (1) 7, 7 (2) 60 **7.** 17 cm
8. 145 **9.** ③
10. (1) 11, 11 (2) 60, 17
11. 57 cm **12.** 120

4. (1)

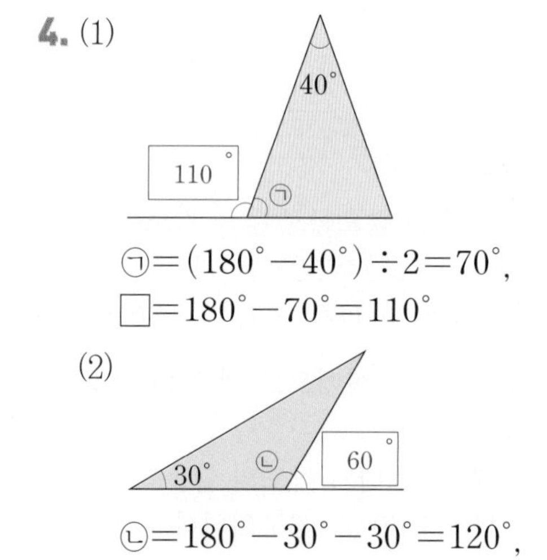

(1) $㉠=(180°-40°)\div2=70°$,
$\square=180°-70°=110°$

(2) $㉡=180°-30°-30°=120°$,
$\square=180°-120°=60°$

7. 이등변삼각형이므로 나머지 한 변의 길이는 5 cm입니다.
따라서 세 변의 길이의 합은
$5+5+7=17$(cm)입니다.

8. (각 ㄴㄱㄷ)=(각 ㄴㄷㄱ)
$=(180°-110°)\div2=35°$
따라서 $\square=180°-35°=145°$입니다.

9. 세 변의 길이가 같은 것을 찾습니다.

10. (1) 정삼각형이므로 나머지 두 변의 길이도 각각 11 cm입니다.
(2) 삼각형의 세 각의 크기의 합은 180°이므로 정삼각형의 한 각의 크기는 180°÷3=60° 입니다.

11. 각 ㄴㄱㄷ의 크기는 180°−(60°+60°)=60° 이므로 삼각형 ㄱㄴㄷ은 정삼각형입니다.
따라서 세 변의 길이의 합은 19×3=57(cm) 입니다.

12. 정삼각형의 한 각의 크기는 60°이므로
(각 ㄱㄷㄹ)=180°−60°=120°입니다.

은메달 따기 page. 30~31

1. 44 cm	**2.** 12 cm
3. 90°	**4.** 130
5. 100	**6.** 24 cm

1.

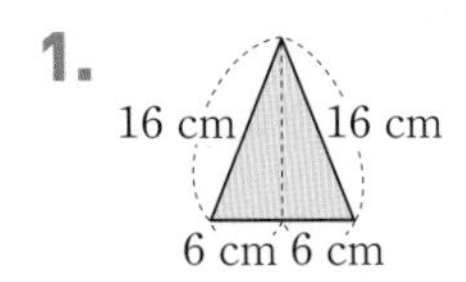

만들어지는 삼각형은 왼쪽과 같습니다.
따라서 삼각형의 세 변의 길이의 합은
16+16+6+6=44(cm)입니다.

2. 나머지 두 변의 길이의 합은
39−15=24(cm)입니다.
따라서 두 변 중 한 변의 길이는
24÷2=12(cm)입니다.

3. 삼각형 ㄱㄴㄷ에서
(각 ㄱㄴㄷ)=(각 ㄴㄱㄷ)=45°
삼각형 ㄹㄴㄷ에서
(각 ㄹㄴㄷ)=(각 ㄹㄷㄴ)=45°
따라서 삼각형 ㄹㄴㄷ에서
(각 ㄴㄹㄷ)=180°−(45°+45°)=90° 입니다.

4.

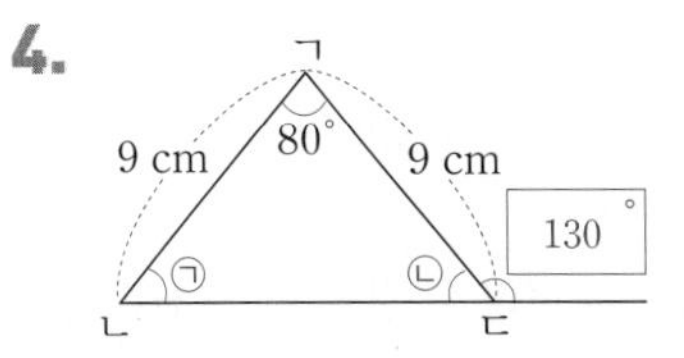

이등변삼각형이므로 ㉠과 ㉡의 크기가 같습니다.
㉠=㉡=(180°−80°)÷2=50°
따라서 □=180°−50°=130°입니다.

5.

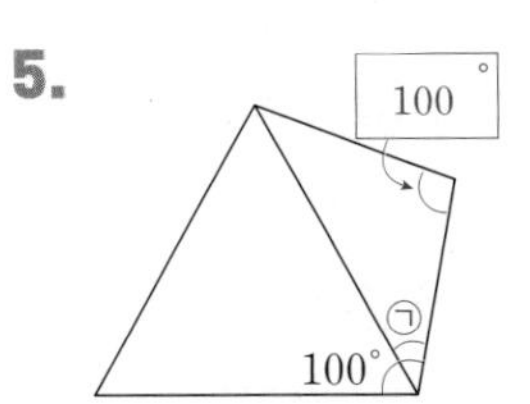

정삼각형의 한 각의 크기는 60°이므로
㉠=100°−60°=40°입니다.
따라서 □=180°−(40°+40°)=100°입니다.

6. 이등변삼각형의 세 변의 길이의 합은
27×2+18=72(cm)이므로
정삼각형의 한 변의 길이는 72÷3=24(cm) 입니다.

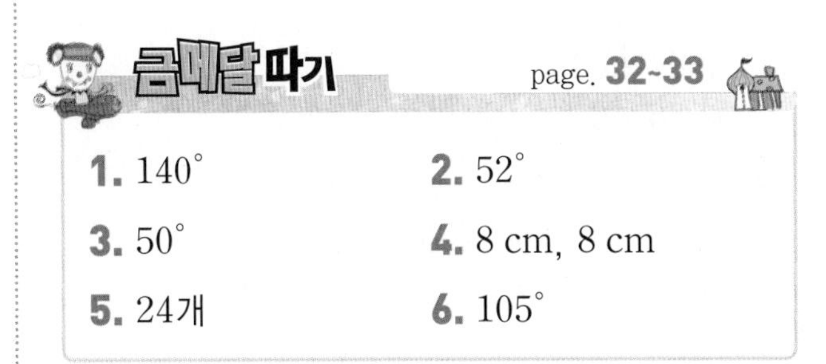

금메달 따기 page. 32~33

1. 140°	**2.** 52°
3. 50°	**4.** 8 cm, 8 cm
5. 24개	**6.** 105°

1. 삼각형 ㄱㄴㄷ이 이등변삼각형이므로
(각 ㄱㄷㄴ)=(각 ㄷㄱㄴ)=40°입니다.
삼각형 ㄱㄴㄷ에서
(각 ㄱㄴㄷ)=180°−(40°+40°)=100° 입니다.
삼각형 ㄷㄴㄹ이 이등변삼각형이므로
(각 ㄴㄹㄷ)=(각 ㄴㄷㄹ)=70°입니다.
삼각형 ㄷㄴㄹ에서
(각 ㄷㄴㄹ)=180°−(70°+70°)=40°입니다.
따라서 (각 ㄱㄴㄹ)=(각 ㄱㄴㄷ)+(각 ㄷㄴㄹ)
=100°+40°=140°입니다.

2. 삼각형 ㄷㄴㄹ이 이등변삼각형이므로
(각 ㄷㄴㄹ)=(각 ㄷㄹㄴ)=32°입니다.
삼각형 ㄷㄴㄹ에서
(각 ㄴㄷㄹ)=180°−(32°+32°)=116°이고,
(각 ㄱㄷㄴ)=180°−116°=64°입니다.
삼각형 ㄱㄴㄷ이 이등변삼각형이므로
(각 ㄴㄱㄷ)=(각 ㄴㄷㄱ)=64°입니다.
삼각형 ㄱㄴㄷ에서
(각 ㄱㄴㄷ)=180°−(64°+64°)=52°입니다.

3. (각 ㄹㅁㄷ)=180°−115°=65°입니다.
삼각형 ㅁㄷㄹ은 이등변삼각형이므로
(각 ㅁㄹㄷ)=(각 ㄹㅁㄷ)=65°입니다.
삼각형 ㅁㄷㄹ에서
(각 ㅁㄷㄹ)=180°−(65°+65°)=50°입니다.

4. 정삼각형은 세 변의 길이가 같으므로 둘레는 7×3=21(cm)이고 정삼각형과 이등변삼각형의 둘레가 같으므로 이등변삼각형의 둘레도 21 cm입니다.
따라서 이등변삼각형의 나머지 두 변의 길이는 각각 (21−5)÷2=8(cm)입니다.

5. 정삼각형 1개짜리 : 16개
정삼각형 4개짜리 : 6개
정삼각형 9개짜리 : 2개
➡ 16+6+2=24(개)

6. (각 ㄴㄷㅁ)=(각 ㄴㄷㄹ)+(각 ㄹㄷㅁ)
=90°+60°=150°입니다.
삼각형 ㄷㄴㅁ은 이등변삼각형이므로
(각 ㄷㄴㅁ)=(각 ㄷㅁㄴ)입니다.
따라서
(각 ㄷㅁㄴ)=(180°−150°)÷2=15°이므로
(각 ㅁㅂㄷ)=180°−(15°+60°)=105°
입니다.

4. 삼각형을 각의 크기에 따라 분류하기

개념 익히기 page. 35

1. 나, 라 / 가, 다 / 마
2. 90, 20 / 60, 60, 60 / (　) (○)
3. 90, 둔각
4. 가, 마, 바 / 나, 다, 라
5. 가, 다 / 라, 바 / 나, 마
6. 가 / 바 / 마 / 다 / 라 / 나

동레달 따기 page. 36~39

1. (1) 가, 다 (2) 나, 라
2. ④
3. 할 수 있습니다. 세 각이 모두 60°인 예각이기 때문입니다.
4. (1) 3개 (2) 3개
5. ㉢
6. ㉠, ㉢
7. 14개
8. 둔각삼각형
9. 9개
10. 나, 다, 마, 사, 아 / 라, 바
11. ㉢, ㉣
12. ①, ④, ⑤

2. 35°, 70°, 75°는 세 각이 모두 예각이므로 예각삼각형입니다.

3. 정삼각형은 세 각의 크기가 모두 같습니다. 삼각형의 세 각의 크기의 합은 180°이므로 정삼각형의 한 각의 크기는 180°÷3=60°입니다.

4.
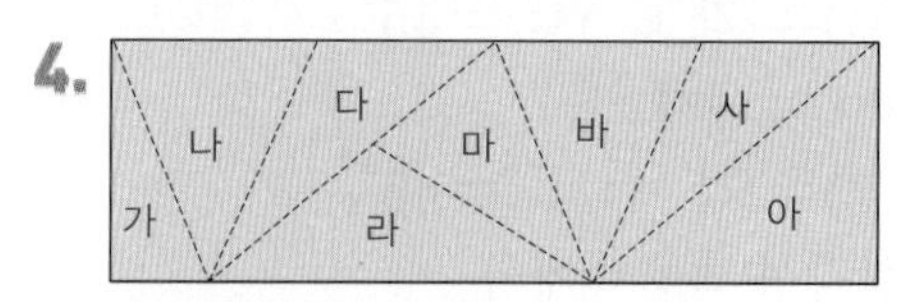

(1) 예각삼각형은 나, 마, 바로 모두 3개입니다.
(2) 둔각삼각형은 다, 라, 사로 모두 3개입니다.

5. ㉠ 직각삼각형 ㉡ 예각삼각형 ㉢ 둔각삼각형
㉣ 예각삼각형 ㉤ 직각삼각형

6. ㉠ $180^\circ-55^\circ-75^\circ=50^\circ$ ➡ 예각삼각형
㉡ $180^\circ-35^\circ-40^\circ=105^\circ$ ➡ 둔각삼각형
㉢ $180^\circ-50^\circ-60^\circ=70^\circ$ ➡ 예각삼각형

7. 삼각형 1개짜리 : 8개, 삼각형 4개짜리 : 6개
➡ $8+6=14$(개)

8. 삼각형의 다른 한 각의 크기는
$180^\circ-(35^\circ+40^\circ)=105^\circ$입니다.

9. 삼각형 1개짜리 : 6개, 삼각형 4개짜리 : 3개
➡ $6+3=9$(개)

11. ㉠ 직각삼각형, ㉡ 예각삼각형

은메달 따기 page. 40~41

1. 4개, 2개, 3개
2. ㉣
3. ㉢, ㉤
4. 둔각삼각형
5. 8개, 8개
6. ㉡

1. 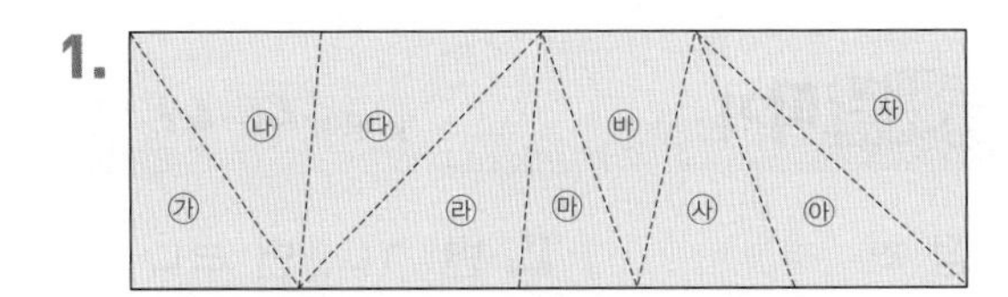

예각삼각형 : ㉯, ㉲, ㉳, ㉴ ➡ 4개
직각삼각형 : ㉮, ㉶ ➡ 2개
둔각삼각형 : ㉰, ㉱, ㉵ ➡ 3개

2. ㉠ 직각삼각형 ㉡ 예각삼각형
㉢ 예각삼각형 ㉣ 둔각삼각형

3. 각 삼각형의 나머지 한 각의 크기는 다음과 같습니다.
㉠ 100° ㉡ 90° ㉢ 50°
㉣ 70° ㉤ 85° ㉥ 118°

4. (각 ㄴㄹㄷ)$=180^\circ-(32^\circ+36^\circ)=112^\circ$
(각 ㄱㄹㄷ)$=180^\circ-112^\circ=68^\circ$
(각 ㄹㄱㄷ)=(각 ㄹㄷㄱ)
$=(180^\circ-68^\circ)\div2=56^\circ$
(각 ㄱㄷㄴ)$=36^\circ+56^\circ=92^\circ$
따라서 삼각형 ㄱㄴㄷ의 세 각은 56°, 32°, 92°로 둔각삼각형입니다.

5. 예각삼각형은 색칠한 삼각형 8개이고 둔각삼각형은 색칠하지 않은 삼각형 8개입니다.

6. 나머지 한 각의 크기를 구해 봅니다.
㉠ : $180^\circ-(45^\circ+80^\circ)=55^\circ$
㉡ : $180^\circ-(39^\circ+46^\circ)=95^\circ$
㉢ : $180^\circ-(72^\circ+50^\circ)=58^\circ$
㉣ : $180^\circ-(65^\circ+55^\circ)=60^\circ$
따라서 ㉠, ㉢, ㉣은 예각삼각형이고 ㉡은 둔각삼각형입니다.

금메달 따기 page. 42~43

1. 둔각삼각형
2. 5개, 7개
3. 둔각삼각형
4. 8개
5. 14개
6. 삼각형 ㄴㄷㄹ에서 각 ㄴㄹㄷ의 크기는
$180^\circ-24^\circ-26^\circ=130^\circ$이므로 각 ㄱㄹㄴ의 크기는 $180^\circ-130^\circ=50^\circ$입니다.
삼각형 ㄱㄴㄹ이 이등변삼각형이므로
각 ㄴㄱㄹ과 각 ㄱㄴㄹ의 크기는
$(180^\circ-50^\circ)\div2=65^\circ$로 같습니다.
따라서 삼각형 ㄱㄴㄷ의 세 각은 65°, 89°, 26°이므로 예각삼각형입니다.

1. 삼각형 ㄱㄴㄷ에서
(각 ㄱㄷㄴ)$=180^\circ-(68^\circ+90^\circ)=22^\circ$이고
삼각형 ㄹㅁㅂ에서
(각 ㄹㅁㅂ)$=180^\circ-(15^\circ+105^\circ)=60^\circ$
입니다.

삼각형 ㅅㅁㄷ에서
(각 ㅁㅅㄷ)$=180^\circ-(22^\circ+60^\circ)=98^\circ$
이므로 삼각형 ㅅㅁㄷ은 둔각삼각형입니다.

2. 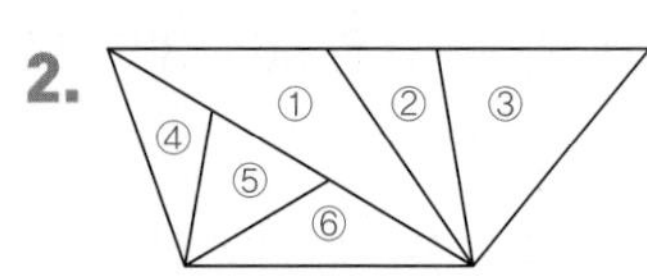

예각삼각형 : ③, ⑤, ②+③, ④+⑤, ⑤+⑥
→ 5개
둔각삼각형 : ①, ②, ④, ⑥, ①+②,
①+②+③, ④+⑤+⑥ → 7개

3. 삼각형 ㅁㄴㄷ은 이등변삼각형이므로
(각 ㅁㄴㄷ)=(각 ㅁㄷㄴ)$=47^\circ$,
(각 ㄴㅁㄷ)$=180^\circ-(47^\circ+47^\circ)=86^\circ$
입니다.
(각 ㄱㅁㄴ)$=180^\circ-86^\circ=94^\circ$이므로 삼각형 ㄱㄴㅁ은 한 각이 둔각인 둔각삼각형입니다.

4. 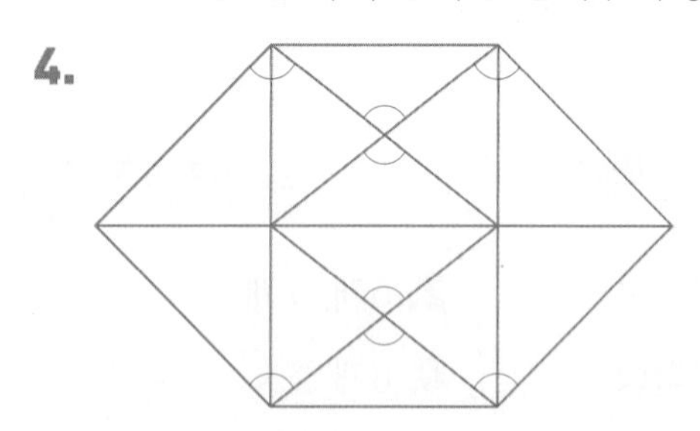

그림에서 각도가 표시된 삼각형은 둔각삼각형이므로 모두 8개입니다.

5. 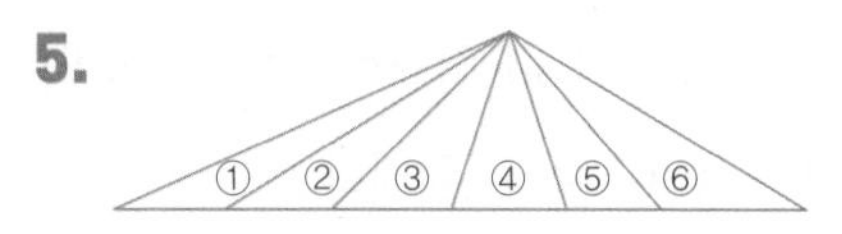

1칸짜리 : ①, ②, ③, ⑤, ⑥ ➡ 5개
2칸짜리 : ①②, ②③, ⑤⑥ ➡ 3개
3칸짜리 : ①②③ ➡ 1개
4칸짜리 : ②③④⑤, ③④⑤⑥ ➡ 2개
5칸짜리 : ①②③④⑤, ②③④⑤⑥ ➡ 2개
6칸짜리 : ①②③④⑤⑥ ➡ 1개
따라서 모두 $5+3+1+2+2+1=14$(개)입니다.

5. 수직과 평행

개념 익히기

1. 가, 바
2. (1) 나, 라 (2) 평행 (3) 평행선
3. 직선 가와 직선 나, 직선 다와 직선 마
4. 선분 ㄱㄹ과 선분 ㄴㄷ
5. 선분 ㄹㄷ **6.** 10 cm
7. 60°, 120°, 120°, 60°

1. 수직인 변이 있으려면 도형의 각 중에서 직각이 있어야 합니다.

3. 길게 늘여도 만나지 않는 두 직선을 찾습니다.
참고
한 직선과 이루는 각의 크기가 같은 두 직선은 서로 평행합니다.

7. ㉠$=180^\circ-120^\circ=60^\circ$
㉡=(120°의 맞꼭짓각)$=120^\circ$
㉢=(120°의 동위각)$=120^\circ$
㉣=(㉠의 동위각)$=60^\circ$

동메달 따기

page. 46~49 

1. 점 ㄹ **2.** 변 ㄱㄴ, 변 ㄹㄷ
3. 2개
4. (1) 변 ㄱㄹ과 변 ㄴㄷ
(2) 변 ㄱㄹ과 변 ㄴㄷ, 변 ㄱㄴ과 변 ㄹㄷ
5. 2쌍 **6.** ㉣
7. 70° **8.** 60°
9. 120° **10.** 105°
11. 4쌍 **12.** 5개

1. 각도기에서 90°가 되는 눈금 위에 점을 찍습니다.

3. 변 ㅁㄹ에 수직인 변은 변 ㄷㄹ과 변 ㄱㅁ으로 모두 2개입니다.

5. 직선 가와 나, 직선 라와 마로 모두 2쌍입니다.

7. 동위각의 관계에 있으므로 각 ㉠의 크기는 70° 입니다.

8. 엇각의 관계에 있으므로 각 ㄴㅇㅅ의 크기는 60°입니다.

9. 서로 마주 보는 각(=맞꼭짓각)끼리는 같으므로 각 ㉠의 크기는 120°입니다.

10.

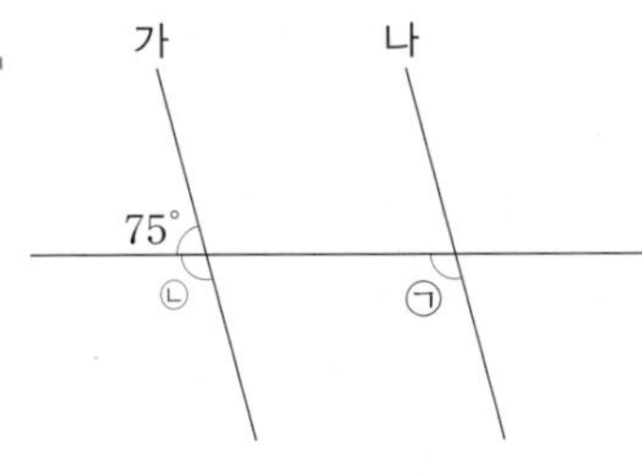

각 ㉡의 크기는 180°−75°=105°이고 이것은 각 ㉠의 동위각이므로 각 ㉠의 크기는 105°입니다.

11. 변 ㄱㅇ과 변 ㄹㅁ, 변 ㄱㄴ과 변 ㅂㅁ, 변 ㄴㄷ과 변 ㅅㅂ, 변 ㄷㄹ과 변 ㅇㅅ으로 모두 4쌍입니다.

12.

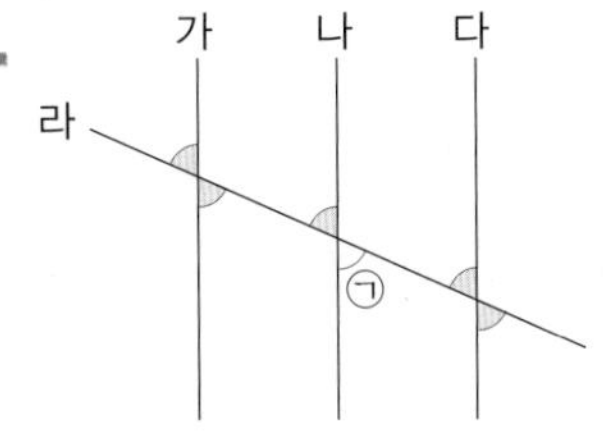

표시한 부분들은 모두 각 ㉠의 크기와 같은 각이므로 5개 더 있습니다.

익힘책 따기 page. 50~51

1. 135°	**2.** 58°
3. 128°	**4.** 80°
5. 75°	**6.** 30°, 90°

1.

각 ㉠의 크기는 맞꼭짓각에 의해 75°, 각 ㉡의 크기는 180°−(75°+60°)=45°이므로 □ 안에 알맞은 각도는 180°−45°=135°입니다.

2. 선분 ㄱㄴ과 선분 ㅁㄷ은 평행하므로 각 ㅁㄷㄹ의 크기는 동위각에 의하여 62°입니다.
따라서 각 ㄷㅁㄹ의 크기는
180°−(62°+60°)=58°입니다.

3. 선분 ㄱㄹ과 선분 ㄴㄷ은 평행하므로 각 ㄹㄴㄷ의 크기는 엇각에 의하여 70°이고,
각 ㄴㅇㄷ의 크기는
180°−(70°+58°)=52°입니다.
따라서 각 ㄷㅇㄹ의 크기는 180°−52°=128° 입니다.

4.

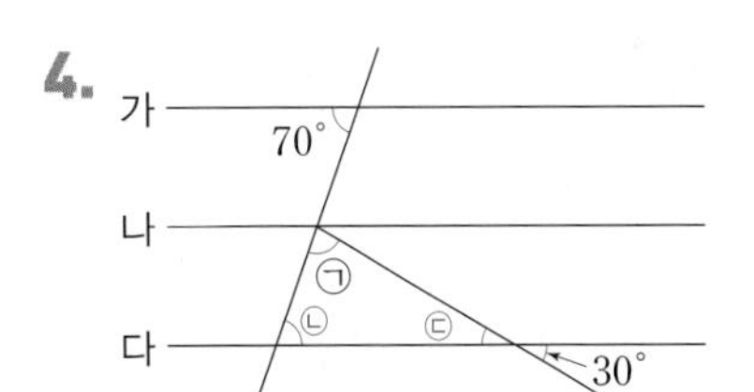

각 ㉡의 크기는 엇각에 의하여 70°, 각 ㉢의 크기는 맞꼭짓각에 의하여 30°이므로 각 ㉠의 크기는 180°−(70°+30°)=80°입니다.

5.

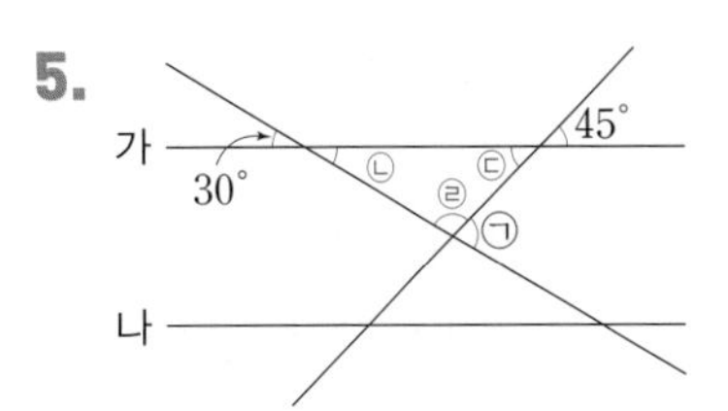

각 ㉡과 각 ㉢의 크기는 각각 맞꼭짓각에 의하여 30°, 45°이므로 각 ㉣의 크기는
180°−(30°+45°)=105°입니다.
따라서 각 ㉠의 크기는 180°−105°=75°입니다.

6.

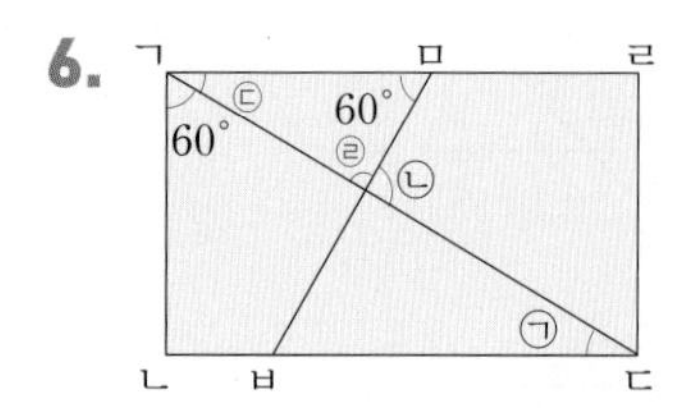

각 ㉢의 크기는 $90^\circ-60^\circ=30^\circ$이므로 각 ㉠의 크기는 엇각에 의하여 30°입니다.
각 ㉣의 크기는 $180^\circ-(30^\circ+60^\circ)=90^\circ$이므로 각 ㉡의 크기는 $180^\circ-90^\circ=90^\circ$입니다.

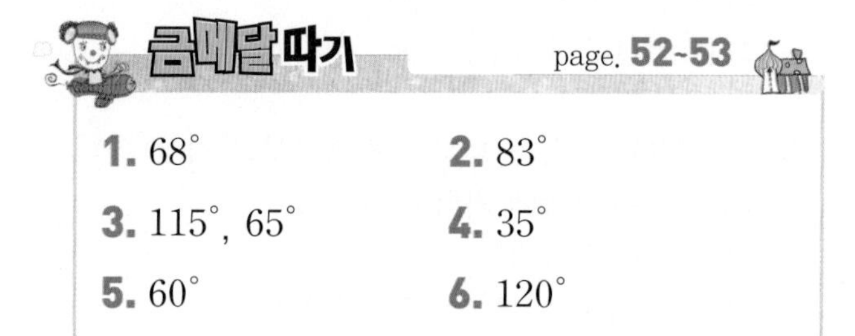

1. 68° **2.** 83°
3. 115°, 65° **4.** 35°
5. 60° **6.** 120°

1.

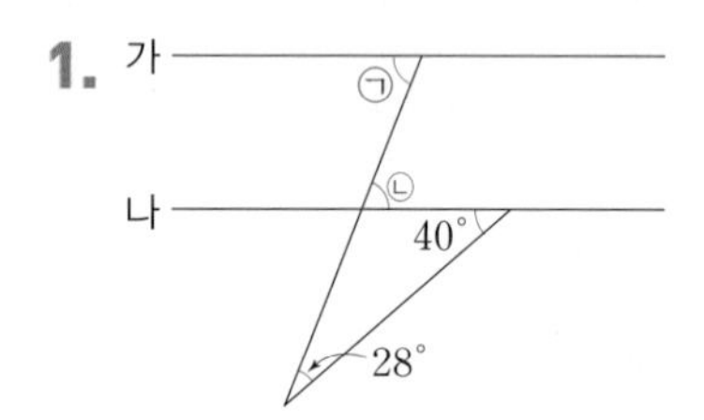

각 ㉡의 크기는 $40^\circ+28^\circ=68^\circ$이고 각 ㉠의 크기와 각 ㉡의 크기는 서로 엇각이므로 같습니다. 따라서 각 ㉠의 크기는 68°입니다.

2.

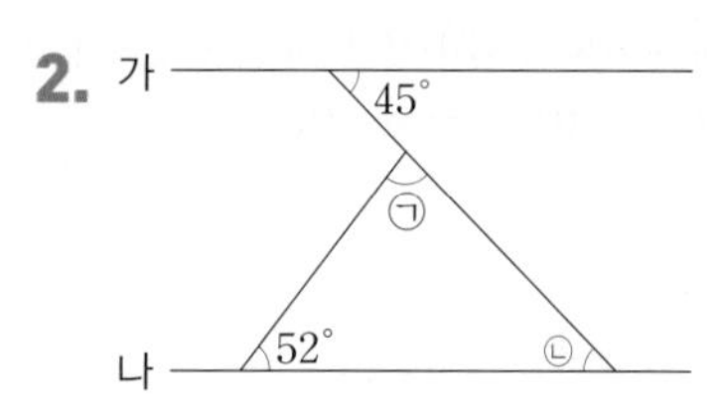

각 ㉡의 크기는 엇각에 의하여 45°이므로 각 ㉠의 크기는 $180^\circ-(52^\circ+45^\circ)=83^\circ$입니다.

3.

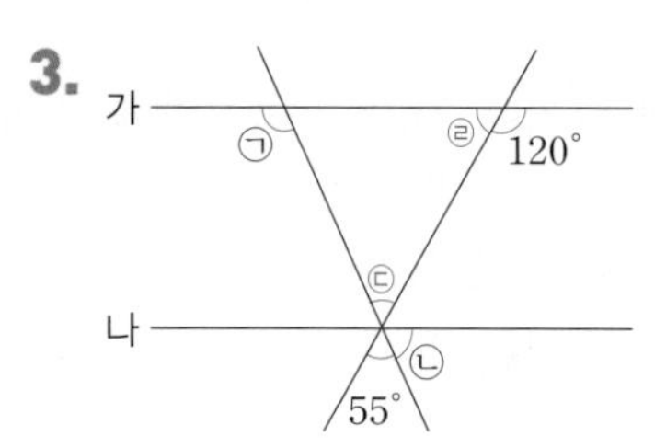

각 ㉢의 크기는 맞꼭짓각에 의하여 55°, 각 ㉣의 크기는 $180^\circ-120^\circ=60^\circ$이므로
각 ㉠의 크기는 $55^\circ+60^\circ=115^\circ$입니다.
또한 동위각에 의하여 $55^\circ+㉡=120^\circ$이므로
각 ㉡의 크기는 $120^\circ-55^\circ=65^\circ$입니다.

4.

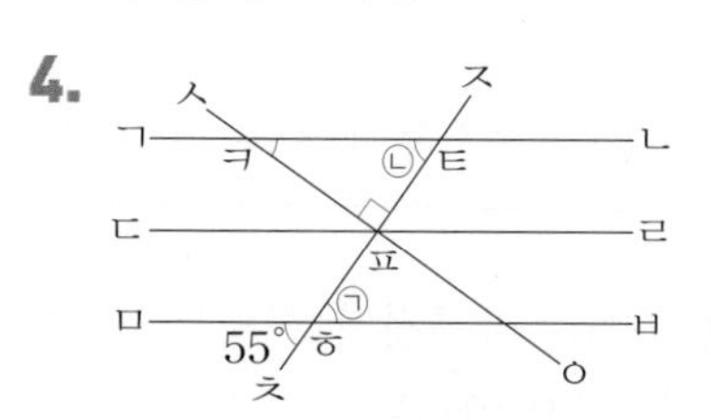

각 ㉠의 크기는 맞꼭짓각에 의하여 55°, 각 ㉡의 크기는 각 ㉠과 엇각의 위치에 있으므로 55°입니다. 따라서 각 ㅌㅋㅍ의 크기는
$180^\circ-(90^\circ+55^\circ)=35^\circ$입니다.

별해
각 ㉡의 크기는 동위각에 의하여 55°입니다.
따라서 $180^\circ-(90^\circ+55^\circ)=35^\circ$입니다.

5.

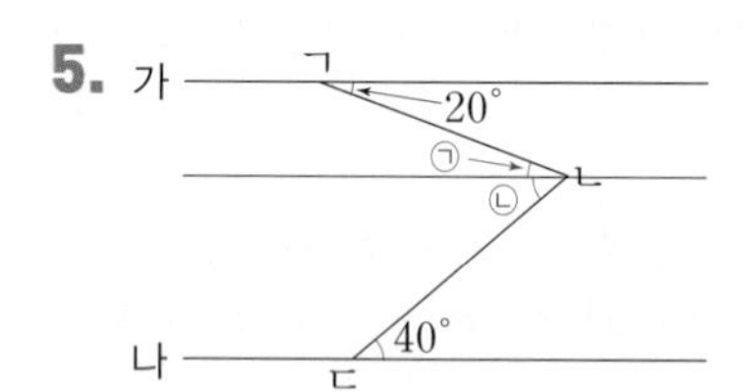

점 ㄴ을 지나며 직선 가와 나에 평행한 직선을 그어 생각합니다.
각 ㉠의 크기는 엇각에 의해 20°, 각 ㉡의 크기는 엇각에 의해 40°이므로 $20^\circ+40^\circ=60^\circ$입니다.

6.

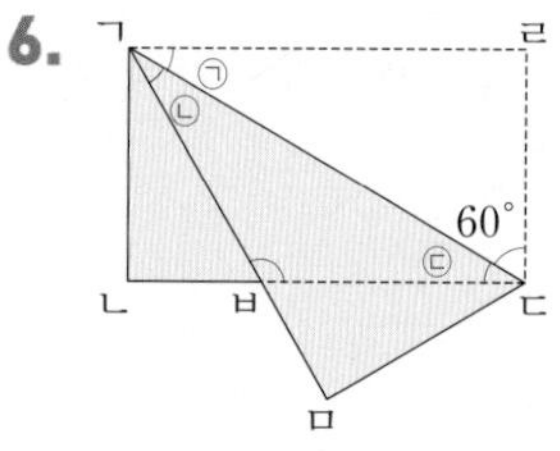

삼각형 ㄱㄷㄹ에서 각 ㉠의 크기는
$180^\circ-(90^\circ+60^\circ)=30^\circ$이고, 각 ㉡은 접은 각으로 각 ㉠의 크기와 같으므로 30°입니다.
또한 각 ㉢의 크기는 $90^\circ-60^\circ=30^\circ$이므로
각 ㉡+각 ㉢$=60^\circ$입니다.
따라서 각 ㄱㅂㄷ의 크기는 $180^\circ-60^\circ=120^\circ$입니다.

중간 평가

page. 54~57 

1. ①, ④	**2.** 55°
3. ③, ④	**4.** (1) 85° (2) 75°
5. (1) 60 (2) 85	**6.** 40°

7. 예 사각형을 삼각형 2개로 나눌 수 있으므로
(사각형의 네 각의 크기 합)
=(삼각형의 세 각의 크기 합)×2입니다.
삼각형의 세 각의 크기의 합은 180°이므로 사각형의 네 각의 크기의 합은
180°×2=360°입니다.

8. 165°	**9.** 10

10. (1) 나, 다 / 가, 바 (2) 다, 라 / 다

11. 15 cm	**12.** 75
13. 56 cm	**14.** 85°
15. 16개	**16.** ③
17. 선분 ㅇㄷ	**18.** 19 cm
19. 65	**20.** 125°

3. ① 60° ② 90° ③ 150° ④ 120° ⑤ 30°

4. (1) (각 ㄱㄴㄷ)=60°+25°=85°
(2) (각 ㄱㄴㄷ)=165°−90°=75°

5. (1) 180°−70°−50°=60°
(2) 360°−100°−90°−85°=85°

6. (각 ㄱㄴㄷ)=55°,
(각 ㄱㄷㄴ)=180°−55°−85°
=125°−85°=40°

8.

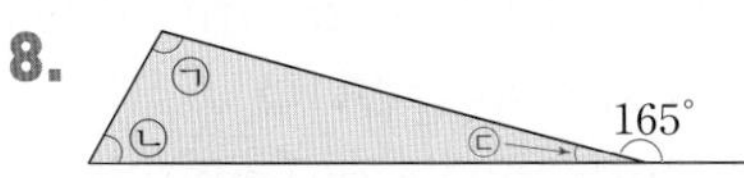

㉢=180°−165°=15°
㉠+㉡+㉢=180°이므로
㉠+㉡=180°−㉢=180°−15°=165°

9. 이등변삼각형은 두 변의 길이가 같으므로 나머지 한 변은 10 cm입니다.

10. (1) 라, 마 : 직각삼각형

11. 5+5+5=15(cm)

12.

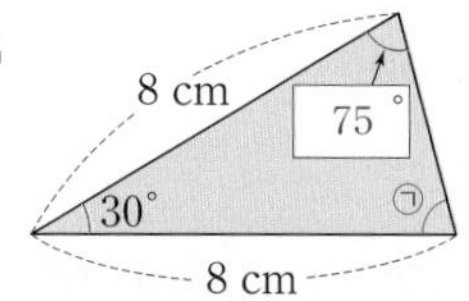

이등변삼각형이므로 □와 ㉠의 각도가 같습니다.
□+㉠=180°−30°=150°
□=150°÷2=75°

13. 길이가 4 cm인 변이 모두 14개입니다.
4×14=56(cm)

14. (각 ㄱㄹㄷ)=25°+60°=85°

15. 1칸짜리 : 12개, 4칸짜리 : 4개
➡ 12+4=16(개)

17. 평행선 사이의 수선을 찾으면 됩니다.

18. 평행선 사이의 수직인 선분의 길이를 모두 더하면 4+15=19(cm)입니다.

19.

115°+㉮=180°, ㉮=65°이고 □=㉮이므로
□=65°입니다.

20.

각 ㄹㄱㄴ의 크기를 구하기 위해 보조선을 그어 보면 변 ㄱㄹ과 변 ㄴㄷ은 평행하고, 각 ㅁㄱㄴ은 각 ㄱㄴㄷ의 반대쪽 각이므로 55°입니다.
➡ (각 ㄹㄱㄴ)=180°−55°=125°

6. 사각형

개념 익히기 page. 59

1. 가, 마, 바
2. 5 cm
3. 100°
4. 50°
5. 20 cm
6. (1) 가, 나, 다, 라, 바 (2) 나, 다, 라, 바 (3) 라, 바 (4) 나, 라 (5) 라

1. 평행한 변이 있는 사각형을 모두 찾아봅니다.

2. (변 ㄴㄷ)=(변 ㄱㄹ)=5 cm

3. 평행사변형에서 이웃하는 각의 크기의 합은 180°이므로 (각 ㄱㄹㄷ)=180°−80°=100° 입니다.

4. 마름모는 마주 보는 각의 크기가 서로 같으므로 (각 ㄱㄹㄷ)=(각 ㄱㄴㄷ)=50°입니다.

5. 마름모는 네 변의 길이가 같으므로 마름모 ㄱㄴㄷㄹ의 둘레는 5×4=20(cm)입니다.

동메달 따기 page. 60~63

1. 5개
2. 32 cm
3. 135°
4. 55, 9
5. 6개
6. ④
7. 18개
8. (1) ㉠ 50°, ㉡ 120°
   (2) 사다리꼴 : 5개, 평행사변형 : 1개
9. 7 cm
10. (1) 5, 70 (2) 9, 9, 130
11. ㉡, ㉢, ㉣

1. 사각형 2개짜리 : 4개, 사각형 4개짜리 : 1개
따라서 4+1=5(개)입니다.

2. (평행사변형의 네 변의 길이의 합)
=6+10+6+10=32(cm)

3. (각 ㄴㄷㄹ)=180°−45°=135°
평행사변형은 마주 보는 각의 크기가 서로 같으므로 (각 ㄴㄱㄹ)=(각 ㄴㄷㄹ)=135°입니다.

4.

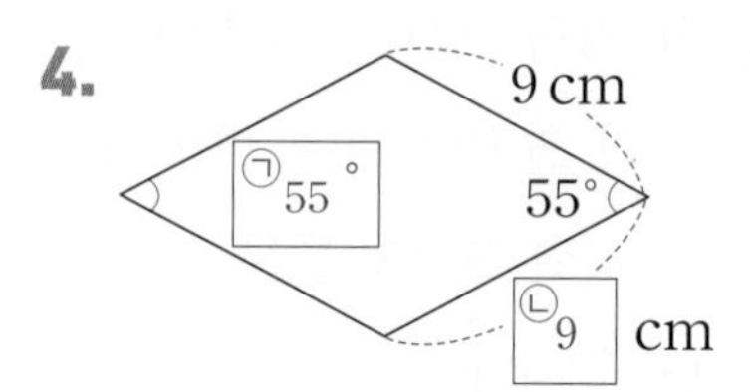

마름모의 네 변의 길이는 모두 같으므로 ㉡=9 cm이고 마주 보는 각의 크기가 같으므로 ㉠=55°입니다.

5. 작은 이등변삼각형 2개짜리 : 4개
작은 이등변삼각형 4개짜리 : 1개
작은 이등변삼각형 8개짜리 : 1개
따라서 4+1+1=6(개)입니다.

6. ① 7+12+16+8=43(cm)
② 10+14+10+14=48(cm)
③ 11×4=44(cm)
④ 16+9+16+9=50(cm)
⑤ 12×4=48(cm)

7. 작은 직사각형 1개짜리 : 6개
작은 직사각형 2개짜리 : 7개
작은 직사각형 3개짜리 : 2개
작은 직사각형 4개짜리 : 2개
작은 직사각형 6개짜리 : 1개
따라서 모두 6+7+2+2+1=18(개)입니다.

9. 마름모의 네 변의 길이의 합이 28 cm이고 마름모는 네 변의 길이가 모두 같습니다.
따라서 한 변의 길이는 28÷4=7(cm)입니다.

10. (2) 50°+□=180° ➡ □=180°−50°
=130°

은메달 따기 page. 64~65

1. 110° **2.** 11 cm
3. 마름모, 사다리꼴, 평행사변형
4. 60개 **5.** 17°
6. 100°

1.

변 ㄱㄹ과 변 ㄴㄷ은 서로 평행하고, 평행선과 한 직선이 만날 때 생기는 반대쪽의 각의 크기는 같습니다.
따라서 (각 ㄴㄱㄹ)=(각 ㄱㄴㅁ)=180°−70°
=110°입니다.

2. {(변 ㄱㄴ)+(변 ㄴㄷ)}×2=34
(변 ㄴㄷ)=34÷2−6=11(cm)

3. 색칠한 부분의 도형은 네 변의 길이가 모두 같고, 마주 보는 두 쌍의 변이 서로 평행하므로 마름모입니다. 마름모는 사다리꼴, 평행사변형이라 할 수 있습니다.

4. 1칸짜리 : 12개, 2칸짜리 : 17개,
3칸짜리 : 10개, 4칸짜리 : 9개,
6칸짜리 : 7개, 8칸짜리 : 2개,
9칸짜리 : 2개, 12칸짜리 : 1개
➡ 12+17+10+9+7+2+2+1=60(개)

5. (변 ㄹㄷ)=(변 ㄹㅁ)=(변 ㄱㄹ)이므로
삼각형 ㄹㄷㅁ은 이등변삼각형입니다.
(각 ㄷㄹㅁ)=360°−124°−90°=146°
따라서 이등변삼각형 ㄹㄷㅁ에서
(각 ㄷㅁㄹ)=(180°−146°)÷2=17°입니다.

6. (각 ㄴㄷㄱ)=(각 ㄴㄱㄷ)=50°이므로
(각 ㄱㄴㄷ)=180°−50°−50°=80°입니다.
따라서 (각 ㄱㄹㄷ)=(각 ㄱㄴㄷ)=80°이므로
㉠=180°−80°=100°입니다.

금메달 따기 page. 66~67

1. 130 cm **2.** 41°
3. 39개 **4.** 120°
5. 47° **6.** 90°

1. 사각형 ㄱㄴㄷㅁ은 마름모이므로 각 ㄴㄷㅁ은 120°입니다.
(각 ㅁㄷㄹ)=180°−120°=60°이고 변 ㅁㄷ과 변 ㅁㄹ의 길이가 같으므로 각 ㄷㄹㅁ은 60°이고, 각 ㄷㅁㄹ은 180°−60°−60°=60°이므로 삼각형 ㅁㄷㄹ은 정삼각형입니다.
따라서 사다리꼴 ㄱㄴㄹㅁ의 네 변의 길이의 합은 26×5=130(cm)입니다.

2. (각 ㄱㄹㅂ)=(각 ㅂㄹㅇ)=(각 ㅇㄹㄷ)
=123°÷3=41°
(각 ㄹㄷㅇ)=180°−123°=57°
(각 ㄹㅇㄷ)=(각 ㄹㅇㅂ)=180°−41°−57°
=82°
(각 ㅂㅇㄴ)=180°−82°−82°=16°
(각 ㄴㅅㅇ)=180°−123°−16°=41°

3. 2개로 이루어진 마름모 :
(1+2+3+4)×3=30(개)
8개로 이루어진 마름모 : (1+2)×3=9(개)
따라서 찾을 수 있는 크고 작은 마름모는 모두 30+9=39(개)입니다.

4. 평행선과 한 직선이 만날 때 생기는 반대쪽의 각의 크기는 같으므로
(각 ㄹㄱㄷ)=(각 ㄱㄷㄴ)=30°입니다.
삼각형 ㄱㄷㄹ은 이등변삼각형이므로
(각 ㄹㄷㄱ)=(각 ㄹㄱㄷ)=30°이고
(각 ㄱㄹㄷ)=180°−30°−30°=120°입니다.

5.

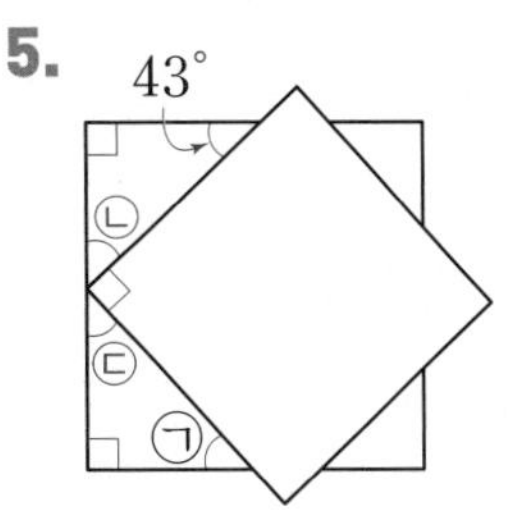

정사각형은 네 각이 모두 직각이므로
㉡=180°−90°−43°=47°입니다.
일직선이 이루는 각의 크기는 180°이므로
㉢=180°−47°−90°=43°입니다.
따라서 ㉠=180°−90°−43°=47°입니다.

6. 삼각형 ㄱㄴㄷ에서
(각 ㄱㄴㄷ)=(180°−90°)÷2=45°입니다.
마름모는 마주 보는 각의 크기가 같으므로
(각 ㄹㄴㅁ)=(360°−70°−70°)÷2=110°
이고 (각 ㄹㄴㄷ)=110°÷2=55°입니다.
㉡=55°−45°=10°이고 (각 ㄴㄹㄷ)=70°이
므로 삼각형 ㄹㄴㅂ에서
㉠=180°−70°−10°=100°입니다.
따라서 ㉠−㉡=100°−10°=90°입니다.

7. 다각형

개념 익히기 page. 69

1. ②, ⑤ **2.** (1) 삼각형 (2) 오각형
3. 120 **4.** 다
5. 선분 ㄱㄹ, 선분 ㄴㅁ
6. 예

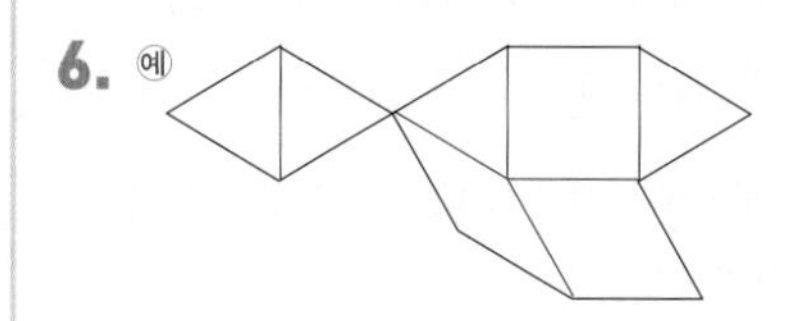

1. ②, ⑤는 선분으로 둘러싸여 있지 않습니다.

2. (1) 3개의 선분으로 둘러싸인 도형입니다.
(2) 5개의 선분으로 둘러싸인 도형입니다.

3. 정육각형은 여섯 변의 길이가 모두 같고 여섯 각의 크기가 모두 같습니다.

4. 가 : 0개, 나 : 2개, 다 : 5개, 라 : 2개

5. 사각형 ㄱㄴㄹㅁ에서 이웃하지 않은 두 꼭짓점을 이은 선분은 선분 ㄱㄹ, 선분 ㄴㅁ입니다.

동메달 따기 page. 70~73

1. (1) 가, 라, 마, 사 (2) 마
2. ③, ④ **3.** 108, 4
4. 정육각형 **5.** 9개
6. 14 cm **7.** 정오각형
8. 다, 마 **9.** 가, 다, 라
10. 정육각형, 정사각형, 정삼각형
11. 풀이 참조

1. (1) 나, 다, 바, 아는 선분으로만 둘러싸인 도형이 아닙니다.

2. ③ 원은 선분으로 둘러싸여 있지 않으므로 다각형이 아닙니다.
④ 변의 수에 따라 이름을 붙입니다.

3. 정다각형은 변의 길이가 모두 같고 각의 크기가 모두 같습니다.

4. 정다각형은 변의 길이가 모두 같으므로 변의 개수는 30÷5=6(개)입니다.
따라서 변이 6개인 정다각형이므로 정육각형입니다.

5. 정■각형의 대각선의 수 : ■×(■−3)÷2
(정육각형의 대각선의 수)
=6×(6−3)÷2=18÷2=9(개)

6. 직사각형의 두 대각선은 길이가 같고, 한 대각선이 다른 대각선을 반으로 나눕니다. 따라서
(선분 ㄱㄷ)=(선분 ㄴㄹ)=7×2
=14(cm)입니다.

7. 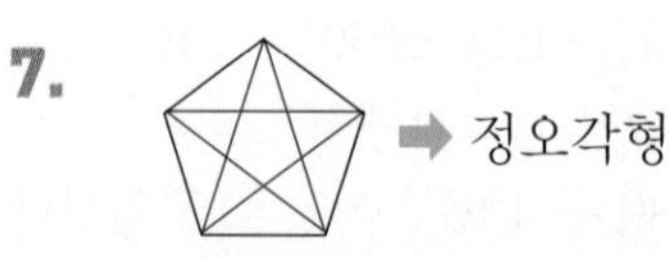

8. 두 대각선의 길이가 같은 사각형은 직사각형, 정사각형입니다.

9. 바닥을 빈틈없이 덮을 수 있는 정다각형은 정삼각형, 정사각형, 정육각형입니다.

11.

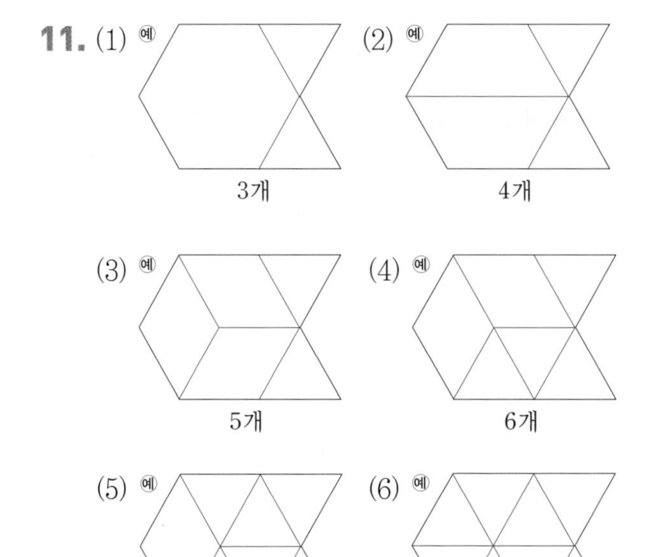

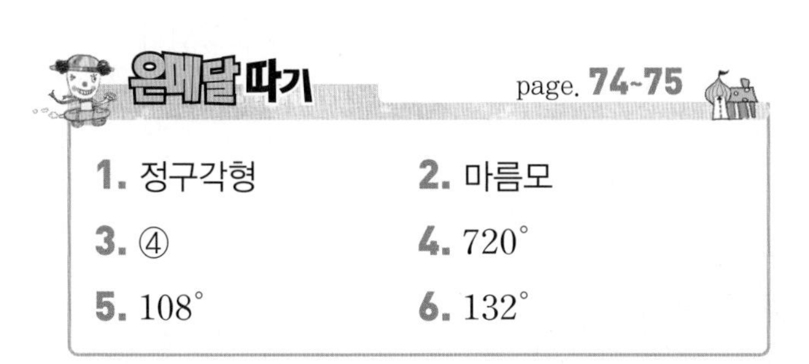

1. 정구각형 **2.** 마름모

3. ④ **4.** 720°

5. 108° **6.** 132°

1. 정다각형은 변의 길이가 모두 같으므로 변은 $36 \div 4 = 9$(개)입니다.
따라서 변이 9개인 정다각형이므로 정구각형입니다.

2. 대각선이 수직으로 만나는 것은 정사각형과 마름모입니다. 정사각형의 두 대각선의 길이는 같으므로 주어진 도형은 마름모입니다.

3. 사용된 모양 조각은 정육각형, 정삼각형, 사다리꼴, 정사각형, 마름모입니다.

4.

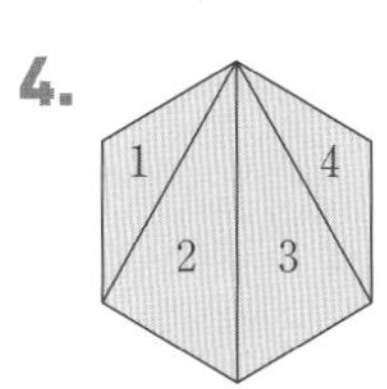

왼쪽 그림과 같이 4개의 삼각형으로 나누어 생각할 수 있으므로 $180° \times 4 = 720°$입니다.

5.

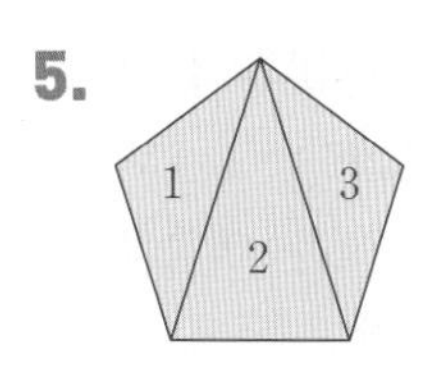

왼쪽 그림과 같이 3개의 삼각형으로 나누어 생각할 수 있으므로 정오각형의 모든 각의 합은 $180° \times 3 = 540°$입니다.
따라서 정오각형에서 한 각의 크기는 $540° \div 5 = 108°$입니다.

6. (정오각형의 한 각의 크기)
$= (180° \times 3) \div 5 = 108°$
(정육각형의 한 각의 크기)
$= (180° \times 4) \div 6 = 120°$이므로
$\square = 360° - (108° + 120°) = 132°$입니다.

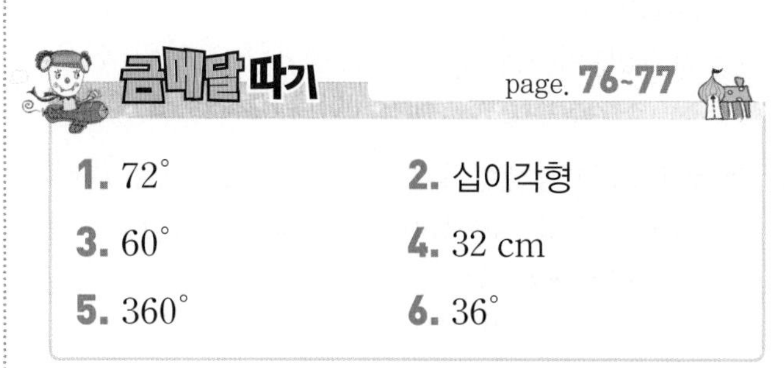

1. 72° **2.** 십이각형

3. 60° **4.** 32 cm

5. 360° **6.** 36°

1. 정오각형은 삼각형 3개로 나눌 수 있으므로 다섯 각의 크기의 합은 $180° \times 3 = 540°$이고 한 각의 크기는 $540° \div 5 = 108°$입니다.
(변 ㄴㄷ)=(변 ㄷㄹ)이므로 삼각형 ㄴㄷㄹ은 이등변삼각형이고
(각 ㄷㄹㄴ)=(각 ㄷㄴㄹ)
$= (180° - 108°) \div 2 = 36°$입니다.
(각 ㄴㄷㄱ)=36°이므로
(각 ㅂㄷㄹ)$= 108° - 36° = 72°$입니다.
따라서 (각 ㄷㅂㄹ)$= 180° - 72° - 36° = 72°$입니다.

2. 대각선이 54개인 다각형의 꼭짓점의 수를 □개라 하면 $(\square - 3) \times \square \div 2 = 54$,
$(\square - 3) \times \square = 108$
두 수의 차가 3이고, 두 수의 곱이 108인 수를 찾아봅니다.
□가 12일 때 $(12 - 3) \times 12 = 108$입니다.
따라서 꼭짓점이 12개인 도형이므로 십이각형입니다.

3. (정육각형의 한 각의 크기)$=(180^\circ\times4)\div6$
$=120^\circ$
삼각형 ㄱㄷㄹ과 삼각형 ㄱㄴㄹ은 이등변삼각형이므로
(각 ㄱㄹㄷ)=(각 ㄹㄱㄴ)
$=(180^\circ-120^\circ)\div2=30^\circ$입니다.
따라서 각 ㄱㅁㄹ은 $180^\circ-30^\circ-30^\circ=120^\circ$이므로 각 ㄹㅁㄴ은 $180^\circ-120^\circ=60^\circ$입니다.

4. 직사각형의 두 대각선은 길이가 같고 서로 이등분하므로 (선분 ㄱㅁ)=(선분 ㄴㅁ)=(선분 ㄷㅁ)=(선분 ㄹㅁ)입니다.
삼각형 ㄹㅁㄷ은 세 각의 크기가 60°이므로 정삼각형이고 (선분 ㄹㅁ)=(선분 ㅁㄷ)=8 cm입니다.
따라서 직사각형의 두 대각선의 길이의 합은 $8+8+8+8=32$(cm)입니다.

5. 오각형은 삼각형 3개로 나눌 수 있으므로 다섯 각의 크기의 합은 $180^\circ\times3=540^\circ$입니다.
일직선 5개가 이루는 각의 크기는
$180^\circ\times5=900^\circ$이므로
㉠+㉡+㉢+㉣+㉤$=900^\circ-540^\circ=360^\circ$입니다.

6. 정오각형은 삼각형 3개로 나눌 수 있으므로 정오각형의 다섯 각의 크기의 합은
$180^\circ\times3=540^\circ$이고 한 각의 크기는
$540^\circ\div5=108^\circ$입니다.
(각 ㄴㄱㅁ)$=108^\circ$이고
(각 ㅊㄱㅁ)=(각 ㅊㅁㄱ)$=180^\circ-108^\circ=72^\circ$이므로 삼각형 ㄱㅁㅊ에서
㉠$=180^\circ-72^\circ-72^\circ=36^\circ$입니다.

8. 평면도형의 이동

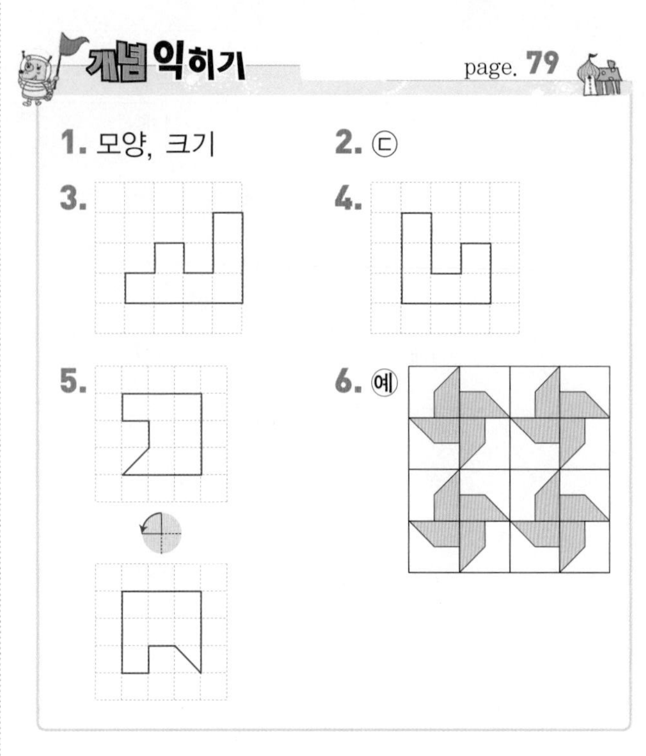

4. 오른쪽으로 직각의 2배만큼 돌린 모양입니다.

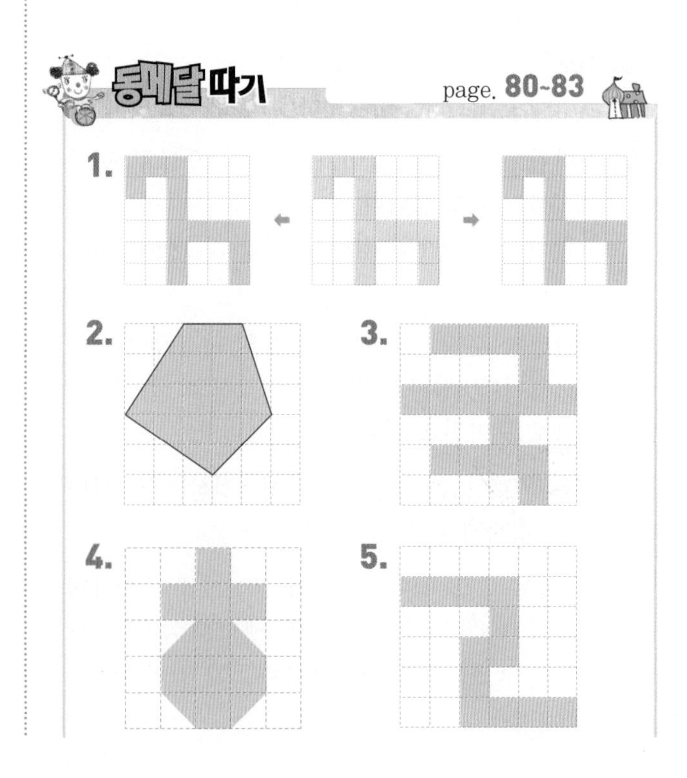

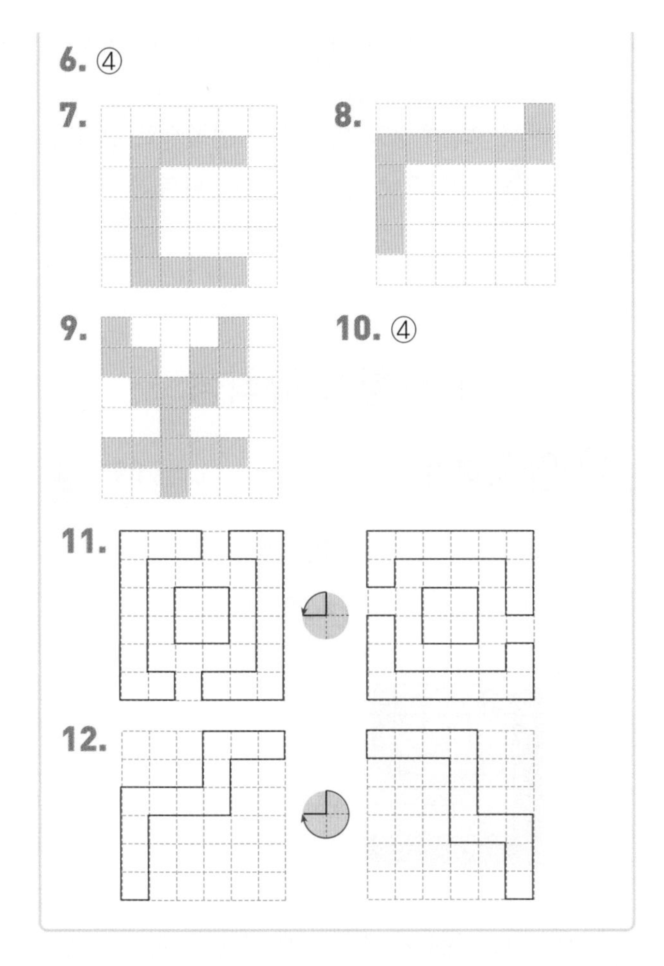

1. 주어진 도형을 왼쪽과 오른쪽으로 밀어도 모양은 변하지 않습니다.
2. 왼쪽 모양을 거꾸로 오른쪽으로 뒤집어 봅니다.
3. 글자의 왼쪽과 오른쪽이 서로 바뀌도록 색칠합니다.
4. 오른쪽으로 연속하여 2번 뒤집은 것은 뒤집지 않은 처음 도형과 같습니다.
5. 왼쪽 도형을 아래쪽으로 연속하여 3번 뒤집은 모양은 아래쪽으로 1번 뒤집은 모양과 같으므로 위쪽과 아래쪽이 서로 바뀌도록 색칠합니다.
6. ① ② ③

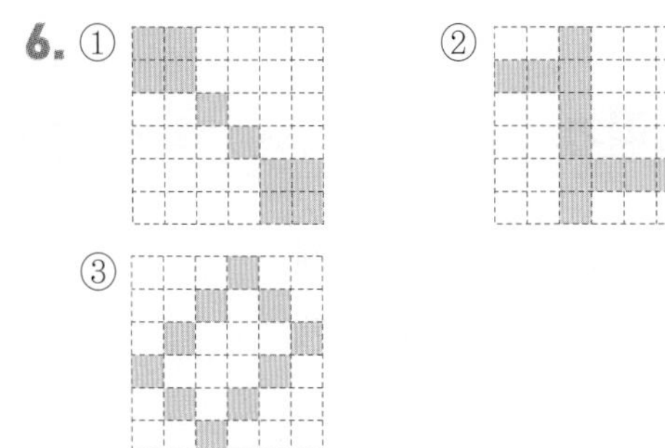

방향으로 돌렸을 때 모양이 변하지 않는 것은 좌우, 상하의 모양이 같은 도형입니다.

7. 도형의 위쪽 → 오른쪽, 오른쪽 → 아래쪽, 아래쪽 → 왼쪽, 왼쪽 → 위쪽으로 바뀝니다.
9. 도형의 위쪽과 아래쪽, 왼쪽과 오른쪽이 서로 바뀝니다.
10. ① ② ③ ④ ⑤

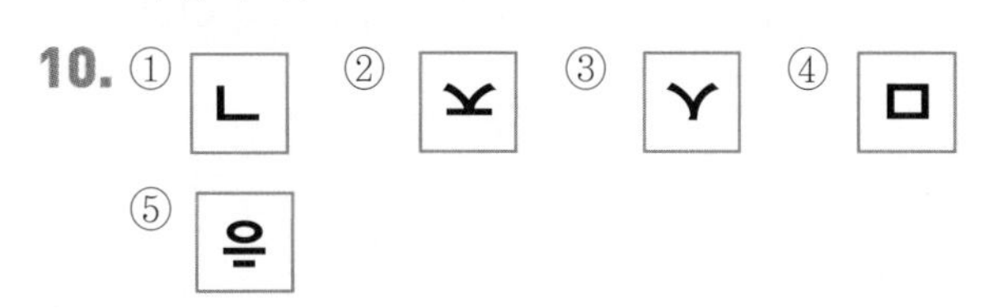

12. 도형을 만큼 돌린 도형은 도형을 만큼 돌린 도형과 모양이 같습니다.

응용 따기 page. 84~85

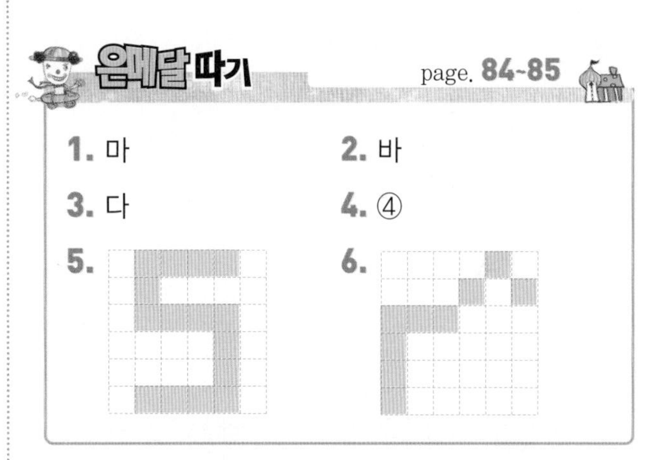

1. 주어진 도형을 같은 방향으로 연속하여 2번, 4번, … 뒤집으면 처음 도형과 같아집니다.
가를 위쪽으로 연속하여 3번 뒤집기 한 것은 위쪽으로 1번 뒤집기 한 것과 같습니다.
2. 주어진 도형을 방향으로 연속하여 4번, 8번, … 돌리면 처음 도형과 같아집니다.
다를 방향으로 연속하여 5번 돌리기 한 것은 방향으로 1번 돌리기 한 것과 같습니다.
3. 나를 왼쪽으로 뒤집은 모양은 바이고, 바를 방향으로 돌린 모양은 다입니다.

4. 도형의 어느 부분이 어느 방향으로 움직였는지 잘 살펴봅니다.

5. 오른쪽 모양을 (방향 그림) 또는 (방향 그림) 방향으로 돌리기 합니다.

6. 왼쪽 도형을 (방향 그림) 방향으로 돌린 것과 같고, 이것은 (방향 그림) 방향으로 돌린 것과도 같습니다.

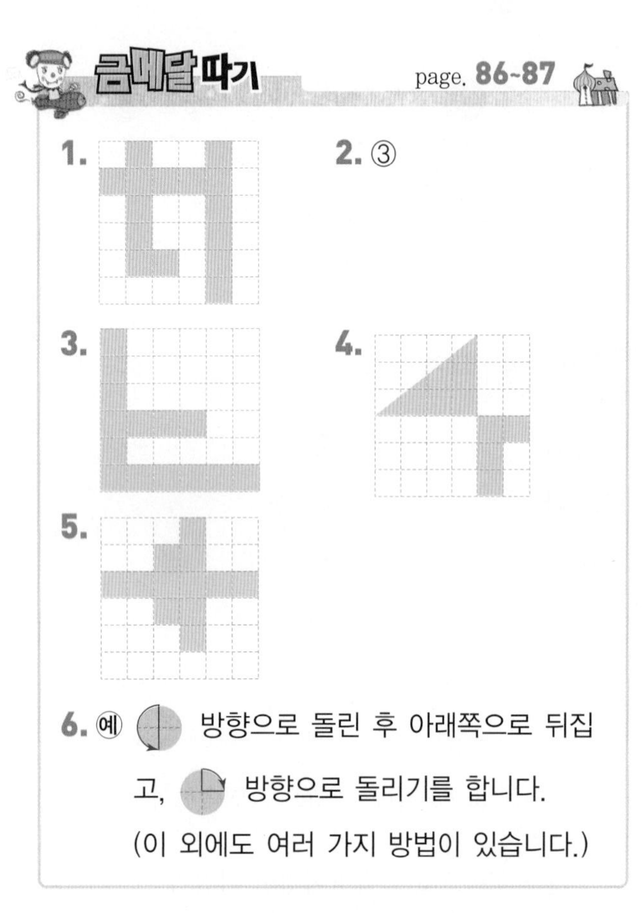

금메달 따기 page. 86~87

1. (그림)　**2.** ③

3. (그림)　**4.** (그림)

5. (그림)

6. ㉠ (방향 그림) 방향으로 돌린 후 아래쪽으로 뒤집고, (방향 그림) 방향으로 돌리기를 합니다.
(이 외에도 여러 가지 방법이 있습니다.)

2. ①, ④, ⑤

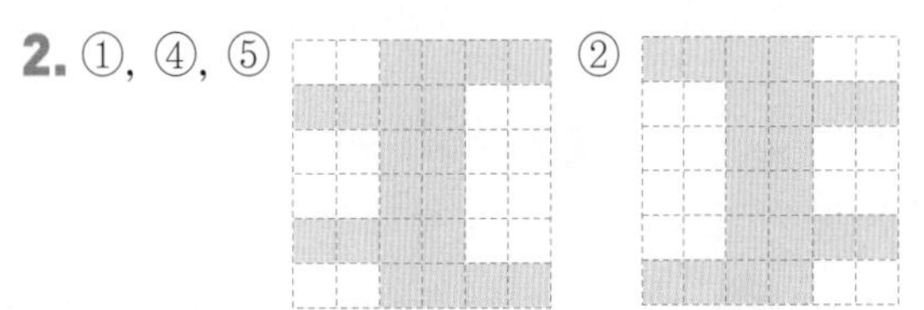

3. 왼쪽으로 5번 뒤집은 것은 왼쪽으로 1번 뒤집은 것과 같습니다.
주어진 모양을 (방향 그림) 방향으로 2번 돌린 뒤, 오른쪽으로 1번 뒤집습니다.

5. 오른쪽 → 왼쪽 → 오른쪽으로 뒤집은 것은 오른쪽으로 한 번 뒤집은 것과 같습니다.
따라서 오른쪽으로 뒤집기 → 위쪽으로 뒤집기 → (방향 그림) 방향으로 돌리기 순서입니다.

9. 도형과 규칙성

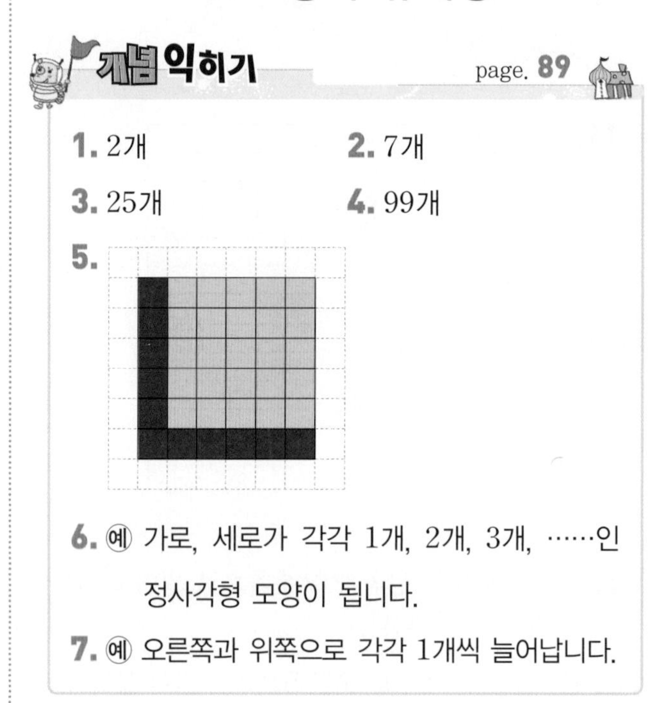

개념 익히기 page. 89

1. 2개　**2.** 7개

3. 25개　**4.** 99개

5. (그림)

6. ㉠ 가로, 세로가 각각 1개, 2개, 3개, ……인 정사각형 모양이 됩니다.

7. ㉠ 오른쪽과 위쪽으로 각각 1개씩 늘어납니다.

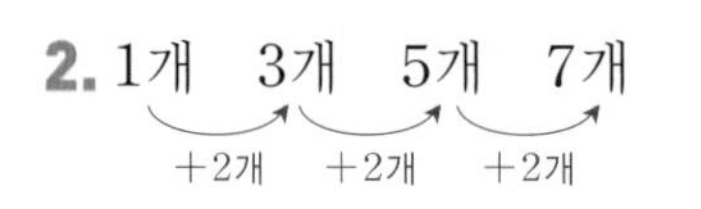

3. $1+3+5+7+9=25$(개)

4. $1+2\times49=99$(개)

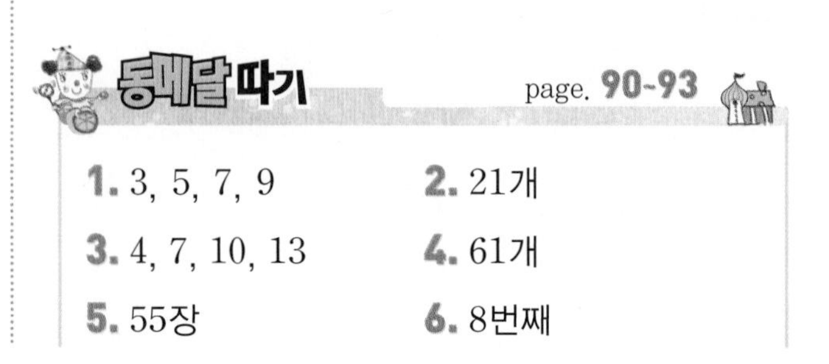

동메달 따기 page. 90~93

1. 3, 5, 7, 9　**2.** 21개

3. 4, 7, 10, 13　**4.** 61개

5. 55장　**6.** 8번째

7. 100장	**8.** 21개
9. 4개	**10.** 21개
11. 51개	**12.** 45개
13. 100개	

2. $10\times2+1=21$(개)

4. $20\times3+1=61$(개)

5. $1+2+3+4+5+6+7+8+9+10$
$=55$(장)

6. $28=1+2+3+4+5+6+7$이므로
$7+1=8$(번째)의 그림입니다.

7. 첫 번째 → 1장 차이
두 번째 → $3-1=2$(장) 차이
세 번째 → $6-3=3$(장) 차이
네 번째 → $10-6=4$(장) 차이
⋮
100번째 → 100장 차이

8. 1 3 6 10 ……
(+2, +3, +4)
따라서 여섯 번째에는 $1+(2+3+4+5+6)$
$=21$(개)의 바둑돌을 놓아야 합니다.

9. 1층, 3층, 5층, 7층에 ◯ 모양이 1개씩 필요합니다.
따라서 7층까지 쌓으려면 ◯ 모양은 4개 필요합니다.

10. 앞에 있는 두 사각형 수의 합이 다음 사각형의 수가 되는 규칙입니다. 여섯 번째에는
$3+5=8$(개), 일곱 번째에는 $5+8=13$(개)를 놓았으므로 여덟 번째 놓아야 하는 사각형은
$8+13=21$(개)입니다.

11. 구슬의 수를 세어 수로 나타내면
1 4 7 10 ……
(+3, +3, +3)
구슬의 수가 3개씩 많아지고 있으므로 여섯 번째까지 놓을 때 필요한 구슬은 모두
$1+4+7+10+13+16=51$(개)입니다.

12. 3, 6, 9, …에서 공깃돌의 수가 3개씩 많아지고 있으므로 다섯 번째까지 놓을 때 필요한 공깃돌은 $3+6+9+12+15=45$(개)입니다.

13. 10층에 1개, 9층에 3개, 8층에 5개, 7층에 7개, …로 한 층씩 내려갈 때마다 쌓기나무의 수가 2개씩 많아지고 있으므로 10층까지 쌓은 쌓기나무는 모두 $1+3+5+7+9+11+13+15+17+19=100$(개)입니다.

은메달 따기

page. **94~95**

1. 18장	**2.** 271장
3. 여섯 번째	**4.** 흰색 바둑돌, 13개
5. 204개	**6.** 63개

1. 두 번째 → $1\times6=6$(장)
세 번째 → $2\times6=12$(장)
네 번째 → $3\times6=18$(장)
따라서 18장입니다.

2. 첫 번째 → 1장
두 번째 → $1+6=7$(장)
세 번째 → $1+6+12=1+6\times(1+2)$
$=19$(장)
네 번째 → $1+6+12+18$
$=1+6\times(1+2+3)=37$(장)
⋮
따라서 열 번째는
$1+6\times(1+2+3+\cdots+9)=271$(장)
입니다.

3. 첫 번째 → 1장
두 번째 → $1+6=7$(장)
세 번째 → $1+6+12=1+6\times(1+2)$
$=19$(장)
네 번째 → $1+6+12+18$
$=1+6\times(1+2+3)=37$(장)
⋮

따라서
$1+6\times(1+2+3+\cdots+\square)=91$(장)에서
$(1+2+3+\cdots+\square)=(91-1)\div6=15$,
$\square=5$이므로 여섯 번째 그림입니다.

4. 흰색 바둑돌은 3, 5, …개씩 많아지고 검은색 바둑돌은 3, 4, …개씩 많아지므로 7번째에는 흰색 바둑돌은
$1+3+5+7+9+11+13=49$(개)
가 놓이고 검은색 바둑돌은
$1+2+3+4+5+6+7+8=36$(개)
가 놓입니다. 따라서 7번째에는 흰색 바둑돌이 $49-36=13$(개) 더 많습니다.

5. 8층에 1개, 7층에 $2\times2=4$(개), 6층에 $3\times3=9$(개), 5층에 $4\times4=16$(개), …이므로 8층까지 쌓을 때 필요한 쌓기나무는 모두
$1+4+9+16+25+36+49+64=204$(개)
입니다.

6. 성냥개비의 수가 3, 9, 18, …로 6개, 9개, …씩 늘어나므로 6번째에는
$3+6+9+12+15+18=63$(개)가 필요합니다.

금메달 따기 page. 96~97

1. 6 cm	**2.** 64 cm
3. 20번째	**4.** 27장
5. 147장	**6.** 343장

1. 첫 번째 → $2\times5=10$(cm)
두 번째 → $2\times8=16$(cm) (+6)
세 번째 → $2\times11=22$(cm) (+6)
둘레의 길이가 6 cm씩 늘어나는 규칙이 있습니다.

2. 10, 16, 22, 28, ……, $\square$ (+6, +6)
$\square$ 안에 올 수는 $10+6\times9=64$입니다.
따라서 64 cm입니다.

별해
$10=1\times6+4$, $16=2\times6+4$,
$22=3\times6+4$, …이므로
열 번째는 $10\times6+4=64$(cm)입니다.

3. 10, 16, 22, 28, ……, 118, 124에서 (+6, +6, +6, +6, +6)
$(124-10)\div6+1=20$(번째)입니다.

별해
$124=20\times6+4$의 형태이므로 20번째입니다.

4. $10\times3-3=27$(장)
또는 $(10-1)\times3=27$(장)입니다.

5.

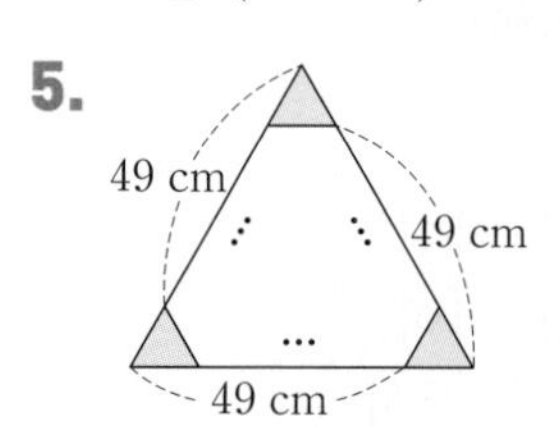

$50\times3-3=147$(장)
또는 $(50-1)\times3=147$(장)입니다.

6.

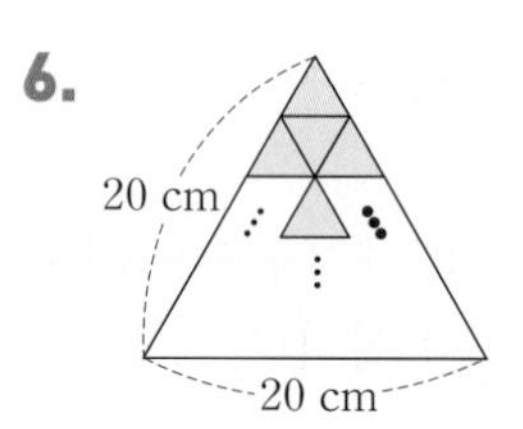

➡ (작은 정삼각형의 수)$=20\times20=400$(장)
파란색과 노란색 정삼각형의 종이는 모두 $20\times20=400$(장)이고 파란색 정삼각형의 종이는 $20\times3-3=57$(장)이므로 노란색 정삼각형의 종이는 $400-57=343$(장)입니다.

10. 도형 세기

개념 익히기 page. 99

1. 6개	**2.** 7개
3. 2개	**4.** 2개

5. 1개 6. 3개
7. 21개 8. 9개
9. 12개 10. 6개
11. 3개 12. 3개
13. 33개

7. $(1+2+3)\times(1+2)+3=21$(개)

8. $3\times3=9$(개)

9. $4\times3=12$(개)

10. $2\times3=6$(개)

11. $1\times3=3$(개)

12. $1\times3=3$(개)

13. $9+12+6+3+3=33$(개)

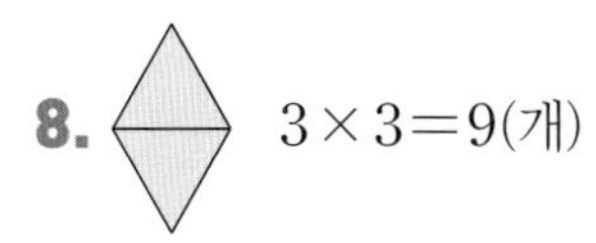

동메달 따기

page. 100~103

1. 11개 2. 6개
3. 10개 4. 210개
5. 8개
6. ㉡ : 8개, ㉢ : 8개, ㉣ : 8개
7. 242개 8. 63개
9. 6개 10. 6개
11. 4개 12. 79개
13. 27개 14. 24개
15. 40개

1. 먼저 선분 ㄱㄴ이 없는 것으로 생각하고 사각형의 개수를 구하면, $(1+2)\times(1+2)=9$(개)입니다.
다음에 선분 ㄱㄴ을 포함하는 사각형을 찾으면, 사각형 ㄱㄴㄷㄹ, 사각형 ㄱㄴㅁㅂ의 2개가 있으므로 찾을 수 있는 사각형은 모두
$9+2=11$(개)입니다.

2. 선분 ㄱㄴ을 중심으로 상하좌우를 살펴봅니다. 선분 ㄱㄴ을 포함하는 사각형은 위, 아래, 왼쪽으로 각각 1개씩, 오른쪽으로 3개를 찾을 수 있으므로 모두 $1+1+1+3=6$(개)입니다.

3. 선분 ㄱㄴ을 포함하는 사각형은 선분 ㄱㄴ을 중심으로 왼쪽으로 1개, 오른쪽으로 2개, 아래로 2개이므로 5개입니다. 선분 ㄷㄹ을 포함하는 사각형은 선분 ㄷㄹ을 중심으로 왼쪽으로 2개, 오른쪽으로 1개, 위로 2개이므로 5개입니다.
따라서 모두 $5+5=10$(개)입니다.

4. 가로 한 줄에서 찾을 수 있는 사각형의 개수와 세로 한 줄에서 찾을 수 있는 사각형의 개수와의 곱이므로
$(1+2+3+4+5+6)\times(1+2+3+4)$
$=210$(개)입니다.

5.

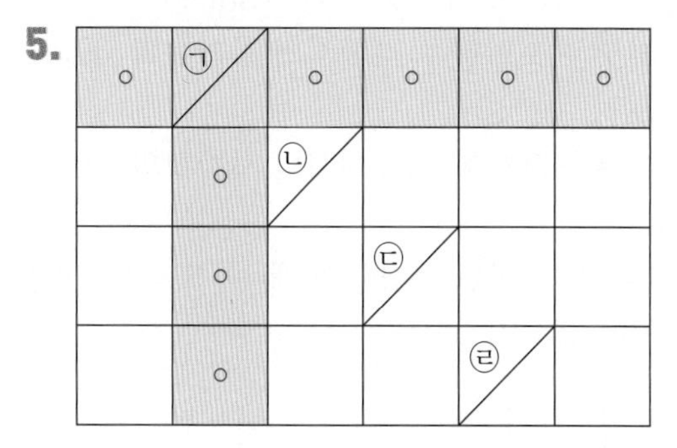

색칠한 부분만 생각하면 됩니다. 따라서 8개입니다.

6. 선분 ㉠에서와 마찬가지로 각각 8개씩입니다.

7. $210+8+8+8+8=242$(개)입니다.

8. 가로 한 줄에서 찾을 수 있는 직사각형의 개수와 세로 한 줄에서 찾을 수 있는 직사각형의 개수와의 곱이므로
$(1+2+3+4+5+6)\times(1+2)$
$=21\times3=63$(개)입니다.

9. 가로 방향으로 5개, 세로 방향으로 1개이므로 모두 6개입니다.

10. 가로 방향으로 5개, 세로 방향으로 1개이므로 모두 6개입니다.

11. 가로 방향으로 4개입니다.

12. $63+6+6+4=79$(개)

13. 사각형 1개짜리 : 8개
사각형 2개짜리 : $5+5=10$(개)
사각형 3개짜리 : $2+2=4$(개)
사각형 4개짜리 : 3개
사각형 6개짜리 : $1+1=2$(개)
➡ $8+10+4+3+2=27$(개)

별해

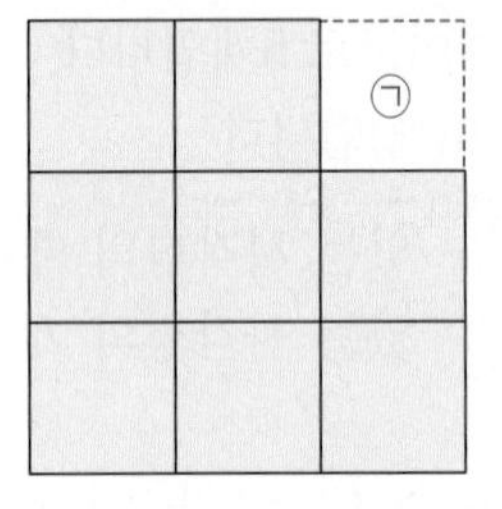

㉠ 부분을 포함할 때 전체의 개수 :
$(1+2+3)\times(1+2+3)=36$(개)
㉠ 부분을 포함한 가로에서의 사각형의 개수 : 3개
㉠ 부분을 포함한 세로에서의 사각형의 개수 : 3개
㉠ 부분을 포함한 사각형의 개수 : $3\times3=9$(개)
➡ $36-9=27$(개)

14.

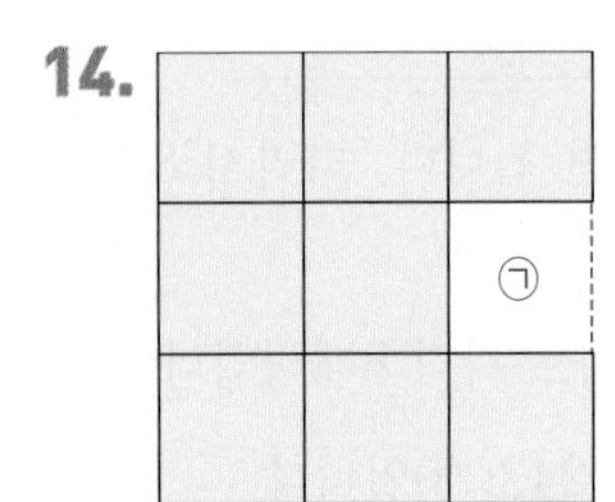

㉠ 부분을 포함할 때 전체의 개수 :
$(1+2+3)\times(1+2+3)=6\times6=36$(개)
㉠ 부분을 포함한 개수 : 가로로 3개, 세로로 4개이므로 $3\times4=12$(개)
➡ $36-12=24$(개)

15.

㉠을 제외할 때 :
$(1+2+3)\times(1+2+3)=36$(개)
㉠을 포함한 사각형 : 4개
➡ $36+4=40$(개)

은메달 따기 page. 104~105

1. 70개	**2.** 25개
3. 38개	**4.** 5개
5. 1개	**6.** 1개
7. 77개	

1. 선분 ㄱㄴ과 ㄷㄹ이 없는 것으로 생각하여 사각형의 개수를 구하면
$(1+2+3+4)\times(1+2+3)=60$(개)이며, 선분 ㄱㄴ을 포함하는 사각형은 선분 ㄱㄴ을 중심으로 왼쪽으로 1개, 위로 1개, 아래로 1개, 오른쪽으로 2개를 찾을 수 있고, 선분 ㄷㄹ을 포함하는 사각형은 선분 ㄷㄹ을 중심으로 왼쪽으로 3개, 아래로 2개를 찾을 수 있습니다.
따라서 모두 $60+5+5=70$(개)입니다.

2.

선분 ㉠과 ㉡이 없는 것으로 생각하면 사각형의 개수는 $(1+2+3)\times(1+2)=18$(개)이며, 선분 ㉠만 포함하는 사각형은 3개, 선분 ㉡만 포함하는 사각형은 3개, 선분 ㉠과 ㉡을 동시에 포함하는 사각형은 1개입니다.
따라서 찾을 수 있는 사각형은 모두
$18+3+3+1=25$(개)입니다.

3. 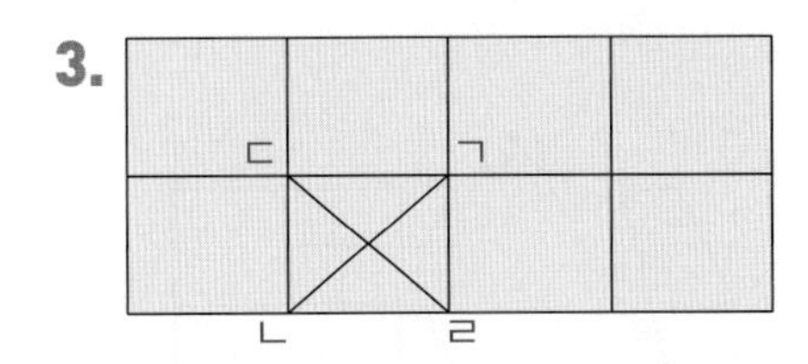

선분 ㄱㄴ과 선분 ㄷㄹ이 없는 것으로 생각하면 사각형의 개수는
$(1+2+3+4)\times(1+2)=30$(개)이며,
선분 ㄱㄴ을 포함하는 사각형은 4개, 선분 ㄷㄹ을 포함하는 사각형은 4개입니다.
따라서 찾을 수 있는 사각형은 모두
$30+4+4=38$(개)입니다.

4. 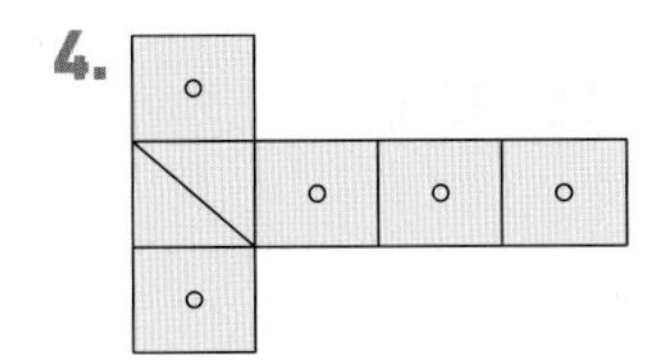 모양에서 찾을 수 있으므로 5개입니다.

5. 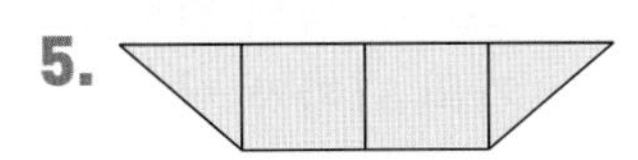 모양으로 1개입니다.

6. 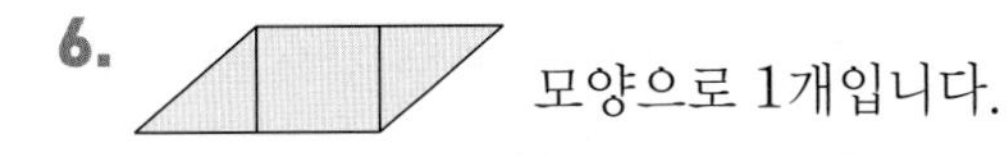 모양으로 1개입니다.

7. 선분 ㉠, ㉡, ㉢이 없는 것으로 생각하면 사각형은 $(1+2+3+4)\times(1+2+3)=60$(개),
선분 ㉠ 또는 ㉡ 또는 ㉢만 포함하는 사각형은 각각 5개씩이므로 $5\times3=15$(개),
선분 ㉠과 ㉢을 함께 포함하는 사각형 1개, 선분 ㉡과 ㉢을 함께 포함하는 사각형이 1개이므로 모두 $60+15+2=77$(개)입니다.

금메달 따기 page. 106~107

1. 115개	**2.** 3개
3. 53개	**4.** 49개
5. 138개	**6.** 36개

1. 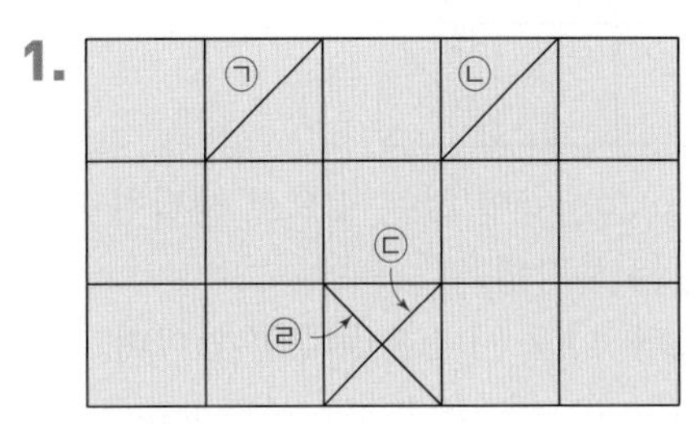

선분 ㉠, ㉡, ㉢, ㉣이 없는 것으로 생각하면 사각형의 개수는
$(1+2+3+4+5)\times(1+2+3)=90$(개)이고, 선분 ㉠, ㉡, ㉢, ㉣을 각각 1개만 포함하는 사각형은 $6\times4=24$(개), 선분 ㉠과 ㉡을 함께 포함하는 사각형은 1개입니다.
따라서 찾을 수 있는 사각형은 모두
$90+24+1=115$(개)입니다.

2. 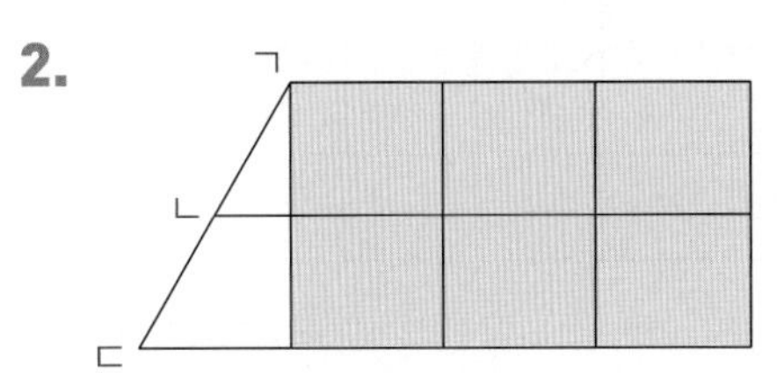

색칠한 부분에서 찾을 수 있는 사각형은
$(1+2+3)\times(1+2)=18$(개),
선분 ㄱㄴ을 포함하는 사각형은 3개, 선분 ㄴㄷ을 포함하는 사각형은 4개, 선분 ㄱㄷ을 포함하는 사각형은 3개입니다.
따라서 찾을 수 있는 사각형은 모두
$18+3+4+3=28$(개)입니다.

3. 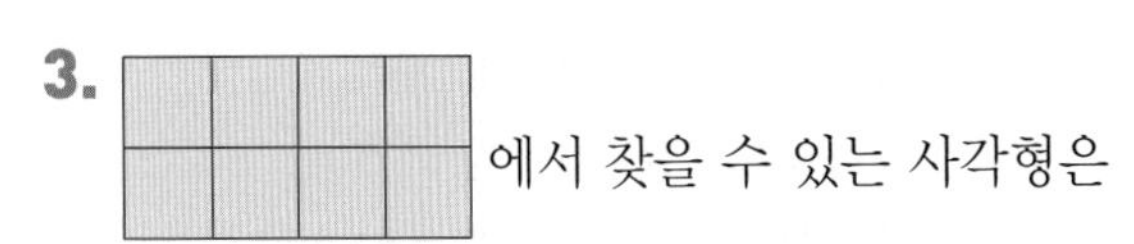 에서 찾을 수 있는 사각형은

$(1+2+3+4)\times(1+2)=30$(개),
선분 ㄱㄴ만 포함하는 사각형은 4개,
선분 ㄴㄷ만 포함하는 사각형은 5개,
선분 ㄱㄷ만 포함하는 사각형은 4개,

선분 ㄹㅁ을 포함하는 사각형은 5개,
선분 ㅂㅅ을 포함하는 사각형 5개입니다.
따라서 모두 $30+4+5+4+5+5=53$(개) 입니다.

4. 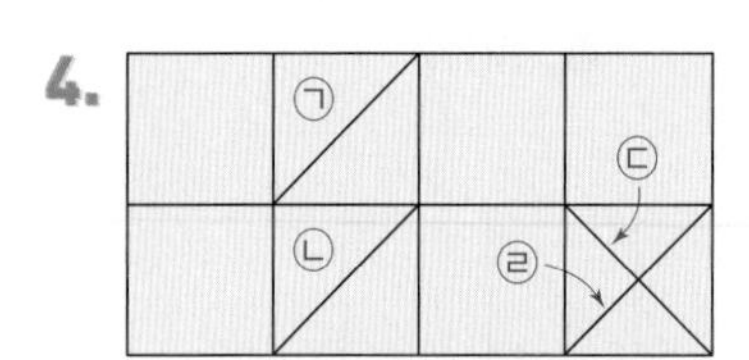

선분 ㉠, ㉡, ㉢, ㉣이 없는 것으로 생각하면, 찾을 수 있는 사각형은
$(1+2+3+4)\times(1+2)=30$(개)이며,
선분 ㉠, ㉡, ㉢, ㉣ 중 1개만 포함하는 사각형은 각각 4개씩이므로 $4\times4=16$(개),
선분 ㉠과 ㉡을 둘 다 포함하는 사각형 1개,
선분 ㉡과 ㉢을 둘 다 포함하는 사각형 1개,
선분 ㉡과 ㉣을 둘 다 포함하는 사각형 1개
이므로 찾을 수 있는 사각형은 모두
$30+16+3=49$(개)입니다.

5. 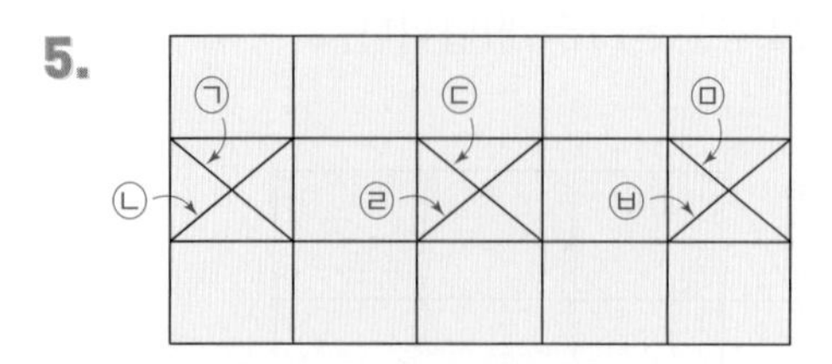

선분 ㉠, ㉡, ㉢, ㉣, ㉤, ㉥이 없는 것으로 생각하면 찾을 수 있는 사각형은
$(1+2+3+4+5)\times(1+2+3)=90$(개),
선분 1개만 포함하는 사각형은 각각 6개씩이므로 $6\times6=36$(개), 선분 2개를 포함하는 사각형은 12개이므로 찾을 수 있는 사각형은 모두 $90+36+12=138$(개)입니다.

6. 삼각형 2개짜리 : 2개
삼각형 3개짜리 : $4+4=8$(개)
삼각형 4개짜리 : $3+2\times2=7$(개)
삼각형 6개짜리 : $2\times2\times2=8$(개)
삼각형 8개짜리 : 직사각형 2개, 평행사변형 2개, 사다리꼴 2개(6개)
삼각형 10개짜리 : 4개, 삼각형 12개짜리 : 1개
➡ $2+8+7+8+6+4+1=36$(개)

총괄 평가

page. 108~111

1. ㉮는 네 변의 길이가 모두 같은 사각형입니다. 따라서 ㉮는 마름모입니다.

2. 125, 16 **3.** 125, 13

4. ㉡, ㉢, ㉣, ㉤ **5.** 마름모, 정사각형

6. ④ **7.** 18개

8. 21 cm **9.** 10 cm

10. 7개 **11.** 40개

12. 31개

13. 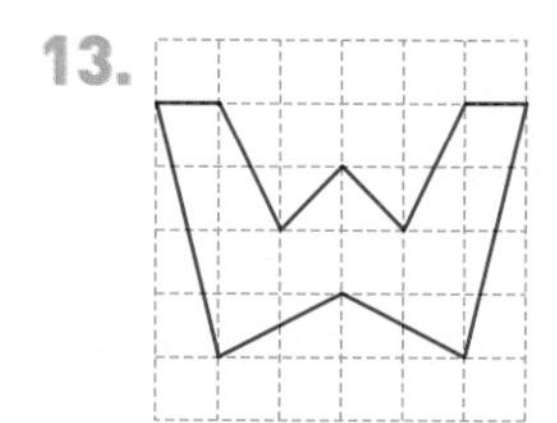

14. 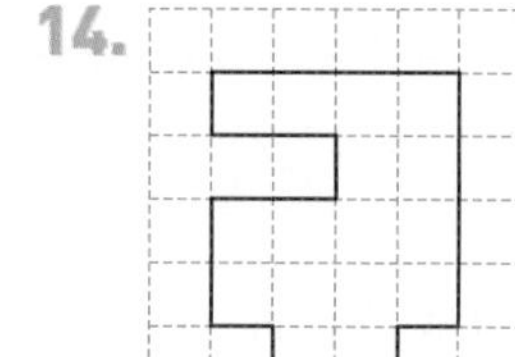

15. 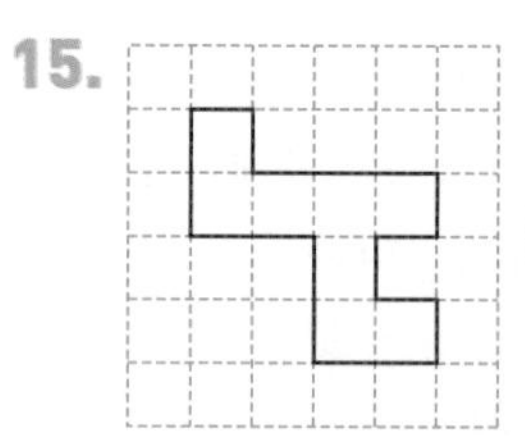 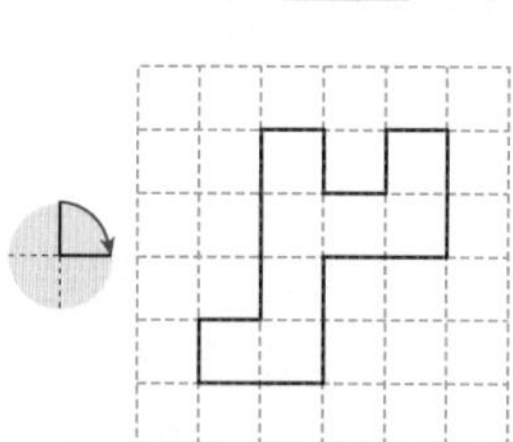

16. ④ **17.** 36개

18. 40개 **19.** 65개

20. 27개

2. 평행사변형이므로 마주 보는 두 쌍의 변의 길이가 서로 같고 마주 보는 각의 크기가 서로 같습니다.

3. 마름모는 네 변의 길이가 모두 같으므로 한 변은 $52\div4=13$(cm)입니다.
마름모는 마주 보는 각의 크기가 서로 같으므로
$\square=(360^\circ-55^\circ-55^\circ)\div2=125^\circ$입니다.

7. 사다리꼴 1개짜리 : 6개
사다리꼴 2개짜리 : 7개
사다리꼴 3개짜리 : 2개
사다리꼴 4개짜리 : 2개
사다리꼴 6개짜리 : 1개

➡ $6+7+2+2+1=18$(개)

별해

$(1+2+3)\times(1+2)=18$(개)

8. (선분 ㄱㄴ의 길이)=(선분 ㄴㅁ의 길이)
$=35-14=21$(cm)

9. 정육각형의 둘레는 $5\times6=30$(cm)이므로 정삼각형의 한 변의 길이는 $30\div3=10$(cm)입니다.

10. 사용한 철사의 길이는 $25\times5=125$(cm)이고, 직사각형의 둘레의 길이는
$(5+3)\times2=16$(cm)이므로
$125\div16=7\cdots13$에서 7개까지 만들 수 있습니다.

11. 5, 10, 15, …이므로 공깃돌이 5개씩 많아지고 있습니다.
따라서 8번째에는 공깃돌을 $5\times8=40$(개) 놓아야 합니다.

12. 삼각형이 1개씩 늘어날 때마다 성냥개비의 수는 2개씩 많아집니다.
➡ $3+2\times14=31$(개)

17. 가로 한 줄에서 찾을 수 있는 직사각형은
$1+2+3=6$(개),
세로 한 줄에서 찾을 수 있는 직사각형은
$1+2+3=6$(개)이므로
찾을 수 있는 직사각형의 개수는
$6\times6=36$(개)입니다.

18. 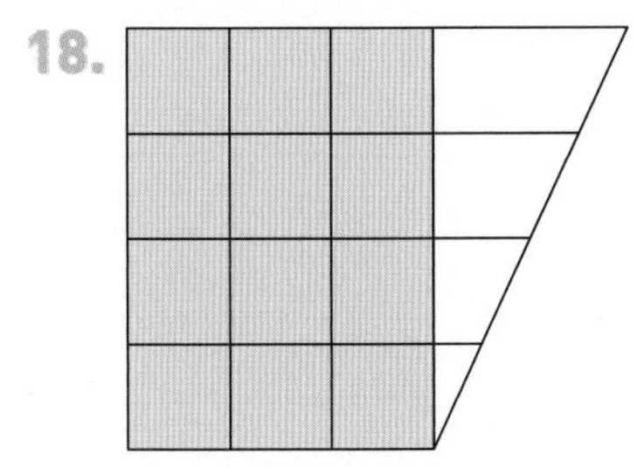

색칠한 부분에서 찾을 수 있는 직사각형은
$(1+2+3)\times(1+2+3+4)=60$(개),
찾을 수 있는 정사각형은 1칸짜리 12개,
4칸짜리 6개, 9칸짜리 2개이므로
$12+6+2=20$(개)입니다.
따라서 $60-20=40$(개)입니다.

19. 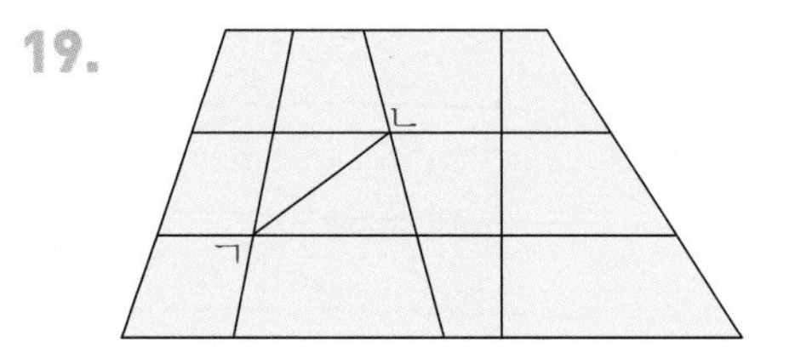

선분 ㄱㄴ이 없는 것으로 생각하면,
찾을 수 있는 사각형은
$(1+2+3+4)\times(1+2+3)=60$(개)이고,
선분 ㄱㄴ을 포함하는 사각형은 5개이므로 찾을 수 있는 사각형은 모두 $60+5=65$(개)입니다.

20. 찾을 수 있는 삼각형은 1칸짜리 16개, 4칸짜리 7개, 9칸짜리 3개, 16칸짜리 1개이므로 모두 $16+7+3+1=27$(개)입니다.

MEMO

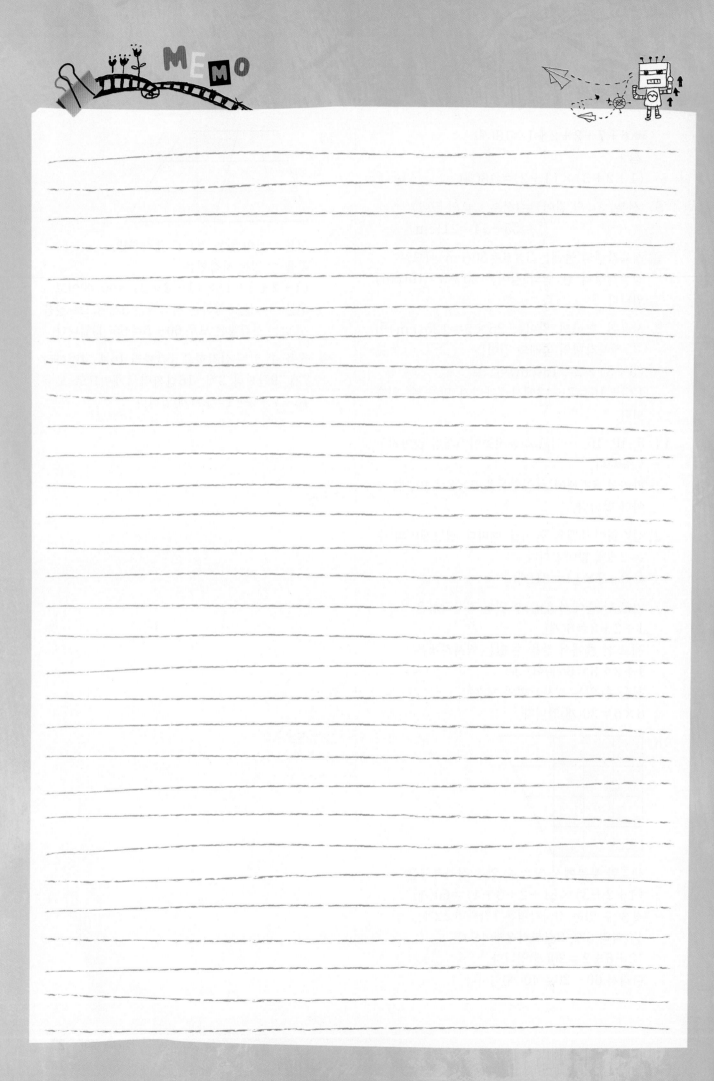

4 학년이 꼭 알아야 할 도형

정답과 풀이